世纪中国论坛典藏文库

中国经济的长期表现

——公元 960—2030 年 （修订版）

Chinese Economic Performance in the Long Run, 960—2030 AD (Second Edition, Revised and Updated)

Angus Maddison
[英]安格斯·麦迪森 著 伍晓鹰 马德斌 译 王小鲁 校

上海人民出版社

出版说明

出版作为人类思想和智慧的凝结，集聚了发明创造和社会实践的经验与成果，推动了人类文明进步。飞速发展的数字和互联网技术并未削弱出版业的这一功能，反而前所未有地促进了其创新发展。

长期以来，上海世纪出版集团始终以弘扬主旋律、引领学术思潮、关注时代命题为己任，并围绕中国发展的重大事件、重大战略决策和重大理论问题举办“世纪中国论坛”。结合 2016 年“世纪中国论坛”，上海世纪出版集团融合移动端、语音端等新技术，以纸电一体同步发布的方式隆重推出《世纪中国论坛典藏文库》，实现了出版方式与互联网、新技术、新模式的融合发展，表达了出版人在奉献好书的同时，努力践行社会责任、文化理想的使命追求。

《世纪中国论坛典藏文库》聚焦中国经济的长期增长主题，荟萃了诺贝尔经济学奖得主、熊彼特奖得主和中国经济学杰出贡献奖得主等中外著名经济学家的扛鼎之作，著译并重，经典闪耀。

著名经济史学家安格斯·麦迪森早在 1998 年出版的《中国经济的长期表现》英文版中就预言，中国可能在 2015 年成长为世界最大的经济体，从而恢复它在1890年之前所享有的世界经济地位。2014年，在《中国的奇迹：发展战略与经济改革》出版20周年之际，经济学家林毅夫在为图书新版撰写的长篇序言中特别指出："出乎主流经济学界预料之外的是，中国经济在此书出版后20年却基本沿着我们在书中所预测的增长轨迹前进。"

然而，中国经济自2012年增速明显减慢，国内生产总值（GDP）增长率一直处于下行趋势。经济学家们所预言的奇迹或增长赖以产生的基础是否改变？对于未来，我们是否还有足够的信心？

首届中国经济学杰出贡献奖得主吴敬琏在专著《中国增长模式抉择》第一版（2005年）中，就指出了转型、结构调整不能取得成效的很多具体原因，归结到一点，就是存在体制性障碍，核心内容就是政府仍然在资源配置中起决定性的作用，抑制或排除了市场的作用。他在第四版的序言中写道："中国在21世纪面对着两个必须解决的问题，一个是体制改革，一个是发展转型。"

无独有偶，中国经济改革研究的先驱巴里·诺顿在《中国经济：转型与增长》一书中，全面描述和评价了1949年以来的中国经济，并把中国的制度转型放在经济增长的大框架里论述，既突出了转型对中国经济增长的必要性，也突出了转型对中国经济增长的促进作用。

显然，制度转型不可能一蹴而就。诺奖得主道格拉斯·诺思和斯坦福大学教授青木昌彦在各自的经典作品《制度、制度变迁与经济绩效》与《比较制度分析》中，分别从东西方的不同视角阐释了制度的内涵，揭示了制度在经济发展和绩效中的作用。

公共选择理论的奠基者曼瑟·奥尔森的遗著《权力与繁荣》则提出了“强化市场型政府”这一分析经济增长的前沿性概念，为金融危机后的亚洲以及其他发展中国家的治理演变和经济政策提供了有用的分析框架。

对于那场起始于亚洲的金融危机，沈联涛用《十年轮回：从亚洲到全球的金融危机》一书进行了详细的解剖，并警示我们2017年可能发生的另一场全球金融危机。对于可能引发危机的高杠杆问题，瑞典的邓达德等在《新国富论：撬动隐秘的国家公共财富》一书中给出了全新的解决方案，并因此被《经济学人》和《金融时报》推荐为2015年度图书。

根据“十三五”规划的蓝图，中国经济将保持中高速增长，到2020年国内生产总值和城乡居民人均收入比2010年翻一番。2015年11月，习近平总书记提出要着力加强供给侧结构性改革，这是实现收入翻番的必由之路，其目标就是通过消除生产要素供给能力和配置效率以及全要素生产率提高的体制性障碍，消除经济运行中不平衡、不协调、不可持续的因素，一方面挖掘传统增长动能的潜力，另一方面开启新的可持续增长动能，最终实现经济增长方式的转变。正如习近平总书记指出的：“中国共产党人和中国人民完全有信心为人类对更好社会制度的探索提供中国方案。”我们将以出版更多的精品力作传播道路自信、理论自信、制度自信和文化自信，为实现中华民族伟大复兴的中国梦作出贡献。

《世纪中国论坛典藏文库》编委会

2016年7月

中译者前言

有兴趣翻阅本书的读者很可能已经读过作者的《世界经济千年史》(伍晓鹰等译自2001年英文版,北京大学出版社2003年版)。人们可能还记得,安格斯·麦迪森教授在那本著作中,既高度评价中国在宋朝晚期领先于欧洲的经济繁荣,又扼腕惋惜拥有世界先进航海技术的明朝竟然坐失开发世界贸易的良机。然而,在那部世界经济增长史中他并没有给中国经济增长史多少篇幅,只是建议读者阅读他1998年的专著《中国经济的长期表现》(*Chinese Economic Performance in the Long Run*)。我们现在向中国读者介绍的就是这本书的2007年新版本。

本书是"麦迪森风格"经济增长史的又一部代表作。历史学家关注人物和事件的故事脉络,热衷微观史实的反复考证。所以,即便是卷帙浩繁,也不免失之偏颇。中国经济史研究近年虽然有了新的发展,不再事事囿于马克思主义唯物史观的框架,但是仍然缺乏以现代经济学理论,特别是增长经济学理论为指导的,在世界经济范围内观察中国经济史的大视野。如今,麦迪森走在了中国学者的前面,在区区200页的篇幅里(英文正文只有100页,有关数据和计算的附录占去100页),为我们简略而又深刻地勾勒了跨越千年的中国经济增长的线索,影响中国经济进步的重要因素,特别是其中的制度因素。此外,作者预测了中国在未来1/4个世纪中所能达到的经济水平以及在世界经济中的地位。

本书涉及很多数据估计上的问题。很多结论同估计方法的选择、假设的建立、原始数据的质量和数据处理方式密切相关。再有,为了确定中国在世界上的相对地位,计算上的问题还扩大到进行比较的国家的数据问题。显然,追溯的历史越长,能够得到的数据就越少,在估计中也就更加依靠假设。这些方面的修改很可能会改变问题的性质及现有的结论。对此,作者从来不回避,而且欢迎批评和挑战。他在数据处理上所采用的完全透明的方式，实际上为挑战者准备了条件。事实上，数据的问题从来是不难提出，但不易解决。哈佛大学经济学家格瑞利克斯(Zvi Griliches)直到晚年还反复告诫，我们过多地注意了计量经济学技术的发展，忽略了这些技术所使用的基础数据。他认为这既同政府统计部门的资源有限有关，也同我们在研究生培养中一直忽视基础数据的价值以及它们的搜集和处理方法有关。像麦迪森这样到八十高龄仍然在数据的处理和计算上亲力亲为的经济学大师并不多。应该说，他的确是我们的楷模。

读者可以对麦迪森的分析、数据和结论有完全不同的观点(实际上，这正是他所期待的)。但是，批评不是真正的挑战。挑战者需要提出全新的理论分析和经验支持。这实际上也是我们作为译者的愿望。我们殷切希望本书的中译本能够促使国内有志于研究中国经济增长的青年学者，在这个充满挑战的领域做出开创性的贡献。从这个目的出发，我们认为本书完全可以作为大学中国经济史和经济发展课程的必读书；同时，它也可以成为在标准国民经济核算框架下，应用购买力平价理论研究国际经济比较的重要参考资料。

本书中文版的问世也颇费周折。第一版曾经由新华出版社在 1999 年根据与 OECD 的协议翻译出版。后来因为技术用语欠规范和准确而在作者要求下停止发行。直到 2006 年才决定 2007 年同时出版英文版和中文版的第二版。所以，我们的工作变成了一个在不断修改的英文稿上所进行的翻译工作。其中的一些片段多次需要重译，我们也需要反复校对。但是仍然可能存在一些疏忽、错误或遗漏，希望读者不吝指正。

在翻译过程中，我们也参考了岳希明的该书第一版附录 C 译文(载岳希明、张曙光、许宪春编著的《中国经济增长速度：研究与争论》，中信出版社 2004 年版)，以及楚序平、吴湘松的第一版译文的个别章节(新华出版社 1999 年版)。在翻译中我们得到了袁伟鹏、张小帅多方面的帮助，也得到了 OECD 发展中心 Sheila Lionet 和 Ly Na Dollon(陈丽娜)女士在图表上的帮助。吴绮萍女士仔细地阅读了全部正文的译文并提出了宝贵的意见。在此我们对他们表示衷心的感谢。最后我们应该特别感谢伍晓鹰的夫人慧珍，不仅感谢她自始至终的理解和支持，而且感谢她所承担的大量的译文录入、修改以及校对工作。

伍晓鹰(于香港)、马德斌(于伦敦)

2007 年仲秋

目 录

图表目录

正文图表

附录图表

序 言 4

当历史学家回顾我们所处的时代时，可能会发现几乎没有任何国家的经济发展可以像中国的崛起那样引人注目。可是，当他们进一步放开历史视野时，他们将看到那不是一个崛起，而是一个复兴。如今，中国可能正在变成世界上最大的经济体。然而，昔日它曾经享此殊荣，那不过就是一百多年以前的事情。

我们对中国经济长期发展的知识主要依靠本书的著者安格斯·麦迪森。在这些年他所撰写的一系列卓越的著述中，麦迪森先生追踪了中国和世界经济两千年的历史。这是一个通过不断地艰难摸索而取得的学术成就。OECD因与麦迪森先生的合作而感到骄傲。他的工作深化了我们对世界经济长期增长的理解——它曾经面对过的挑战，以及它所失去的机会。麦迪森对我们的影响是无法估量的。

世界正面临着新的经济机会与挑战，而中国就处在这些机会与挑战的中心。经过多年引人注目的高速经济增长，中国已经成为世界经济的动力之一。它改变了亿万中国人的生活，为他们提供了新的工作、旅游和个人发展的机会。然而，如果中国希望它的经济增长可以持续，它必须面对一系列的挑战。这些挑战包括不断上升的收入不平等、地区发展不平衡、人口老化、环境恶化，以及很多阻碍技术创新的因素。如果克服了这些困难，中国的经济就可以保证未来人民生活的繁荣和福利。

最近这些年，OECD在这些问题上加强了同中国的合作，分享其他成员国家的经验，同时将中国卓越的经验也介绍给其他国家。我们研究工作的焦点是国家治理、经济增长、农业问题、技术创新、环境问题，以及与非洲和南美洲国家之间日益增长的经济关系。

现在，就在《中国经济的长期表现》第二版问世之际，OECD开始了我们称之为同中国“深入合作”的新阶段。我们认为，如果OECD要在应对全球政策挑战方面继续发挥作用的话，前提确实是要深入发展同中国的合作关系。为了未来的发展，我们当然首先要总结过去的经验。感谢安格斯·麦迪森，在这方面是他的工作为我们创造了前所未有的条件。

Angel Gurría

经济合作与发展组织(OECD)秘书长

2007年9月

致 谢 5

我极为幸运，因为我的中国朋友们愿意帮助我翻译和解释中文文献，他们是盖建玲、孟昕、任若恩、王小鲁、伍晓鹰、许宪春和岳希明。

在统计数据处理方面，我感谢 Michèle Fleury-Brousse，Remco Kouwenhoven，Boon Lee，Peter van Mulligen，Aparna Rao 和 Ly Na Tang Dollon。我还要感谢 Sheila Lionet，是她以熟练的排版技术和耐心的态度完成了对这份非常困难的书稿的处理，以及 Michèle Hirard 在文献方面的帮助。我也非常感谢国际粮农组织，是它们向我提供了有关中国农业产出的数据资料。Graeme Snooks 和 Prasada Rao 在我访问他们所在的大学时提供了慷慨的帮助和对本书的评论。

Derek Blades，Pierre van der Eng，David Henderson，Peter Nolan，Eddy Szirmai，Victor Urquidi 以及 Donald Wagner 也对本书提出了建设性的意见。再有，在以下学校和组织为我举办的研讨会上，与会者也对我的研究提出了意见：包括澳大利亚国立大学，法国国际经济与政策研究中心（CEPII），澳大利亚 Griffith 大学，香港科技大学，墨尔本商学院，新英格兰大学，北京大学，澳大利亚储备银行，伦敦大学东方与非洲研究学院，牛津大学中国研究中心，欧洲经济学史会议（Montecatini Terme），中国国家统计局—OECD 国民经济核算工作会议，以及 OECD 发展中心与中国国家发展和改革委员会产业技术经济研究所在北京联合举办的研讨会。

然而，我最大的感激要给予我的夫人 Penelope Maddison，感激她自始至终的鼓励和经久不渝的精神与物质上的支持。

安格斯·麦迪森

★ ★ ★

捷克共和国政府对本书第二版的出版给予了慷慨资助。OECD 发展中心在此表达衷心的感谢。

前 言 11

中国在世界经济和国际事务上的影响，在过去的二三十年中迅速地扩大，已经是家喻户晓的事实。对一些人来说这是个威胁，对另一些人来说这是希望所在，但对大多数人来说这是个不解之谜。

在这本经济合作与发展组织（OECD）发展研究中心 1998 年出版的杰出著作的新版本中，安格斯·麦迪森对中国经济在过去的一千年中的发展进行了详细的分析，也对未来 1/4 个世纪的前景进行了预测，他的研究向我们揭示了，在公元 10—15 世纪早期时，中国的人均收入要高于欧洲；而且在随后的几个世纪中，直到其衰落之前，她一直是世界上最大的经济体。因此，她在 1978 年以来的经济改革期间所取得的非凡进步，是一个复兴，而不是奇迹。中国可能在 2015 年时恢复其世界头号经济体的地位。安格斯·麦迪森应用标准的 OECD 核算技术估计了中国增长的速度，其结果在某种程度上慢于官方的增长速度。他所估计的增长率是每年接近 8%，而中国国家统计局估计的增长速度是 9.6%。在衡量中国的 GDP 水平时，麦迪森使用了购买力平价法，而不是采用汇率的方法将人民币转变成美元，因为后者会大幅度地低估中国在世界经济中的作用。他的研究结果表明，中国占世界 GDP 的比重由 1978 年的 5%增加到 2003 年的 15%，到 2030 年时可能会增加到 23%。

这是重要的结论，因为 OECD 发展中心必须评估中国经济增长对世界经济的影响，特别是对非洲、亚洲和拉丁美洲的影响。这个新版本的出现，正值 OECD 发展中心刚刚发表了它自己的同中国相关的一项研究。该项研究从本书的数据和结论中获益匪浅。我们希望引起世界上的发展中国家和新兴经济体注意，在加强那些可以从中国的经济增长中获益的部门的同时，也要认识到它们自身那些与中国经济增长相关的潜在弱点。OECD发展中心的研究工作从中国的增长表现中为其他国家提供经验，而这些工作多数都同安格斯·麦迪森的分析有关。同时，我们也建议发展中国家不应该简单地从依赖世界的一端转到另一端，而是要使自己的经济伙伴多元化，也使自己的经济结构多元化，从而从中国的复兴中获益。

安格斯·麦迪森同OECD有着半个世纪以上的合作关系。他的二十部有关经济增长和发展的著作中，有九部是由OECD发展中心出版的，或者专门为OECD发展中心而著的，其中包括他2006年的不朽著作《世界经济千年史》。我们所追求的是加强对各国经济繁荣和衰落的理解，从而通过政策的改善来推动增长，普及繁荣。这个新版的《中国经济的长期表现》是他为我们实现这一目标所作的最新贡献。

Javier Santiso

OECD发展中心执行主任

2007年9月

作者第二版序言 13

本书所进行的研究分析了中国经济在过去的一千年中的增长表现，评价了它在未来1/4世纪中的增长前景。这个研究是在比较分析的框架中进行的。它探讨了中国在世界各国中的位置，以及它通过技术、贸易、投资和在地缘政治中的影响与世界经济的相互关系。我试图量化中国经济发展中六个方面的转变：

(1) 公元960—1280年间宋王朝的集约与粗放式的经济增长，在此期间人均收入提高了1/3，而人口几乎增加了1倍。在公元8世纪，人口的3/4生活在以旱地小麦和谷子为作物的中国北部。到了13世纪末，由于水稻种植的广泛发展，3/4的人口生活在长江以南。当时出现了对世界经济的开放，在明朝初期这种开放被中止了。在中国的航海技术优于欧洲的技术时，却退步到闭关锁国的政策。

(2) 在经历了漫长的缓慢的进步和时而出现的倒退以后，1700—1840年间人口增加了3倍多(大大快于欧洲和日本的人口增长)，但人均收入并没有下降。日益增长的对来自美洲的旱地作物(玉米、甘薯、马铃薯和花生)的应用，使这种外延式的增长成为可能。这些作物可以在丘陵、沙地和山地种植。尽管这期间出现了巨大的领土扩张和对较驯服的部落更有力的控制，但是中国一直保持对外闭关锁国，在18世纪末时拒绝了英国力图建立外交和商业关系的要求。

(3) 由于技术上的落后，以及政府管治上的弱点，1840—1950年，中国一直被内乱和结盟的外国势力对其领土和主权的入侵所困扰，这给经济带来了灾难性的后果。中国GDP从占世界总量的1/3降到了1/20。在日本的人均收入提高了3倍，欧洲提高了4倍，而美国提高了8倍的同时，中国的人均收入却出现了下降。

(4) 毛泽东时代(the Maoist period)(1950—1978)人均收入水平有了显著的回升，但是经济增长却因为灾难性的经济和社会试验，朝鲜战争，同印度和越南进行的战争，以及长期的对外封闭而中断。

(5) 自1978年起，中国放弃了“左”的政策，追求务实的改革主义。这成功地引发了远远快于世界经济任何部分的增长。中国得到的好处是巨大的，但又是一次性的。它来自农业效率的提高，外贸爆炸式的扩张，和通过大规模外国直接投资所带动的技术引进加速。对世界经济的开放是这个时期增长的一个主要推动力。如果将香港地区包括进来，中国目前已经成为世界上最大的出口国。

14 (6) 中国的追赶过程还会持续，但是会由于接近世界技术的前沿而放缓。然而，到2030年时，它的人均GDP应达到西欧和日本大约在1990年时的水平。

本书所进行的研究相当大的部分是采用OECD国家的经济核算技术，来考察中国官方统计数据，并对1952年以来的增长表现作出重新评价(参见附录B、附录C、附录D和附录E)。中国官方的GDP指标高估了增长。从1978—2003年，同中国官方9.6%的年增长率相比，我的估计结果是7.9%。但从另一角度来看，采用市场汇率的方法比较增长的表现，中国经济的规模却被大大低估了。采用购买力平价进行货币转换，中国2003年的GDP水平相当于美国的74%或日本的两倍以上。基于一个相当保守的假定，中国可以在2015年重新恢复它曾经拥有过的世界最大经济体地位。到2030年时，中国在世界GDP中的份额将达到23%，而在1978年时还不到5%。

除了附录A，第一版的内容在本版中都被修改和更新了，而第四章是全新的一章。我感谢伍晓鹰教授对附录B的修改，以及协助我修改附录C。

安格斯·麦迪森

2007年9月

概括与结论 15

本书研究的主要对象是 20 世纪后半期中国的经济政策和经济增长表现。这个时期的中国经济经历了重大的制度变化，实现了显著的加速增长。今天的中国在世界经济中扮演着比以往远为重要的角色，而且它的重要性可能会进一步提高。在本书中，我试图考察出现这种加速增长的原因和方式，从而理解中国未来增长的潜力。我的另一个重要的努力，是采用国际标准重新估计中国的 GDP 增长率。

为什么要采用长期的观点

我认为有必要采用一种长期的、比较的方法来理解当代的中国。从很多方面来看，中国是一个特例。中国现在是，而且一直就是世界上最大的政治实体。早在公元 10 世纪时，中国在人均收入上就已经是世界经济中的领先国家，而且这个地位一直延续至 15 世纪。在技术水平上，在对自然资源的开发利用上，以及在对辽阔疆域的管理能力上，中国都超过了欧洲。在此后的 3 个世纪中，欧洲才在人均收入、技术和科学能力上逐渐超过了中国。到了 19 世纪和 20 世纪的上半叶，当世界经济明显加速增长之际，中国却衰退了。

对中国经济表现进行比较分析，可以提供新的视角来观察经济增长的性质和原因，进而可能有助于同时解释西方和中国的发展。过去，对经济增长过程和其决定因素的分析一直强调一种欧洲中心主义(Eurocentric)的观点。对中国历史史料的评价又一直是过于以中国为中心的(Sinocentric)。一种更加相互结合的观点可以既解释发展的特殊性，又解释发展的常规性，从而能够对导致国家兴衰的原因提供更好的理解。

从一个更远的视平线上观察,可以使发展过程的因果关系更加清晰。关于经济增长的分析,一直以来着重于过去两个世纪资本主义的发展。在这个期间,迅速的技术进步、结构变化以及人均收入增长处于常态。早期人均收入处于停滞状态的历史常常被忽视,因为人们假定不存在技术进步。但是外延式的经济增长,即在人口大量增长的前提下维持收入水平,仍然可能要求生产组织方式的重要改变。对技术进步的解释需要赋予更多的内涵。技术进步不应该局限于机器制造上的进步,而应该包括管理、组织和农业耕作方面的创新。

采取一个长远的视角也可以有助于理解中国当代的政策和制度。遥远历史的影响仍然起着重要的作用。

中国是采用官僚行政体制管理国家的先驱者之一。公元10世纪时,它已经吸纳经过专业训练的社会精英作为政府官员。这种行政管理体制是在一个统一的辽阔的疆域上建立社会和政治秩序的主要手段。

16 就农业而言,这种行政管理体制对经济产生了极为正面的影响。农业是政府可以通过税赋的形式获得剩余的关键部门。政府官员推行的水利设施使农业得到滋养。由于印刷术的超前发展,使最先进的农耕经验和技术通过农业图解手册而广为传播。政府将农民迁移到有生产前景的新地区,他们开发了公共粮仓制度以缓解灾荒的冲击。他们通过引进早熟品种促进现有作物的开发,最终导致(一年)两熟或三熟种植业的出现。他们也促进了新作物的引进,例如唐代引进了茶叶,宋代引进了棉花,元代引进了高粱,以及明代从美洲引进了玉米、土豆、甘薯、花生和烟草。

农业中对劳动力、水利和天然肥料的大量使用补偿了土地的缺乏。土地处于经年的耕作中,不存在休耕。中国对饲料作物和草地的需求极低。以猪和家禽为主的食腐动物是畜牧业的主体。几乎不存在对牛肉、牛奶和羊毛的消费。蛋白质的供给主要来自广为实践的小规模水产养殖业。

农业经营处在一种制度化的安排下,从而可以有效率地分配资源。也可能通过土地生产率的提高来适应人口的压力。地主在相当程度上是不参与管理的出租人。生产和管理的决策是由佃农和自耕农作出的。自耕农可以自由地买卖土地,并且在本地市场出售他们的产品。

中国在公元 9—18 世纪之间的经济表现

在公元 9—13 世纪之间，中国出现了经济重心的转移。在 8 世纪时，3/4 的人口居住在中国北部，其主要的农作物为小麦和谷子。到了 13 世纪末，3/4 的人口居住在长江以南，以种植水稻为生。那里曾经是人烟稀少的沼泽地带，但是借助水利工程和早熟品种，它为水稻耕作的大规模发展提供了理想的条件。

较高的土地生产率允许较大的人口居住密度，进而减少交通成本，提高农产品的商品率，同时为扩张中的手工业特别是棉纺织业生产释放劳动力。棉纺织业的发展为人们提供了更加舒适、易洗和健康的衣着。

尽管研究者们普遍认为，这种生产上的发展和产品的多样化提高了中国人的生活水平，但是对这种提高有多大并没有给过一个量化的评价。我的估计是，这种提高相对不是很大，大约使人均收入提高了 1/3。这种收入的提高伴随着更加集约化的劳动力使用，也就是说，劳动生产率的提高要低于人均收入的提高。

宋代中国的经济进步，主要依赖充分利用所出现的机会转向集约式水稻耕作农业。并没有出现有说服力的证据，使我们相信中国已经出现机械工业发展的曙光。

从 13—18 世纪，中国经济在长期大致保持人均收入稳定的同时，支持 4 倍的人口增长。然而，人口增长的过程远不是平稳的。在 14 和 17 世纪，人口下降了 3 000 万以上。这些人口危机主要是因为朝代更替所带来的破坏，以及诸如腺鼠疫和天花等流行病的影响。中国在 18 世纪经历了特别巨大的人口扩张。同样在这个世纪，中国出现了最引人注目的外延式经济增长。

欧洲与中国之间的制度差异 17

在农业经济之外，中国的官僚行政体制却阻碍了一个独立的像欧洲那样的工商业资产阶级的出现。帝国的官员和富绅是典型的食利者。法律上和传统上赋予他们的特权决定了他们的地位、生活方式以及处事态度。他们主导着城市的生活。他们有着强烈的控制欲。企业家行为在几乎不保护私人活动的法律框架下是不安全的。任何明显有利可图的活动都会受到官僚的盘剥。只有国家或得到许可的垄断性组织才能从事大规模的活动。中国的商人和银行家并不像欧洲的商人那样有城市商会和法律的保护。官方严格限制国际贸易和知识交流，这种自我强加的国际孤立阻碍了经济增长。

在15和18世纪之间，中国的经济领先地位让给了欧洲。这并不是由于中国出现了特别不利的条件，而是由于西方极为特殊的有利条件（Western exceptionalism）。欧洲具有几个使它可以更好地促进现代资本主义萌生的条件。

最根本的条件是欧洲人认识到人类具有通过理性考察和试验改变自然力的能力。由于文艺复兴和启蒙运动的帮助，西方社会的精英们逐渐抛弃了迷信、魔法以及对宗教当局的依附。到17世纪时，那些导致技术变化和发明的现代方法的科学传统已经出现，并且开始渗透到教育制度之中。而此时中国的教育制度仍然服从古代经典和官方行政教条。它不可能发展和奠定现代科学的基础。

欧洲由具有紧密血缘关系的民族国家所组成。这些国家的思维是外向型的，他们之间具有重要的贸易关系和相对容易的知识交往。这刺激了竞争和创新。

内部动荡和帝国主义侵略的影响

用任何历史尺度来衡量，世界经济在1820—1952年期间都取得了巨大的进步。世界生产提高了8倍以上，世界人均收入提高了3倍。美国人均收入提高了将近9倍，欧洲提高了4倍，日本提高了3倍以上。在除去日本之外的其他亚洲国家，经济增长非常缓慢，但是在中国，人均收入事实上下降了。中国在世界GDP中的份额从1/3降到了1/20。它的实际人均收入从世界平均水平的90%降到了它的1/4。多数亚洲国家有着同中国类似的问题，那就是阻碍自身现代化的传统制度，再加上外国殖民者的入侵。但是这些问题在中国更加严重，这有助于解释为什么中国的经济表现极为令人失望。

中国被造成人口和经济福利重大损失的内乱所折磨。太平天国运动（1850—1864）影响了大半个中国的省份，在陕西、甘肃和新疆都出现了回民起义。在民国时代，中国又出现了长达30年的内战。

殖民入侵导致了治外法权和允许19个外国列强在大量的租界地中享有特权。中国同日本交战三次，同法国和英国交战两次。义和团运动引发了与外国列强的武装冲突，俄罗斯在19世纪50年代掠走了今天属于东西伯利亚的相当于1/10的中国领土，并在民国早期帮助外蒙古脱离了中国。在所有这些战争之后，作为胜利者的列强，通过向中国大量索赔的方式进一步羞辱了中国。

18 同帝国政权一样，国民党政权也没有能力解决这些问题。他们都没有正面地、有效地回答西方在技术上的挑战。清王朝曾经在自卫性的民族主义(reactive nationalism)上无所作为,因为统治者大部分是满族人而不是汉族人。在帝制崩溃后的军阀时期,军阀追求的是地方利益而不是国家利益。国民党政府不能有效地保护中国的国家利益。它几乎无法重新恢复中国的领土完整,也没有有效地回应日本的入侵。清王朝和国民党政权在财政上都是虚弱的,因而无法为国防和经济发展大规模动员资源。

毛泽东式的改造 (The Maoist Transformation) 及其后果

1949 年中华人民共和国的建立是对过去历史的一种决裂。它带来了一个新的国家治理模式,一批新型的社会精英人士和经济上明显的改进。然而中国受了苏维埃模式的极大影响,创造和推行了一种社会主义的指令经济。相反,日本的制度是一种资本主义制度的统制型变异。这两个国家都推行它们自己的发展战略,并不打算给外国资本利益提供任何发展的余地。

1949 年建立的新中国的政权,在清王朝和国民党政权失败的地方胜利地崛起。它有能力推行内部秩序,它的意识形态是一种独特的自卫性民族主义,而且它可以为防卫和经济发展进行资源动员。这个政权接受共产主义的意识形态和管理方法有着其深刻的历史渊源。几乎所有主要资本主义国家都参与了对中国的殖民主义入侵。1919 年的《凡尔赛和约》没能终止这种入侵,使中国的民族主义带上了反西方的色彩。在 20 世纪 20 年代,苏联对国民党政府提供了军事和组织上的援助,在第二次世界大战后,它又帮助共产党的军队对当时的东北三省实现军事和政治上的控制。1950 年爆发的朝鲜战争给中国造成了前所未有的国际经济和政治上的孤立,这意味着苏联成为中国唯一的技术和资金的来源。

尽管中国坚定地在意识形态上遵循社会主义的经济制度,拒绝资本主义经济方式,可是它同苏联的结盟在极大的程度上是政治需要。俄罗斯过去曾一直是中国的一个主要的殖民入侵者。苏维埃政权也曾多次支持国民党,损害中国共产党的利益。新中国的情况非常不同。它不是苏联的依附国,在长达二十年的武装斗争中,它大大发展起自己的自主意识和政治上的独立性。

中国的新政权具有三个主要目标:第一是改变社会政治秩序,第二是加快经济增长,第三是改善中国的地缘政治地位,恢复中国的民族尊严。

中华人民共和国成立之后,在政策上和增长表现上经历了两个截然不同的阶段。第一个阶段是到1978年为止的毛泽东主义阶段(the Maoist phase)，第二阶段是自1978年开始的经济改革阶段。

从1952—1978年，经济增长出现了明显的加速，GDP增长了3倍，人均收入提高了80%。经济结构被改变了。工业在GDP中的比重由8%提高到30%。增长的加速来自对物质和人力资本的巨大投入。资本存量每年增长了7.7%，劳动投入的增长快于人口的增长。人力资本的改善得益于教育和保健方面的显著进步。然而，生产率方面的表现令人沮丧。这是一个在世界很多地区，尤其是在欧洲和日本，都出现经济繁荣的时期。尽管中国经济增长在加速，但是仍然慢于世界总体经济的增长(与世界平均每年2.6%的人均收入增长相比较，这个期间中国的增长率是2.3%)。造成这一令人失望的结果有如下几个原因。

19 首先，大规模的政治运动阻止了经济的发展。中国先后经历了所有制形式的变革，朝鲜战争，中苏关系破裂造成的冲击，以及“大跃进”和“文化大革命”所造成的自我创伤。所有这些使增长失去了稳定性，以致效率和生产率下降。

再者，生产单位过于庞大。这尤其表现在农业方面。1957年的1.3亿户家庭农场在1958年被改造成了26 000个人民公社，平均每个公社有6 700人。这完全是灾难性的变革。在此后的3年时间里，农业管理又退回到以600万个生产队为基础，平均每个生产队有30个劳动力。在工业和服务业中，同样过分强调大型化。至1978年，中国平均一个工厂的工人人数要相当于日本一个工厂的11倍。

另外，中国被隔离在当时日益繁荣的世界经济之外。它在世界贸易中所占的份额在下降，将外国直接投资拒之门外。政府依靠指令和规定对各种资源进行分配。市场的力量微乎其微。其结果是生产效率低下(这反映在庞大的存货上)，消费者的福利受到忽视。

始于1978年的经济改革，通过主要政策变化成功地、大幅度地提高了人均收入水平。资本存量也出现了迅速增长。不过，这种进步的主要原因是对资源的更有效的利用和全要素生产率(TFP)的大幅度提高。

1978年以来的改革政策带来了30年高速增长

有几个因素促成了1978年后效率的提高和生产率的改善。

农民重新获得了对土地的控制权和经营权。家庭又变成了普通的生产单位，平均使用1.4个劳动力，耕种不到半公顷的土地。农产品价格提高了，农民有较大的自由参与市场交易。这些都大大地提高了生产积极性，改善了生产率。

小规模的工业，特别是农村工业出现了迅速的扩张。国有企业的规模并没有改变，但是，到 1995 年时非国有部门企业的平均人数由 112 人降到了 8 人。非国有部门生产率的提高大大快于国有部门是因为较低的劳动力成本，实际上不存在的社会负担，较小的规模，以及对资本的更有效的利用。

中国进行了巨大的努力以实现同世界经济的接轨。它在 1978 年后放弃了国家对外贸的垄断和闭关自守、自给自足的政策。外贸决策实现了分权。从 1980 年至 1997 年，官方让人民币贬值了 80%，同时以经济特区的方式建立了自由贸易区。随着市场的作用不断加强，竞争出现了，资源配置更加合理，消费的满意程度也提高了。在 1978 年至 2006 年期间，出口以每年 15%的速度增长。这使得中国在世界贸易中的份额由 0.8%上升到了 8%。如果包括香港地区的出口额，中国在 2006 年已经成为世界上最大的出口国(12 860 亿美元，相当于世界贸易总额的 10.7%)。同时，德国以 11 260 亿美元位居第二，美国以 10 360 亿美元位居第三，日本和俄罗斯分别以 6 500 亿和 3 050 亿美元位居第四和第七。这种同世界经济的融合，因为中国主动降低自身的贸易障碍，以及加入 WTO 所带来的进入外国市场的更大的安全保证而进一步提高了。

1978 年时，中国既没有外债，也不存在外国直接投资。到了 1990 年，外国直接投资逐渐增长到每年 35 亿美元，但是，到 2005 年，已经提高到每年 600 亿美元。从 1979 年至 2005 年的外资总流入为 6 200 亿美元。中国的外债不很多，在 1979 年至 2005 年期间累计为 1 470 亿美元，其中大部分是中长期借款。它的债务结构
几乎不会受到外国投资者信心变化的影响。中华人民共和国历史上从来没有拖 20
欠过债务，到 2007 年初，它拥有高达 12 000 亿美元的外汇储备。如今它也成为举足轻重的对外投资者，并且已经向对它输出石油及资源的国家提供外援。值得注意的是，同其他亚洲、拉丁美洲和前苏联的那些加盟共和国相比，中国同世界经济的接轨几乎没有遇到什么大的困难。

由于改革时期的成功政策，中国的人均收入在 1978 年至 2003 年间以每年 6.6%的速度增长，超过了其他任何亚洲国家，大大快于欧美国家每年 1.8%的增长速度，是世界平均速度的 4 倍。中国的人均 GDP 从世界平均水平的 22%上升到 74%。它在世界 GDP 中的份额由 5%上升到 15%，这使它成为仅次于美国的世界第二大经济体。现在一个很大的问题是，中国的这种追赶的过程能够持续多

久,以及它能够发展到何种程度?

对未来1/4世纪的展望

中国仍然是一个收入较低的国家。到2003年时,中国大陆的人均收入仅相当于美国的17%,日本的23%,以及韩国的31%。任何处于这种相对落后状态、远离现代技术前沿的国家都有可能实现快速增长,其条件是它们可以有效地动员和配置自然资源和人力资源,可以把外国技术与国内要素协调,并且能够利用与世界经济接轨所带来的种种机会实现专业化。中国在改革时期已经表现出它具备这种能力,我们没有充足的理由假定这种能力将会消失。

这种追赶的过程可能在随后的1/4世纪中持续。但是如果假定未来的增长同1978—2003年的增长一样快是不现实的。过去这个时期的增长是巨大的,但却是不可持续的,它来自农业上因重新配置资源而提高的效率,外贸方面迅速的扩张,以及通过大规模的外国直接投资所吸收的技术。随着逐渐接近技术前沿,中国增长的步伐就会放慢。我假定从2003—2030年人均收入会以平均每年4.5%的速度增长,但在此期间增长率会逐渐下降。具体地说,我假定在2010年前人均收入增长率为5.6%,在2010—2020年之间为4.6%,而在2020年至2030年之间略微高于3.6%。按照这样一个假设的情况,到2030年时,中国的人均收入水平会达到西欧和日本1990年前后的水平,那也就是它们的追赶过程终止的时间。当中国在接近这一收入水平时,技术进步的成本将要变得更高,这是因为创新将要取代模仿。然而,到2030年时,世界技术前沿还会进一步外移,所以中国在那之后仍然存在一些追赶的余地。

在这种情况下,中国可以在2015年前超过美国成为世界上最大的经济体;到2030年时,它的经济总量相当于世界GDP的1/4。它的人均收入相当于西欧在1990年的水平。虽然这只是美国水平的1/3,但是它在世界经济中的作用,以及它在地缘政治中的影响,肯定会大幅度地上升。

与高速增长有关的政策问题正在发生变化

我在1998年对中国经济进行预测时,曾经提到三个主要可能阻碍中国增长的因素。首先是减少低效率国有企业方面的困难,大部分的国有企业是亏损的。它们之所以还在运营,完全是因为政府的补贴以及对那些被迫向其提供贷款的国有银行的拖欠。然而它们的重要性迅速地下降了。1993 年时,国有制造业企业有 3 500 万劳动力,到 2005 年时,已经下降了不到 600 万。从整个经济来看,国有部门就业从 19%降到了 9%。所以说,这个问题已不再成为阻碍增长的重要障碍。 21

再者,一个相关的问题是金融体系的脆弱。改革时期出现了居民储蓄的爆炸式增长以及经济的迅速货币化。储蓄被吸纳到国有银行体系,同时政府从货币化的过程中得到了一种以货币税形式表现的利益(seigniorage gains)。这些新的资金来源抵消了国有企业的利润损失和税收的下降。

虽然这些措施可以有助于当局保持金融体系的稳定,但是这样一个银行体系所存在的风险是显而易见的。因为它将私人储蓄用来维持按任何标准衡量都应该是破产了的国有企业,而且存在着大规模的不良贷款。然而在这一领域,我们也看到了相当大的进步。银行体系在效率和偿付能力上取得了很大的改进。多数的不良贷款被注销了。通过在香港和上海的股票市场上市,中国已经吸引了外围投资者对国有银行的参股。在 2005 年 6 月之后的两年期间,中国通过这种方式为其银行系统实现了 600 亿美元以上的融资,而且一些外国银行已被允许在中国进行经营。

第三个可能阻碍中国增长的因素是中央政府虚弱的财政地位。从 1978—1995 年,政府的税收由占 GDP 的 31%降到了 10%。由于地方政府提供的各种各样的税赋优惠,以及国有企业收入的大幅下降影响了纳税基础。到了 2005 年,税收占 GDP 的比重升回到 17%,但是它需要进一步的提高,以增加社会保障和强化公共医疗和教育设施。这些社会福利因为国有企业减少了这方面的服务而受到了严重影响。

能源和环境问题 能源供给和环境问题已经成为中国未来发展的新的严重挑战。从 1978 年到 2005 年中国的电力供应提高了 10 倍。过低的电价改变了很多城市家庭的生活条件。私人汽车拥有量在上升,它很可能成为私人消费中最有希望快速增长的消费品。到 2006 年,运行中的轿车量已经达到 1 900 万辆(相当于每 70 人一辆)。而美国的水平是 1.4 亿辆,达到了每两人一辆。根据西欧私人汽车拥有量同人均收入的关系,到 2030 年,中国看来可能会拥有 3 亿辆私人汽车(即达到每 5 人一辆)。

中国在能源使用效率方面出现了令人吃惊的进步。1973 年时,每千元 GDP 的产出要消耗 0.64 吨石油当量的能源。到了 2003 年,已经降到了 0.22 吨。根据国际能源机构(IEA)的 A 方案预测,到 2030 年时,这一指标会降到 0.11 吨。该方案的假定是中国政府会采取一系列提高能源效率的政策(参见表 4.2)。中国的能源效率在 2003 年时已经超过了美国(按购买力平价 PPP 的 GDP 计算——校者)。而 IEA 希望这一情况到 2030 年时仍然如此。

然而,因为依赖用煤发电,而煤的二氧化碳释放又远高于石油和天然气,中国能源消费对环境的影响是极为负面的。2003 年时,中国 60%的能源消费来自煤,而在美国,这一指标只是 23%,俄罗斯是 17%,法国只有 5%。中国有 80%的电力是通过煤来生产的。这意味着中国的二氧化碳排放对能源消费的比率大大高于其他很多国家。在 IEA 的 A 方案中,到 2030 年时,中国每吨能源消耗所产生的碳排放为 0.8 吨,而美国是 0.63 吨,世界的平均水平为 0.6 吨。

22 中国的煤是一种不清洁的能源,因燃煤而产生的二氧化硫和烟煤颗粒已经污染了大多数城市的空气。它产生的酸雨使 30%的土地受到侵蚀。中国有超过 20 000 个煤矿,它的 600 万煤矿工人的生产效率极低,而且工作在危险的条件中。每年的矿难都要夺去数以千计的矿工的生命。中国华北的一些矿山可能因为矿层接近地表,长年不熄地自燃,无法扑灭。中国的这些环境问题可能远大于世界的其他地区,因为相比而言,在中国减少对煤的使用会更加困难,而且成本会更高。

中国面对的其他主要问题是社会性的,而不是经济性的。

法律制度和私人财产权利问题 中国已经在朝向市场经济方面发展迈了一大步。它的法律制度可以允许私人企业蓬勃发展。最近的发展强化了私人财产权利,但是同资本主义社会中的财产权利相比,还是相当虚弱和模糊的。土地仍然是国家或"集体"的财产。农民可以得到 30 年的土地承包期,城市居民对其房屋拥有 70 年的土地使用权。同资本主义国家的情况相比,中国城市中的开发商可以比较容易地剥夺农民或市民的土地,推倒或拆掉他们的房屋,但却不支付给他们充分的补偿。有影响力的个别官员们能够通过纵容这样的交易而中饱私囊。这些问题已经引起越来越多的公开抗议,也导致了对腐败官员的严厉惩罚。如果私人财产权利可以得到加强,而且司法能够少受制于官员的压力,中国经济的公平与效率都会得到更大的改善。

地区间和城乡间的贫富悬殊问题 在中国 31 个行政区之间,居民的人均收入差别可以高达 10∶1。而且这个差距自 1978 年以来几乎没有改变。上海一直是最高的，而贵州是最低的。这种差距可以通过对交通和其他基础设施的大量投资，提高低收入地区的受教育机会，放松了地区之间的迁移限制，以及取消东部经济特区的税收优惠而缩小。然而，这可能会是一个很漫长的过程。

中国城乡之间的贫富悬殊远比其他亚洲国家严重。这种收入差距在西部省份中最大，在东部省份最小。一个重要的因素是毛泽东时代（the Maoist period）建立起来用以控制人口流动的户口制度，这个通过法律强化的制度，变相惩罚了在城市中寻找非正式职业的外来劳动力。尽管这个制度在一定程度上松动了，许多农民工仍然被拒于公共医疗和教育体系之外。他们在获得住房方面面临困难。雇主可能因为非法雇用工人而受到罚款。农民工的谈判力量微弱，他们工资较低，工作时间较长。他们的工资常常被拖欠，有时根本得不到支付。这些无户口的家庭目前已经相当于城市人口的 1/6，他们平均收入要比有户口的城市家庭低 60％。很清楚，这种歧视性的户口制度会成为社会不满的根源，所以必须纠正。放弃这个制度必然会引起向城市人口流动的增长，但是从长期来看，这是一个必然的过程。

23 # 第一章

中华帝国的集约与粗放式增长

对经济增长的分析一般都集中在 19 与 20 世纪，因为那时经济进步的速度是史无前例的。较早期的经济表现没有受到多大的关注，原因是当时的经济步伐十分缓慢，对其进行量化分析则更为困难或根本就无从谈起。

然而，从一个更遥远的视平线来考察中国，会给我们提供一个非常有说服力的案例。从公元 8—13 世纪，中国经济经历了一次重大的转变，其重心转移到了南方。在 8 世纪，3/4 的人口居住在以小麦及谷子为主要农作物的北方，到了 13 世纪末，3/4 的人口定居在长江以南的地区，以耕种水稻为生。南方曾经是一个沼泽遍布、人烟稀少的地区，但伴随着水利和对早熟作物品种的利用，它变成了一个可以进行大规模水稻种植的理想区域。

较高的土地生产率支撑了稠密的人口，降低了运输成本，增加了农产品的可销售比例，也释放了劳动力去扩展手工业，尤其是棉纺织业，从而提供了更舒适、易洗和健康的衣着。一般认为，这个生产中心和生产结构的变化提高了中国人的生活水平，导致了人口成倍增长。

宋朝时中国的经济发展主要是利用了一次性的机会，把粗放式的旱地农业转变成了精耕细作的水稻农业。但是，一些学者却夸大了这种发展的程度，认为中国当时已经处在机械化工业的边缘，不过他们几乎没有提出令人信服的证据。

从 13 世纪至 18 世纪，现有关于农业和城市人口方面的证据，并没有表明中国的人均收入有显著的提高。然而，中国确实能在人口增加 4 倍的情况下保持人均收入的长期稳定。但是，它的增长步伐并非平稳。分别在 14 和 17 世纪时，经历了高达 3 000 多万人口的锐减。这些危机主要起因于政权更迭和流行疾病（鼠疫和天花）所带来的灾难。在 18 世纪，中国出现了显著的人口膨胀。而正是这一世纪的发展，清楚地体现了传统中国所具有的粗放型经济增长的能力。

本章考察宋朝作为集约型经济增长的例证，以及宋朝以后五百年的历史(除了有某些间断外)作为支持粗放型发展观点的一些依据。在有关农业的一节中，我阐述了使粗放型发展模式得以维持的、至关重要的技术吸收过程。

本章的第一节考察帝国时代的行政管理体系，从本质上探讨官僚行政管理体系如何在推动农业发展的同时，却抑制了其他方面的发展，以及它的制度架构如何限制了资本主义式的企业的发展，减少了国际贸易和知识交流的机会。在第二节，我更为详细地讨论了支持宋朝集约式经济发展观点的证据。第三节分析了中国农业的制度和技术方面的特征，以及它适应人口大幅度增长的能力。最后两节的讨论包括了农村家庭的非农业生产活动和城市经济的表现。

表 1.1　中华帝国的朝代及首都 24

时　间	朝代	首都
公元前 221—前 206 年	秦	咸阳
公元前 206—8 年	西汉	长安
23—220 年	东汉	洛阳
220—589 年　帝国分裂		
589—617 年	隋	长安
618—906 年	唐	长安
906—960 年　帝国分裂		
960—1127 年	宋	开封
1127—1234 年	北方的辽(契丹)、金	北京
1234—1279 年	北方的蒙古(元)	大都
1127—1279 年	南宋	杭州
1279—1368 年	元(蒙古)	北京
1368—1644 年	明	南京/北京
1644—1911 年	清(满族)	北京

资料来源：Reischauer and Fairbank(1958)；Hucker(1985)；*Cambridge History of China*.

表 1.2　中国、欧洲、印度、日本及全世界人口的粗略比较估计，公元 1—2003 年

(百万)

	1	1 000	1 300	1 500	1 700	1 820	2 003
中国	60	59	100	103	138	381	1 288
欧洲[a]	30	32	52	71	100	170	516
印度[b]	75	75	88	110	165	209	1 344
日本	3	7.5	10.5	15.4	27	31	127
世界	226	267	372	438	603	1 042	6 279

a 不包括土耳其以及俄罗斯等苏联国家。b 印度、孟加拉国、巴基斯坦之和。
资料来源：www. ggdc. net/Maddison.

第一节 官僚行政管理制度及其经济后果

在过去一千三百年的帝国时期，中国的统治者将治理国家的重任交给了强大的官僚体系，使一群接受过儒家经典教育的精英分子成为了国家主要的统治工具，在一个面积相当于欧洲两倍的、大一统的国家里，维持着社会与政治秩序。

在西方，根据学识和才能录用受过专门训练的政府官员仅始于拿破仑时代，大约比中国晚了一千多年。但欧洲的官僚阶层从未享有过中国文人学士们的那种社会地位和权力。在欧洲各国，权力被众多的相互牵制的势力所分割。

很久以前，中国的皇帝们就希望录用有功绩的官员而不是地方诸侯。早在汉朝，由推荐而产生的行政官员成为对军人和贵族出身的官员的一种补充。之后，中国又倒退到多国并立、封建割据的状态，一直持续了近 370 年。到了公元 7 世纪初，开始采用通过考试来录用行政官员的做法。到唐朝时，由于世袭贵族的政治权力逐渐瓦解，官僚行政体制的作用扩张了（Ho，1962：259）。在宋朝，考试程序进行了改进以确保考生是匿名的。在考试中，考生的名字也不再公开，而考试的答案也要由文书们重新抄写一遍，以避免被辨认出字体。随着公共教育设施的改善，按照学识和才能择优录取官员的范围进一步扩大了。考中的人数显著地增长，录用、提升以及评估的标准得到进一步的明确。所有重要的官员都是依据学术表现而被录取的。

25 官僚行政体制在蒙古族人统治的 13 世纪暂时中断了。但是，蒙古族人逐渐意识到这种体制对税收征集工作很有用处，遂在 1315 年恢复了科举录用官员的制度。

在 1368 年蒙古族人的统治崩溃之后，文官的行政体制再次成为帝国行使权力的主要工具。明清两朝都限制世袭贵族势力的发展，废除了他们的领地与独立的军事或政治特权。在很早的时候，政府就废除了长嗣继承权制度。贵族成为昂贵的化石，寄生于朝廷的闲职，他们的地位也每况愈下。到了宋朝时期，土地贵族作为一支重要的政治力量已经消失。虽然宦官和奴仆对皇室的政策有一定的影响力，但并没有对行政官僚的统治构成真正的威胁。

相对于整个国家而言，官僚精英的人数始终是很小的。据谢和耐（Gernet）记载，在 16 世纪和 17 世纪上半期，整个帝国王朝的官员在 10 000—15 000 人之间（Gernet，1982：393）。他们充斥在北京的枢密院、六大部和其他一些特殊部门，以及省、州、县等地方部门。在最低一级的政府(即县府),知县集征税官、法官、记录官和行政官于一身。他还要定期参加仪式庆典、祭天祭神等各项活动。由于国土广大,有必要赋予地方以相当多的自主权。从广东到北京,普通函件(步行)单程要走 56 天,急件需要 18 天,特急件也需要 9 天或 10 天。在县一级,县衙里雇用着一群本地的职员、警察、狱吏和卫兵。知县负责征税和维护秩序。知县所管辖的人口从宋朝的平均大约 8 万增加到了清朝的大约 30 万。县级以下的行政控制是通过官府权力下派来实施的。各地的士绅起着很重要的作用,他们负责解决纠纷,成为官府的非正式代理人。地方性的组织对治安和征税实行集体责任制,并由推选出来的平民家庭的家长轮流担当不领报酬的管理工作,以确保税收工作的进行。

官僚是社会精英阶层。他们及其家人可以免于普通人不得不承担的许多赋税、刑罚和义务。他们可以穿戴绫罗绸缎以及其他象征着特权地位的标志。这些特殊待遇非常诱人,许多科举应试者即便没有获得官职,也希望获取各种学位。这些学位获得者及其家人也可以享受到官员享有的不少特权。他们构成了社会精英集团的第二阶层(通常被称作“士绅”)。学位获得者从地产、商业活动及教学活动中获取丰厚的报酬。他们享受优惠的税收待遇,并通过充当平民的代理人与官员交涉来获取额外的收入。这样看来,这种竞争做官的过程中产生了两大副作用:一是它决定着教育的本质和内容;二是它极大地提高了学历的影响力。这对整个社会观念和社会结构都产生了深远的影响。在有产者中,只有受过教育的士绅才容易当上官员。

在 9 世纪后,随着多数佛教财产被没收,再没有任何教会或教义可以抵抗或制约官僚势力了。形形色色的宗教教派,如佛教、道教、与中亚接壤地区的伊斯兰教、西藏和蒙古的喇嘛教等,都继续被允许存在。但官方的意识形态基本上是世俗性的,有一套规范现世行为的实用准则。儒学对永恒、灵魂、来世或上帝这一类问题漠不关心,它强调的是德、礼、秩序和儒雅。它没有圣律,没有原罪或解脱的概念,也没有种姓等级。它灌输的是和谐、正统和对国家的服从,较少地注重个人的自由或解放。它也没有一个单独的圣职阶层。它是一种通过地方寺庙维持的,通过官员主持的祭祀来体现的国家崇拜。对于其他的信仰体系,它有一种包容而非敌对的态度。

中国没有西方意义上的律师或诉讼,对官僚的决定做出挑战的可能性是非常 26

有限的。而普通公民或老百姓被认为要由具有儒家美德的官员来保护。为限制腐败,官员们往往不允许在家乡供职。而且还经常在地区间轮换,以避免与地方利益建立太多的认同联系。

除非在王朝危机的时刻,军队是隶属于文职官僚的。在明清两代,多数军人都来自军人世家。与文科科举相比,武科科举考试的要求要低得多,而且考取者的社会影响力也低得多。负责军事的大臣们往往都是文官。

城市资产阶级(即贸易商人、钱庄老板、零售商、商品经纪人及运输人以及从事诸如纺织业、服装业或食品加工业等方面的实业家)对官员和士绅非常尊重与依附。尽管他们有行会和其他类型的协会来促进他们的利益,他们并不享有欧洲城市商人们从中世纪以来所受到的城市商会和法律的保护(参见 Cooke Johnson,1995,对 11—19 世纪上海的贸易商人活动的叙述)。

官僚们要经过一个漫长的文字教育,以达到表达优雅,书法优美。科举考生们必须熟记儒家经典。莱格(Legge, 1960)用英语翻译了这些经典作品。原文加上英译文和注释,总篇幅几乎有大开本 2 800 页,总共超过 430 000 个汉字(Miyazaki, 1976:16)。科举的重点就是那些在宋朝时就已经有了 1 500 年历史的经典。正是通过这个科举过程,儒家的传统与教条得以加强,而官僚精英的学术权威难以受到挑战。

在如此庞大的官僚机构中要让中央政权保持信息畅通与控制,没有纸张和印刷术较早的发展是根本不可能的。纸张正式被宫廷采用以取代丝绢和竹简始于公元 2 世纪初(虽然纸张在中国的出现还要再提前 400 年)。现存第一本完整印刷的书籍是 868 年的一本佛经(Buddhist Sutra)。印刷术在宋朝得到全面发展,促进了官僚行政系统的运行,也极大地增加了用于教育的普及读物,促进了技术知识的传播。不同版本的儒家经典、百科全书、字典、史书、医书以及有关农业和算术的印刷手册都得到了官方的资助。私人企业和书商也推动了知识的传播(Tsien, 1985)。

官僚行政体制是能够使中国保持大一统国家的主要力量。它虽然是皇帝的一个驯服工具(只要皇帝没有严重地违背天道),却同时也对人民有独裁的权力,不会受到土地贵族、教会、司法、异见知识分子、军队或城市资产阶级的任何制约。官僚统治者们使用了全国统一的书面语言,儒家正统贯穿于教育制度之中。与近代欧洲和日本的多层次统治结构相比,这套体制相对来说是高效率而低成本的。

它通过有效率的交通和信息网络，使朝廷能够监督日常事务并对各种事件作出反应。它可以不用大规模的军事力量就能够维持秩序。它创造了大运河那样的补给物流体系，从而保证处于帝国边陲的首都的庞大人口能够获得足够的粮食供给。它征集税赋以维持奢侈的宫廷和军事设施的开支。它以长城作为抵御蛮族入侵的防御工事。因为运输成本过高，经济上的统一并不能保证一个统一的市场，但它确实在促进最佳技术应用的传播上起了重要的作用。由于印刷品的使用，由官府支持或资助的新技术很轻易地就能得到普及。这样，中国在最佳技术应用和普通技术应用之间的差距上，可能远小于那些多中心的欧洲国家。

官僚体制对经济的影响，尤其对农业经济的影响一般来说是非常积极的。像 27
18 世纪法国的重农主义者一样，中国的皇帝和官员们认为农业是他们能够通过税收和强制性摊派“榨取”剩余价值的部门。他们兴修水利来促进农业，通过技术指导帮助开发和传播新的种子和作物。他们把农民迁移到有希望开发的新农业区。他们还发展了一套公共粮仓制度，以确保帝国的粮食供应和救灾。他们也编制和发放农书及农历。

在农业以外，官僚体制的影响却是负面的。官员和士绅都是典型的寻租者。他们法定的、习惯上的特权决定了他们的社会地位、生活方式和生活态度。他们主导着城市生活，阻碍了欧洲式的独立的工商资产阶级的出现。而在一个缺乏法律保障的环境下，企业活动是没有安全性的。任何有利可图的活动都会受到官僚的盘剥。较大规模的经济活动被限制在国家或得到国家特许权的垄断集团手里。利用中国精致的造船技术和航海知识从事海外贸易可能利润丰厚，但却遭到政府的禁止。

这种官僚行政文明对长期经济发展的影响，还体现在官方的儒家思想和教育制度上。与中世纪欧洲的情况相比，儒家实用主义具有相当的优势。在宋朝时，它作为官方的正统思想可能是利大于弊的。国立学校提高了教育机会，它的课程内容远比以后朝代行政书院的课程内容要丰富得多。随着道教和佛教的衰落，新儒学重新获得了活力，也没有出现在之后的几百年里所表现的那种教条主义（参见 Kracke，1953；Miyazaki，1976）。李约瑟（1969）认为，中国的官僚政治是一种开明的专制，比欧洲的基督教统治更为理性，因为它集中了最优秀的人才并赋予其特权，因而比欧洲的军事贵族政治更有利于“自然知识”的进步。但欧洲在经历了文艺复兴以及伽利略和牛顿科学理论的发展之后，新的变化打破了这个优势。

李约瑟认为，中国一直未能“开发出现代科学的基础方法，比如说，对自然现象进行数学假设，对实验方法的全面理解和利用，对物质的初级和次级性质的区分，对公开出版的科学数据的系统积累，等等”(Needham, 1981:9)。但他补充道，欧洲取得突破性的进步是因为“文艺复兴之后盛行于欧洲的那些特殊的社会、学术与经济条件，而这绝不能解释为中国思想上或学术与哲学传统上的缺陷”。

直到 20 世纪中叶为止，中国对西方的挑战没有做出适当的反应，这主要是因为官僚体制下所形成的那种意识、心态与教育制度，导致了一种民族自我中心主义，对中国以外的发展漠不关心。在将近两百年的时间里，北京一直住有耶稣会的教士学者。他们中的一些人如利玛窦(Ricci)、汤若望(Schall)和南怀仁(Verbiest)等，与统治阶层有着密切的联系，但中国的上层精英对西方的知识与科学几乎没有兴趣。在明清两朝的大部分时期，中国差不多中断了国际贸易。1792 年至 1793 年，麦卡特尼勋爵(Lord Macartney)花了一年时间将英王乔治三世赠送的 600 箱礼物装运到中国，其中包括天象仪、地球仪、数学仪器、计时器、望远镜、测量仪器、化学仪器、平板玻璃、铜器和其他种类繁多的物品(Hsü, 1975:207)。他在热河把这些礼品赠送给乾隆皇帝后，得到的官方答复是：“天朝物产丰盈，无所不有，原不藉外夷货物以通有无”[Teng and Fairbank *et al*.(邓嗣禹和费正清), 1954]。这种根深蒂固的心态阻止了中国在 1 500—1 800 年间模仿西方的原始资本主义的发展，也阻止了中国参与随后出现的更有活力的经济增长过程。

28 第二节 经济发展的轨迹

在中华帝国的第一个千年里，人口的增长微乎其微，可能也没有什么人均收入水平的变化。几乎所有的权威学者都认为，中国经济在宋朝时(960—1280)出现了新的发展活力：人口增长加速了，农业有了显著的进步，专业分工与贸易发展了，城市经济变得更加繁荣。许多学者都强调了这一时期所出现的经济活力，例如刘大中、戈拉斯(Liu and Golas, 1961)，哈特维尔(Hartwell, 1962, 1966, 1967)，霍林斯沃士(Hollingsworth, 1969)，希巴(Shiba, 1970)，马(Ma, 1971)，艾尔文(Elvin, 1973)，琼斯(Jones, 1981, 1988)，谢和耐(Gernet, 1982)，麦克尼尔(McNeill, 1982)，布雷(Bray, 1984)，莫吉尔(Mokyr, 1990)。

证明宋朝经济出现加速增长主要依据下面的事实：

(1) 有合理的证据表明，当时的人口出现了大幅度的增长，达到了前所未有的水平。增长幅度大约从宋初的 5 500 万左右上升到宋末的 1 亿。何平第认为达到了 1 亿(Ho，1959)，而其他学者对 1280 年的人口数有着更高的估计(Zhao and Xie 认为达到了 1.08 亿，Durand 认为是 1.23 亿，而 Elvin 估计是 1.4 亿)。

(2) 地区经济中心出现了转移，长江以南水稻种植区的人口大幅度上升，而北方干旱农作物(小麦和谷子)地区的重要性急剧下降。贝拉斯(Balazs，1931，20)估计，长江以南的人口在唐代早期(约 750 年)占全国总人口的 24%。杜兰德(Durand，1974，15)认为，到 12 世纪末时这一比例已经达到 60%。艾尔文(Elvin，1973，204)则认为，到 13 世纪末时居住在南方的人口已经达到 85% 以上。

在此之前，中国南方的大部分地区相对北方而言是落后的，主要依靠原始的刀耕火种技术和不断迁徙的耕作。然而，气候和水利给精耕细作式的水稻种植带来了很大的开发潜力。宋朝统治者采取了大量措施来开发这一潜力，尤其是引进了新的早熟稻种，即占城稻(Champa rice)。

宋朝定都于这个人口密集的新地区，先是在开封，它位于已没落的唐朝长安城的东面。1127 年，中国北方沦陷于来自满洲的入侵者金人，宋朝遂迁都至长江以南的杭州。这座城市不是按照传统的庆典仪式设计的(参见 Wright，65，in Skinner，1997)，但却已经是一个通海的商业中心城市。随着北方难民的大量涌入，杭州成了一座令人兴奋的繁荣城市(参见 Gernet，1982)。中国定都南方，也意味着一个盛产水稻、水运便利的地区能以更低的成本养活中国人口。这样，不像其他朝代，宋朝不用为位于北方的首都提供粮食而维持昂贵的大运河水道。

(3) 木版印刷术在唐朝就已经得到开发。再加上更早就发明的造纸技术，使得带有插图的书籍从 10 世纪开始就能够大范围的传播，虽然大部头书籍到明朝才开始出现。这是中国历史上的一个重大创新。它增强了官僚教育和行政管理的能力，同时也被政府用来传播尤其是农业方面的最佳技术。

(4) 也有证据表明，宋朝人口密度的增加对国内贸易是个很好的刺激，它提高了农产品市场化的比重。农业生产专业化程度的提高，以及由于生活水平提高而带来的手工业生产的增加，导致了生产率的上升(参见 Bray，1984；Liu and Colas，1969；Ma，1971；Shiba，1970)。纸币的出现促进了商业的发展，也使国家财政的现金收入从一个微不足道的比例上升到占全部财政收入的一半以上。

29 (5) 南宋积极地改进了航运业和造船业。他们在长江上建立了用叶轮驱动舰船装备的海军力量，以抵御金人和蒙古族人的入侵。政府开办的造船厂的能力迅速地扩张，与此同时，海外贸易也出现了大幅度的增长。当时中国有9个官方规定的外贸口岸，但是主要外贸活动集中在广东和泉州(Ma, 1971:37)。

上述发展使我们有理由认为，宋朝的经济增长在加速。人口增长的步伐也显著地加快了，人均收入也有可能增加了。然而，有一些强调宋朝经济活力的学者夸大了宋朝所取得的成就。

(1) 赵冈(Chao, 1986:49—60)认为，南宋时的城市人口已经上升到总人口的1/5，而到了1820年，又降到了总人口的7%。但是关于这一剧烈人口变化的证据却是非常单薄。有关宋朝的情况，他依靠的是缺乏严肃可信性的马可·波罗和霍林斯沃士(Hollingsworth, 1969)的叙述。[1]关于1820年的情况，他所依据的是罗兹曼(Rozman)在1973年所做的研究，却没提到罗兹曼其他几个完全不同的估计数字。我在表1.7中列出了罗兹曼的估计，显然与赵冈的数字大有出入。

(2) 哈特维尔根据冶铁业的发展宣称，发现了中国宋朝时出现的一次“早期工业革命”。他过分地夸张了这一行业11世纪时在开封的快速增长。实际上，这一个地方性的繁荣是因为政府迁都至开封，而政府是铁制品的主要消费者。[2]

(3) 希巴(Shiba, 1971)认为，宋朝时已经出现了一个“全国性的”大米市场。然而，早在唐朝时，标准化产品的市场化比例就已经开始上升(Twitchett, 1968)，只是运输成本太高以至于无法形成“全国性的”市场。事实上，也正如希巴(Shiba, 1977:432)自己所指出的，中国是由“半封闭性的地域经济”所组成的。

(4) 艾尔文(Elvin, 1973:123)把在一个更为漫长的过程中发生的种种变化都归结于宋朝的变化。他认为，“在中国的最南部，两季或三季的水稻几乎已经普及了”。而帕金斯(Perkins, 1969:44—45)认为，在1400年时这种作物耕作的范围还是很小的，只是在后来才逐渐扩大的。

研究宋朝的上述作者们没有一个尝试在宏观经济上对宋朝的经济成就进行量化。这不难理解，因为缺少确凿的数据。尽管如此，提出一个量化的估计还是有用的。否则，我们只有停留在对问题性质的讨论和文字性的阐释上，这就有很大的伸缩性。这样，我们甚至都无法知道各种判断分歧程度有多大。量化的长处在于它能使争论议题更为清晰。

表 1.3 比较了中国和欧洲从公元 1 世纪到 1700 年期间的经济表现。在公元 1 世纪初，欧洲的人均 GDP(国内生产总值)要高于中国。但是到了公元 1000 年，在罗马帝国衰落之后，欧洲的收入水平出现了大幅度的下降。与此同时，宋朝的中国开始了一个时代的经济扩张，使人均收入提高了大约 1/3。[3]

表 1.3　中国及欧洲人均 GDP 水平，公元 1—1700 年

(1990 年美元)

	1	960	1 300	1 700
中国	450	450	600	600
欧洲[a]	550	422	576	924

a 不包括土耳其以及俄罗斯等苏联国家。
资料来源：Maddison(2007).

在蒙古族人统治中国期间，中国的人口减少了 1/3。主要原因有两个：一是蒙 30
古族人在征服中国早期时进行的野蛮屠杀，二是瘟疫流行，黑死病在肆虐欧洲的同时也袭击了中国。

蒙古族人在 1234 年占据了中国北部。成吉思汗(Ghengis Khan)和他的儿子窝阔台(Ogotai)对中国最初的征服完全是摧毁性的。当时，中国北方已经承受忽视水利之苦(黄河的堤岸被冲垮，大运河已不再运作)。当时，蒙古族人洗劫了许多城市，严重破坏了农业，将一部分农村人口转化成农奴或奴隶，并将经济牧业化，以便为他们的马匹和其他牲畜提供饲料。一些北方人南逃，但更多的人被消灭了。一直到 1280 年南宋被灭亡时，蒙古人的政策才有所改变(参见 Perkins, 1969：196—200)。元朝第一任皇帝忽必烈(Kubilai)扭转了牧业化的政策，并开始重新汉化国家机构。他的军事占领统治保留了南宋经济，也保留了宋朝时的很多制度。

麦克尼尔(McNeill, 1977：141—144; 259—269)解释了蒙古骑士如何像把黑死病带到欧洲那样，把鼠疫带到了中国。他认为，鼠疫对中国最严重的影响是在 1353 年之后，它所造成的死亡人数绝不亚于蒙古族人对汉人的残暴屠杀。杜兰德(Durand, 1960：233)也认为，在蒙古族人统治的最后阶段，“流行鼠疫在中国肆虐的程度并不逊于其对欧洲的影响”。

类似于元朝晚期时出现的人口暴跌，也可见于 17 世纪中叶明清交替时期，那时的连年战乱、天花和饥荒使人口减少了 1/5(参见图 1.1)。

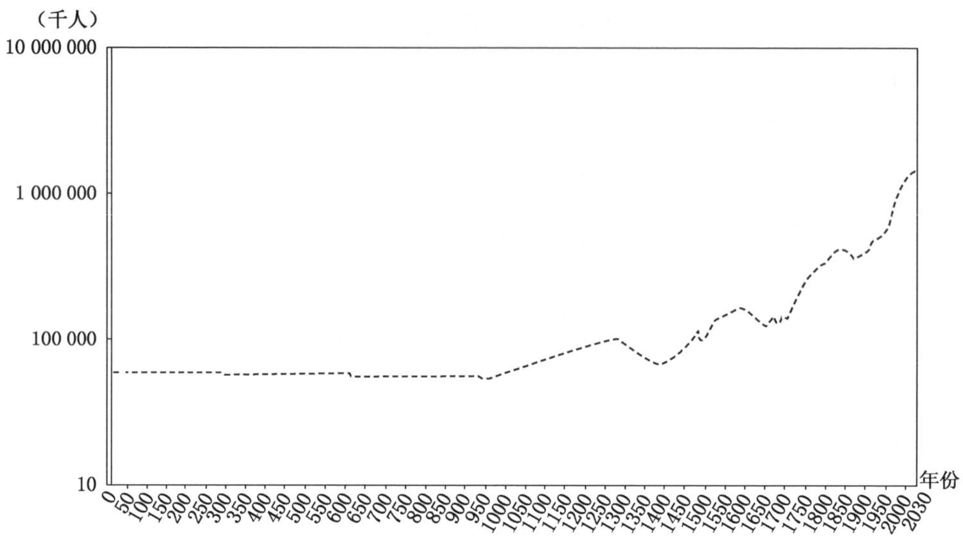

图 1.1　中国人口,公元元年至 2030 年

资料来源:Table D. 1.

31 有两个证据表明,明清时期中国的人均收入或多或少地持平。一个是帕金斯(Perkins)对农业经济中人均产量稳定的假定(参见表 1. 6),另一个是罗兹曼对唐朝至清初城市人口比例变化甚微的评估(参见表 1. 7)。帕金斯认为,人均粮食产量一直比较稳定,而且几乎没有什么迹象表明畜牧业经济发生了变化。帕金斯的观点要比赵冈有更坚实的史料证据。而赵冈(1986)则认为,人均粮食产量和消费量从宋朝到 19 世纪早期出现了大幅度的下降。

在缺乏城市经济发展的直接证据的情况下,我假定罗兹曼的城市人口的比例只有轻微增长的结论是正确的。这一结论与简·德弗里(Jan de Vries)所揭示的欧洲城市迅速的增长形成鲜明的对照(参见表 1. 8)。

第三节　农业经济的发展

在帝国的经济中,农业一直占有最大的比重。到了 1890 年,它仍然要占国内生产总值的 68%以上,使用了整个劳动力的 4/5。在此之前的两千多年期间,这些比例至少也是如此之高。因此,我们可以通过对农业部门变化的分析,来评价帝国的经济增长和技术发展。

1. 制度环境

在帝国的第一个千年里,人口较土地相对稀少,所以出现了各种强制性的劳动制度，目的是提高对农业的劳动投入。这些制度包括在一些地区使用农奴和奴隶，以便为那些有行政或军事功能的大城市中心提供粮食。在宋朝建立起有效的行政管理制度以前，各朝代都把行政管理的责任授予那些使用奴隶劳动的土地贵族们。

随着人口出现长期上升的趋势，土地变得稀缺了。加上一个更加有效的官僚行政体系的成功建立和它对贵族残余势力的清除，经济开始向自由劳动制度发展。在这种情况下，国家就能够顺利地先以实物后以货币来征收土地税。私有地主阶层依然是重要的，但他们一般都与官僚阶层有着盘根错节的联系。随着征收地租的可行性的提高，以及随着土地利润的增加，地主阶层减少了对奴役或强制劳动力的需求。到了明代，地主阶级已没有什么残余的土地了。他们大都成为非直接经营的收租人。官僚体制为他们提供了必需的社会秩序，并且保护他们的财产。

在宋与明交替之间，中国农业转向了一个以拥有生产与经营自主权的自耕农和佃农为主的土地制度，自耕农可以非常自由地买卖土地，在地方市场出售他们的农产品（参见 Skinner，1964—1965，对这些地方性市场的结构和作用的阐述）。当时中国农业已经形成了一种制度架构，它能够有效地分配资源，也有能力进行技术变革，以适应地产的可分割男性继承制（partible male inheritance）所带来的日益变小的家庭农业生产规模。

表 1.4　中国和世界其他地区土地使用和人口，1993 年 32

	土地总面积	可耕地及永久种植地	可耕地比率	人口	人均可耕地
	（千公顷）		（百分比）	（千人）	（公顷）
中国	959 696	95 975	10.0	1 178 440	.08
欧洲[a]	487 696	135 705	27.8	506 910	.26
印度	328 759	169 650	51.6	899 000	.19
美国	980 943	187 776	19.1	239 172	.73
日本	37 780	4 463	11.8	124 753	.04
苏联[b]	2 240 300	231 540	10.3	293 000	.79
澳大利亚	771 336	46 468	6.0	17 769	2.62
巴西	851 197	48 955	5.8	158 913	.31
加拿大	997 614	45 500	4.6	28 386	1.58

a 不包括土耳其及苏联。b 1998 年数据。

资料来源：FAO，*Production Yearbook*，Rome，1994；Maddison（1995a）updated.

2. 土地短缺

由于气候和地貌(大片的山区和沙漠)的原因,中国的可耕地占土地总面积的比例按照国际标准来说是非常小的。中国是一个古老的人类定居国家,但在20世纪末时,它的耕地只有总面积的10%。这与世界上一些新移居的地区类似,而同印度或欧洲形成了鲜明对照(印度的可耕地可以达到其总面积的一半以上,欧洲的可耕地也超过1/4),即使美国这个直到近代才出现定居性农业的国家,其可耕地的面积也是中国的两倍(参见表1.4)。中国的人均耕地面积是个极端的数字,平均每个农业劳动者只有1/3公顷的耕地,而美国是99公顷。

在过去的一千年期间,中国的人口从5 500万上升到13亿,增长了近22倍。政府和农民曾经想尽一切办法来增加耕地面积:排干湖泊和沼泽、改造原始森林、填海造田、修筑梯田以及毁林造田。他们转移了帝国的中心。在早期,西北的黄土干旱农业地区曾经是中心。现在人烟稠密的长江下游地区在当时却是“土地广袤,人烟稀少,百姓吃米饭,喝鱼汤,刀耕火种;由于土地肥沃,没有饥饿,人懒且穷,无意积累财富”(Chi, 1936:98)。这一景象已经被彻底改变。但耕地面积自宋朝以来至多扩大了4—5倍。为了维持生活水平,中国人被迫不断寻求新的办法从每一亩土地上获取更多的粮食。与欧洲相比,中国人口对土地的压力始终非常显著。中国没有公有地,大量森林被毁坏,土地休耕法也比欧洲早八百年放弃了。

双季耕作、混合间作、苗床培育和移植都是为了节省土地而发明创造的。土地短缺问题也反映在中国人的饮食习惯中。

3. 重种植业,轻畜牧业

在上一个千年内,与中世纪或现代欧洲人相比,中国人所吃肉类食品要少,成年人不喝牛奶,奶制品也几乎不存在。对粮食消费的依赖与土地稀缺有关,因为
33 从粮食而不是从动物食品摄取蛋白质和热量,对土地需求要少。中国人所消费的肉类食品主要为猪肉和鸡肉,这些动物主要靠废弃食物而非牧场来喂养。蛋白质的摄入另外需要豆类和各地小池塘里的鱼类来补充。中国人很少利用羊毛。普通衣着主要为植物纤维(大麻、苎麻,然后是棉花)。棉絮取代羊毛成为主要的保暖材料。较富裕的中国人依靠历史悠久的丝织品。蚕茧的原料来源于桑树,桑树通常种植在不适合其他庄稼的山坡地上。

较早在农具上的进步减少了生产上对牲畜的需求。布雷(Bray, 1984)详细描述了中国铧犁技术的早熟。早自汉朝中国就已经开始使用铁制弯形铧犁。她认

为直到18世纪以前，中国铧犁技术远比欧洲的优越，后者的犁板是直形木制的，要靠动物的强大拉力（通常是成队的马或牛）。而在中国，一头牛就能拉动一具更有效的铧犁。

政府的政策也侧重于谷物和纺织品而非牲畜和畜牧产品。当局偏好定居的务农者而不是牧民，因为对前者更容易控制和征税。

在这一方面，古代中国的汉族与其邻居蒙古族人和满族人形成了鲜明的对照。在那些边界地区，人口稀少，定居性的农业基本上不存在。作为游牧民族的蒙古族人主要依靠肉类和奶制品为生，为了寻找更好的牧草，他们带领着畜群随季节的变化而迁徙于草原。他们广泛使用羊毛制品来做衣物和覆盖他们的流动之家——那些是可以由马轻松载运的蒙古包。虽然随着时间的推移和帝国领土的扩张，中国吸纳了这些非汉人的游牧民族，但偏远地区的人口一直稀少。

4. 集约使用农家粪肥

中国农业的第三个特征是对农家粪肥的集约使用。与欧洲和印度动物粪肥主要来自猪和鸡不同，在中国，人的排弃物也得到非常广泛的利用。在欧洲，这一做法只有在荷兰和佛兰德斯（即今天的比利时——译者）才较为普遍。中国人设计出一种特别的人厕兼猪圈（privy-cum-pigsy）的设施来收集人和猪的粪便。他们使用青贮饲料技术（silage techniques）来驱赶有毒和有害的微生物。他们对多种粪便与谷糠、秸秆、枯叶、灰烬、家庭垃圾或水草进行人工混合，以制造肥料。中国还有着丰富的淤泥和河土资源，其中也含有各种肥料元素。商业化的豆饼和绿色豆科作物也是重要的肥料。正是土地的相对稀缺导致了这种对农家肥料的集约使用。

5. 高度依赖水利灌溉

中国的农业高度依赖灌溉和水利管理，目的是提高土地肥力，降低水患与旱灾的风险，缓解旱灾的程度。在西北黄土高原地区，主要问题在于运河系统。在更往东的黄河下游地区，主要问题就是洪水控制。而在长江和珠江流域，灌溉系统主要在于保障和管理水利资源以稳定灌溉用水。在整个南方，所有农业都涉及如何对灌溉用水进行治理和维护这一问题，目的是维持小面积稻田的高产率。中国有两条大河，黄河的水量远比长江的水量小，但是却夹带着大量的泥沙。这些泥沙主要来自因森林消失而导致长期水土流失的西部地区。在历史上，每当一个朝代衰落，水利失修时，黄河就出现灾难性的改道（比如在1194年和1855年）（参见 Gernet，1982，他给出了黄河在过去三千年里不断改道的示意图）。

34 **表 1.5a　分朝代有记载的水利灌溉工程**

（平均每世纪工程数量）

	齐（包括维修工程）	帕金斯（不包括维修工程）
唐朝之前	16	10
唐朝	87	79
宋朝	349	233
元朝	351	492
明朝	822	723
清朝	1 222	600

资料来源：Chi（1936） p. 36；Perkins（1969） p. 334.

表 1.5b　灌溉面积，1400—1995 年

	灌溉面积	总耕地面积	灌溉面积比率
	（百万公顷）		（百分比）
1400	7.5	24.7	30.3
1820	21.7	73.7	29.4
1952	20.0	107.9	18.5
1995	49.3	94.9	51.9

资料来源：灌溉地区 1400 年到 20 世纪 30 年代早期来自帕金斯（Perkins，1969：64）。关于 1400 年，帕金斯指出一个可能范围，我平均之后是 4.3—10.7 百万公顷。1820 年的估计来自第 61 页和第 64 页。1952 年和 1995 年的数据来自表 A.8 和表 A.10。

政府在大规模的灌溉工程中起着主要的作用，在北方尤其如此。而在长江以南的地区，在填地、筑堤及湖泊与沼泽的抽水等工程中，私人组织或团体起了更大的作用。国家与水利设施建设密切相关，也与运输相关。从隋朝开始，就开通了大运河，以便把贡粮运输到西北部的首都，先是长安，后是北京。因为当地的农业条件很难为一个庞大帝国的首都城市提供足够的食品。

通过查阅几百年的省与县的地方志资料，齐（Chi，1936）和帕金斯（Perkins，1969）大致量化地勾勒出水利发展的过程。帕金斯的研究局限于新的水利工程项目，而齐的工作则包括了主要水利维修工程。在他们的资料里，只有很少的一部分提供了工程的日期和规模。帕金斯（Perkins，1969：338）的研究表明，那些标有日期的工程还不到全部工程项目的 1/10，而且这一比例因时因地的变化也很大。但是，我们还是可以从齐和帕金斯的研究中得出下列结论：①从唐朝开始的一千三百年里的水利工程发展，远远超过唐朝之前的八百年。②除了明清交替时期，水利工程量随朝代更替而递增。对于明清交替时期的情况，齐认为是增长，而帕金斯认为是下降。我认为帕金斯的估计可能更具有参考价值。③这里有理由提出的第三个结论，水利建设的增长速度在唐宋时期最为显著。

表 1.5b 显示 1400 年和 1820 年的灌溉面积大约占耕地面积的 30%。在 1820—1952 年之间，灌溉面积的比例下滑到 1/5 以下，但这仍然远高于印度和欧洲的比例。1850 年时印度的灌溉面积只有 300 万公顷(参见 Maddison，1971：23—24)，仅大约占其耕地面积的 3.5%。我们没有欧洲的统计数据，但它的平均水平可能更接近于印度，而不是中国。根据 1995 年的统计，美国的灌溉面积大约占其全部农田的 10%，而此时中国的灌溉面积已经达到 52%。

无论是在主要水利工程的建设，还是在水利维修保养方面，中国投入了巨大 35
的劳动力。当然，从 20 世纪 60 年代起，电力驱动的水泵和机井已经大幅度地减少了对劳动力的需求。

6. 政府对新品种、多季作物、高产作物的鼓励与最佳技术的传播

中国农业的另一特征是其处在政府经济政策的中心地位。像 18 世纪法国的重农主义者一样，中国的皇帝和行政官员们视农业为至关重要的经济部门。他们通过提供技术咨询帮助发展和推广新品种与新作物。他们委派人员散发农业手册和历书等，并确保书中的建议被各地至少一部分农民所采用。布雷(Bray，1984)提供了一个很长的书目，表明农业方面的著作(大部分为官方的)多达 500 多种(其中在宋朝之前有 78 种，宋朝有 105 种，元朝有 26 种，明清共有 310 种)。从 10 世纪开始，这些著作就有了印刷本。其中最为有名的是王祯的《农书》。这本关于农业应用技术最完整的作品附有很多插图，目的在于将北方的最佳农业技术传播到南方，也把南方的技术带到北方。这本广为引用的作品(1313)的原版已经流失，在之后的版本中很多插图需要重画(参见 Bray，63)。布雷本人使用的是 1783 年的版本。这种官方的文献，在亚洲任何其他地区(除了德川时期的日本)，甚至在欧洲很长一段的历史中，都是独一无二的。在古罗马时期，曾有过克伦拉(Columella)和瓦罗(Varro)在这方面的著述，但直到 14 世纪这样的出版物才在欧洲重新出现。根据布雷的研究，欧洲农业方面出版物的数量到 1700 年时才赶上了中国。

中国的疆域跨越许多不同的气候带，其生物种类也因此较欧洲丰富，这主要因为冰川期对它的影响没有那么严酷,各种古老的植物品种得以保存。在帝国时期,中国采用并推广了一些新作物品种,这些品种以后都变得重要。茶叶在唐朝时期就已经普及并成为政府的税赋产品。棉花在宋朝时引进,在元朝时开始被大量用来织布——在此以前,普通人穿的是不甚舒适的粗麻布(大麻或苎麻做的)。高粱在蒙古族人入侵后得到了广泛的播种。在16世纪中叶,中国接受了来自美洲的农作物,玉米、花生、马铃薯和甘薯,因其高产和在较贫瘠土地上的生长能力,极大地提高了中国的粮食生产潜力。烟草和甘蔗的种植在明朝时得到了广泛的传播。

在很早以前,中国农民在通过育种来提高产量方面,比欧洲人更为成功。在北方,种子是用耧进行条播的;而在南方的水稻种植地区,则盛行苗床和插秧技术。在中国,小麦和大麦的产量与种子之比在12世纪时大约是10∶1,而对水稻来说,这一比率要大得多(Bray, 1984:287)。巴斯(Slicher van Bath, 1963)认为,在中世纪的欧洲,产量与种子之间的比率一般是4∶1。杜比(Duby, 1988)所引用数字更低。这个4∶1的比率和梅耶森(Mayerson, 1981)的罗马时期的数据相差不大。欧洲的农业直到18世纪时才在这一方面表现出实质性的改进。

由于政府的鼓励,早熟作物得到发展,从而使水稻的两季或三季播种成为可能。直到11世纪初,水稻成熟的全部时间至少需要180天(在苗床里需要4至6周时间,移植后还需150天时间才能成熟)。宋真宗(998—1022)从越南引进了早熟且耐旱的占城稻。随着时间的推移,这个品种使双季播种成为可能,也可以大量种植于较高地区和山坡地带。最初的占城稻在移植后100天左右才能成熟。到15世纪时,已经出现只需要60天的品种。在16世纪,又进一步
36 发展到只需要50天的新品种。到了18世纪,水稻成熟只需要40天,而到了19世纪初期,30天的成熟期已经成为可能(参见Ho,1959:170—174)。在北方,政府的农业政策还鼓励实行作物间作法,在南方,政府将小麦作为第二农作物进行推广。

赵冈(Chao, 1986:199)认为,中国的复种指数从公元1世纪汉朝的0.6(即休耕的土地平均占总耕地面积的40%)上升到8世纪唐朝的0.8,到宋朝时达到了1.0(平均而言已经没有休耕地了)。由于宋朝采取了鼓励政策,南方的水稻/小麦两季种植得到了发展,但是双季水稻种植却发展缓慢。赵冈认为,复种指数在19

世纪已经达到了大约 1.4 的水平，但从 19 世纪 60 年代起随着关外的开放又开始下降。这是因为汉人虽然被默许在满洲定居，但是满洲的气候却不允许双季种植。从 20 世纪 30 年代到 50 年代，这个复种指数为 1.3，到 1995 年时，上升到接近 1.6。

上面所引复种指数是全国平均数，实际上地区之间的差异很大。在东北和西北地区，复种指数在 1990 年大约是 1.0，其中的黑龙江和内蒙古要稍微低一点。在华东，平均复种指数接近 2.0，而在最高的江苏，达到了 2.53。在更往南的江西是 2.44，在广东是 2.25(参见 Colby Crook and Webb, 1992:24)。

在欧洲，休耕在中世纪时是非常普遍的做法(参见 Slicher van Bath, 1963:243—254)。直到在 18 世纪的英国和荷兰出现了轮作法以后，休耕地才开始消失。对整个欧洲来说，12 世纪时中国的耕作实践直到 20 世纪才开始出现。

7. 农业经济表现的量化

有关中国农业经济长期表现的性质的许多信息可以在何炳棣(Ping-ti Ho)的著作中找到。他在 1959 年出版的著作，是根据他耐心收集的大量的中国地方志，对中国农业新作物与耕作实践发展所做的翔实的研究。其中有好几千部地方志是从明朝(1368—1644)和清朝(1644—1911)传下来的。它们覆盖了帝国所辖的 18 个省和大约 1 300 个行政县。他认为在解释这些地方志的数据时必须谨慎，因为地方上记录或隐瞒信息的动机，会因时间和地点而发生变化，历史上的度量标准也会发生变化。何炳棣(Ho, 1975)进一步追溯更早的历史，并利用考古学和古植物的证据来研究中华帝国建立之前五千年中的中国农业的起源。

他并没有提供任何总量估计，但他明确认定中国的农业可以“长期自我维持”。他的看法是，人均实际消费水平在很长的时间内并没有下降，而是通过接受和适应技术变化得到维持。他也承认，土地生产力上升的过程伴随着劳动生产率的逐渐下降。

帕金斯(Perkins, 1969)采取了同何炳棣一样的态度去研究中国农业史，但却迈出了一大步。他对中国六百年的农业产量与土地生产率的变化做了小心仔细的学术评估。他的基本假定与何炳棣相差不大，即中国传统农业在应对巨大的人口增长的同时成功地维持了生活水准。他个人认为这一结论趋于保守，所以他不排除人均食品消费量在 6 个世纪中有上升 20%—30%的可能性。

37 **表 1.6 中国农业的重要指标,1400—1952 年**

	人口 (百万)	粮食总产出 (千吨)	种植面积 (百万公顷)		粮食单产 (千克/公顷)
			粮食	全部作物	
1400	72	20 520	19.8	24.7	1 038
1650	123	35 055	32.0	40.0	1 095
1750	260	74 100	48.0	60.0	1 544
1820	381	108 585	59.0	73.7	1 840
1952	569	162 139	86.3	107.9	1 879

资料来源:这是对帕金斯在粮食方面的基本论点的一种简单化的说明。在此我也采用他的假定,即人均年粮食消费量(带壳原粮)一直差不多保持在 285 千克左右。关于人口数据,参见表 D. 1。1400 年的种植面积数据来自帕金斯(Perkins, 1969),我采用的是该年的中间数。1650 年和 1750 年的数据来自 Wang(1973),1820 年的数据是 Wang 1770 年和 1850 年估计值的内插值。按照帕金斯的假定,80%的耕地面积被用来种植粮食。在表 A. 20 中我的 1952 年粮食产量的估计数字为 154 560 吨,低于上述估计值 5%。

帕金斯主要关注的生产率指标是可耕地的单位产量。在假定消费水平一直保持稳定的前提下,我们可以推断,在他所研究的那六百年里,单位产量一定有非常大幅度的增长。他假定可耕地一直在使用,没有休耕,同时他省略了牧地。来自各省地方志的大量证据支持他的关于耕地和单位产量的假设。

表 1.6 给出了帕金斯(Perkins, 1969:16—17)关于建立长期序列的简单假设,已经全部转换成了公制单位。我采用了王业建(Wang, 1973)的 1650 年和 1750 年的耕地面积数据。王业建是帕金斯的主要研究助手。他的数据同帕金斯的研究框架是一致的,也使用了同一来源的资料。

帕金斯的论点全部建立在谷物上,而粮食占了耕地面积的 80%。他把马铃薯及其他块茎作物归纳在粮食类,同时假定其他作物和畜牧产品的产量和消费量与谷物类产量的比例保持不变。在长期趋势的分析中,他没有包括森林业、捕鱼业和狩猎业。他的基本假设是:年人均用于消费、饲料和种子的粮食大致稳定在 285 千克(原粮),允许上下 10%的浮动范围。传统的农业投入包括种子粮、少量的饲料、农家肥料、灌溉成本,以及役畜的喂养和维护成本。我们可以假设,帕金斯认为投入和附加值与总产出的变动是平行的。

从表 1.6 中我们可以看到,粮食总产量从 1400—1820 年增长了 5.3 倍,这和人口的增长倍数是一样的。与此同时,耕地面积增长了大约 3 倍,单位面积产量增长了大约 3/4。造成单位面积产量增长的部分原因是:①水稻、小麦和大麦的多季种植，而在1400年时，这种多季种植几乎不存在(参见Perkins，1969：44—47)；②从美洲引进的玉米和马铃薯，这些引进品种的单位面积产量超过了本地品种；(3)由于人口和动物的数量增长快于耕地面积增长，每公顷土地的农家肥料投入也增加了。

帕金斯并不愿意把这些农业进步描述成技术变革。事实上，他(1969，186—189)把明清看作是一个技术停滞的时期，主要因为当时在农具方面没有多大的革新。这种对技术变革的理解是非常狭隘的。我们已经知道在他所研究的那个时期里，双季耕种的土地有了增加，种子得到了改善，早熟作物得到了开发，广泛吸收与消化了来自美洲的新作物，衣着习惯的改变引起了从大麻到棉花种植的转变，再加上高粱得到大规模普及，豆饼作为肥料得到更广泛的应用，同时灌溉面积也扩大了。这其中的大多数变化都是基于现有知识，对最佳应用方法的广泛传播。显然，在这个过程中平均技术水平得到了改进，知识也成功地得到了吸收和消化。我认为，这种长期的技术吸收和消化过程完全应该被视为技术进步。

第四节　农村家庭的非农业活动 38

除了播种、施肥和灌溉等劳动密集型生产以外，中国农村的家庭也从事大量其他的生产活动，包括菜园、果园、池塘养鱼、养蚕、收集杂草和其他可燃植物作为燃料、喂养猪和家禽，等等。重要的“工业”生产也以农村家庭为中心。纺织、制衣、皮革制品等生产大部分是家庭手工业。家庭手工业也包括榨油、碾米或脱粒、茶叶的干燥和制作、烟草制品、酱油、蜡烛、桐油、各种酒类，以及各种草、藤及竹制品的生产。砖瓦制造、车船制造、农舍修建也是重要的农村经济活动。从斯金纳的著作(Skinner，1964—1965)中可以清楚地看到，中国的农民们并非生活在一个勉强维持生存状态的经济中，而是身处一个由连接当地各个村落的乡村市场所形成的商业活动网络中。许多学者注意到，这些乡村生产活动在宋朝变得更加重要，因为土地生产力和农村生活水平的提高，以及商业化程度的增强。斯金纳[Skinner，1965(2)，208]指出，人口的增长“强化”乡村的市场活动，但他似乎质疑个体农民参与这种市场活动的比例已经发生了重要的变化。但是，从较长时期来看，随着经济作物(cash crop items)诸如棉花、蔗糖、烟草和茶叶等的重要性的日益增加，这一比例的上升还是可信的。在19世纪(表C.1)，1/4以上的GDP来自传统手工业、运输、贸易、建筑和房地产，而其中大多数都是在农村地区进行的。我认为，在那几个世纪中，这些活动在中国可能要比在欧洲更加重要。

第五节 城市经济活动的表现

城市的经济活动的详细证据非常难以收集，不过，我们可以利用城市人口的比例作为一个替代指标。幸运的是罗兹曼(Rozman，1973)为我们提供了从唐朝到 1820 年间中国城市特征的一些粗略估计。

罗兹曼主要研究的是城市“网络”的结构而并非其经济含义。他采用城市等级理论描述了中华帝国行政体制的运转。最高的一层是人口达 100 万左右的国家首都[这个数字同贝洛克(Beloch)估计的罗马帝国首都在奥古斯都去世时的人口规模，以及君士坦丁堡作为拜占庭帝国首都处在顶峰时的人口规模类似]。第二层包括像南京这样的二级首都。第三层是各省首府及其他一些可以提升到省级的城市。第四层是州府或一些重要的地区性口岸城市。第五层是最低的行政级别——县。尽管在他所研究的那段历史时期中，人口出现很大的增长，但城市的数量仅从唐朝的 1 235 个增加到清朝的 1 360 个(Skinner，1977，19)。随着时间推移，中国的官僚监督作用变得更为分散。罗兹曼城市等级的底层乡村化的成分要重于城市化，主要指地方的农业市场。在这一层，官府的控制是“非常薄弱”的(Skinner，1964，31)。

罗兹曼的基本信息来自地方志(1973，341—346)。他最系统的研究是对直隶省的研究，因为帝国的首都建在那里。他参考了 246 本地方志，其中有 2 本来自 16 世纪，40 本来自 17 世纪，60 本来自 18 世纪。对其他 17 个省的研究中，他引用了 270 本地方志(平均每省 16 本)的资料，其中 4 本出自 17 世纪，55 本出自 18 世纪，其余的来自直到 1936 年各个不同时期的数据。许多城镇没有
39 具体人口数据，但是，他感觉到他有足够的信息来把这些城镇划分到他的等级结构中(1977，5)。对大部分省份，他只有 20％的有关县和州的样本据以外推整个省的估计(1977，146)，再基于这些省份的推测来外推整个中国的情况。在有些例子中，他的有关整个中国人口的数据与他所使用的资料背离很大(比较表 1.7 的最后两栏)。我没有调整他的城镇比率，因为我不确定在多大程度上他的分子和分母是相互独立的。很明显，他的那些估计数字是非常粗略的。

表 1.7　罗兹曼关于中国唐朝中期至清朝晚期的城市及人口估计

朝　代	参考年份	罗兹曼的城市人口比率(占总人口的%)	拥有万人或以上居民的城市比率(占总人口的%)	拥有万人或以上居民的城市数量	拥有万人或以上居民城市的平均规模(千人)	罗兹曼的中国人口总量(百万)	麦迪森对中国人口总量的估计(百万)
唐朝中期	762	4.7	3.0	50	60	100	52
宋朝中期	1120	5.2	3.1	91	41	120	78
明朝中期	1506	6.5	3.8	112	44	130	124
清朝早期	1650	6.8	4.0	136	44	150	123
清朝晚期	(约 1820)	5.9	3.8	310	48	400	408

资料来源:对应有关朝代的数据分别来自(Rozman, 1973)的第 279、280、282、282 及 102 页。参考年份是我对他有些模糊描述的估计。罗兹曼关于城市等级制度的分析参见第 14 页。在第 16 页上他给出了城市统计标准。他并没有将其分类的最底层算作城市,而是算作"标准的集市,它由于定期集市的存在而不同于一般的村落"。他仅列出了这些集市的数量,并没有就人口数量进行估计。倒数第二层由"中等市场"组成。他把其中的一半作为城市,但是其平均人口只有 1 000 人。他把这两个底层类别算作城市系统的一部分的理由可能来自斯金纳(Skinner, 1964, 1965, 1966),因为斯金纳认为,这种乡村市场存在一种系统化的标准。罗兹曼的第三层次城市拥有 3 000—9 999 个居民组成。我假定平均有 4 000—5 000 个居民。

表 1.7 给出了罗兹曼对城市人口的估计以及城市人口比例。我们可以借助后者拥有 10 000 或以上居民城镇的人口数字。他的估计显示,在唐朝和明朝中期之间,城市人口是上升的,但是从明朝中期到清朝末期,城市人口的增长停滞了。

幸运的是,借助于德弗里(De Vries, 1984)对欧洲城市人口的研究成果(表 1.8),我们可以把罗兹曼对中国研究的结果与欧洲的情况加以比较。德弗里将欧洲城市人口定义为居住在拥有 10 000 或以上居民城镇中的人口,他的比率可以与表 1.7 所报告的中国的比率相比较。

德弗里使用的统计步骤比罗兹曼的更为系统、透明和翔实。他以五十年为间隔来估计 1500 年至 1800 年的欧洲城市人口。他使用的资料库包括 379 个城市。他将这些城市按照规模大小分成 6 大类。他的分类与罗兹曼所采用的人口规模标准不同,但是我们可以按照罗兹曼的分类以 10 000 人以上的城市为标准来重新编排。德弗里的估计包括 16 个国家和地区,其中大多数是西欧或地中海国家。东欧只有奥地利—波希米亚和波兰。如果他把更多的东欧国家包括进去,他的城市人口比例有可能会在一定程度上降低。

如果把德弗里的估计与罗兹曼的相比,中国与欧洲的情形显然是大相径庭。在唐朝时,中国就存在一个城市文明,而欧洲却没有。到 1820 年时,中国的城市化程度同一千年前相比较并没有多大提高,而欧洲的城市化程度在 1000—1500

年期间却获得了突飞猛进的发展，到1500年时它的城市化程度已经超过了明朝中期的中国。到1800年时，欧洲的城市人口比例几乎已经是1500年水平的两倍，而中国在1820年时的城市人口比例仍然和1500年的水平相同。

40 **表1.8　德弗里估计的欧洲城市人口，公元1000—1800年**

年份	拥有万人或以上居民的城市的比率（占总人口的%）	拥有万人或以上居民城市的数量	平均城市规模（千人）	德弗里估计的欧洲总人口（百万）	麦迪森估计的欧洲总人口（百万）
1000	0.0	(4)	n. a.		45.0
1500	5.6	154	22	61.6	72.3
1650	8.3	197	31	74.6	90.9
1800	10.0	364	34	122.7	149.6

资料来源：德弗里(1984)的数据来自表2.2、表3.1、表3.2、表3.5、表3.6及附录A。德弗里建立了由379个潜在的城市组成的数据库，然后在他的7个基准年份前后，选定一个最近的时期进行集中的文献调查，以鉴定人口规模，其中1500年、1650年及1800年的估计已经在上面列出。他将所有城市按照规模分成6类。对1500年，他确认了96个拥有万人或以上人口的城市，共有人口2 494 000人。对那一年来说，有87个地区的人口无法确定。但是从其他的证据中，他认为其中的58个地区可以被划分到他的具有6个层次的城市结构中，这使他的城市人口总数达到了3 441 000人。对于1650年，他确认拥有万人或以上人口的城市共有156个。同时在缺少直接的人口规模证据的情况下，他推测出73个地区中的41个地区的人口数量。对于1800年，在拥有万人或以上人口的所有地区中，只有3个地区缺少直接证据。对于1000年，他并没有做出估计，但在第41页上，他指出在意大利之外不存在万人或以上人口的城市。在那一年欧洲城市的平均数为零。然而，我相信有大约4个意大利的地区可以划分为城市。第四列显示出德弗里样本中的16个城市或地区的所有人口。最后一列显示出我对欧洲总人口的估计(不包括1990年时苏联和土耳其地区)，这来自与表1.2相同的资料。

虽然中国城市化的速度大大慢于欧洲，但中国城市的平均规模却远比欧洲的规模要大。在罗兹曼所研究的那个时期，中国拥有1万或1万以上居民的城市的数量在4.1万到6万个之间，而在欧洲，达到这一标准的城市在2.2万到3.4万之间。据罗兹曼估计，各个朝代的首都一般都有100万左右的人口，同时还有一些人口超过30万的城市(在唐朝和明朝中期各有1个，在清朝早期有3个，在清朝末期有9个)。在欧洲，1500年时4个最大的城市是米兰、巴黎、威尼斯(人口10万左右)和那不勒斯(人口15万左右)；1650年时4个最大的城市是阿姆斯特丹、那不勒斯(人口分别是17.5万和17.6万)、伦敦(人口40万)和巴黎(人口43万)；到了1800年，4个最大的城市是维也纳(人口23.1万)、那不勒斯(人口42.7万)、巴黎(人口58.1万)和伦敦(人口86.5万)。

帝国的行政官僚们在中国的城市中有着至关重要的地位。这不仅体现在城市人口组成方面，还表现在权力方面。行政官僚们决定了城市的布局，控制了通讯，他们根本不会受到司法、军事、贵族或教会等势力的挑战。他们的职员和差役都从当地招纳，负责具体的财政税收、经济管理、对犯罪及其他非法行为实施惩罚，等等。他们的权力有相当大的随意性，可以通过施舍各种恩惠来增加个人收入，而百姓则处于一种完全依附状态。中国的非官僚精英们也喜好模仿官僚的方式与教养，并依靠官僚的恩施来减轻自己的税收负担，或获得在触犯刑律时免受体罚的司法特权。

相比之下，欧洲的城市则更为自治和独立。大多数城市都有宪章和民法法典以保护公民的法律权利。城市中的商业影响也要强大得多。

韦伯(Max Weber)在对中国的研究中(参见 1964 年英译本)，强调了官僚在中国城市发展中所起到的阻碍作用，这与资本主义在欧洲城市中有更大的发展机会形成重大对比。巴拉兹(Balaz, 1964)的论述继承了韦伯的传统。他也强调，中国官僚体制下的掠夺性的财政手段，以及潜在的司法审判上的随意性，约束了资本主义发展，也抑制了人们的冒险精神。在较大规模的工商业活动中，国家起了主导作用，包括诸如国家制铁厂和皇家陶瓷厂(官窑)的发展，食盐贸易的许可证制度，城市房地产经营中对土地的控制，以及对大运河的水上贸易和通讯的控制，等等。

中国国家企业与欧洲商业利益之间的显著差异，可以从国际贸易领域中窥见 41
一斑。在明朝初期，永乐皇帝建造了由大型舰船组成的远洋船队，并派他的宦官郑和作为统帅，在 1405—1433 年间作了几次重大的海外探险活动(Levathes, 1994)。但是，从那以后，造船业被忽视了，外贸也几乎被禁止。这一决定使中国隔绝于 15 世纪以来世界上大规模的海外贸易扩张，而这一扩张正是成为资本主义企业在欧洲得以迅速发展的一个关键因素。

注　释

[1] 赵冈对宋朝城市发展的高估，一部分受 Hollingsworth(1969, 246)对杭州人口错误估计的影响。他认为当时杭州人口至少 500 万，甚至可能 600 万—700 万。但他并没有试图去解释当时如何养活以如此巨大数量聚集起来的人口。Hollingsworth 的主要依据来自马可·波罗(Marco Polo)。马可·波罗声称，杭州每天可以消费 4 338 千克胡椒粉。Hollingsworth 认为，这至少是 500 万人的消耗量。为了说明城市规模，他引用了马可·波罗的陈述，指出杭州当时有 12 000 座桥。相反，李约瑟在其著作的第四卷第三册(1971, 148)认为，马可·波罗那个时期的杭州只有 347 座桥。谢和耐和贝拉斯(Gernet and Balazs)经过对资料更为仔细的考查，认为当时杭州的人口在 100 万左右。

[2] 哈特维尔指出，铁的生产在北宋的 806—1078 年间增长了 9 倍，人均产出增长了 6 倍。他认为这是“早期工业革命”迹象。从找到的有关制铁的资料出发，他推测“在 11 世纪的中国，采矿业和制造业有着引人注目的扩张”(Hartwell, 1966:29)。他是从税收记录中推测 1078 年铁的产量的。假定铁的税率为 10%，推测以税收为依据的产出为 75 000 短吨(=68 000 公吨)。他再将这个数字加倍以包括非法的及未记录的产出(Hartwell, 1962:155)。依据他所进行的比较，这个估计似乎合理和适度。这意味着在 1078 年时，中国人均的铁消费量为 1.4 千克。相比之下，英格兰和威尔士在 1540 年铁的消费量为 3 千克，在 1640 年时为 6.4 千克，在 1796 年时为 15.4 千克。哈特维尔的估计中最不可信之处在于，他声称在 806—1078 年间人均铁消费量增加了 6 倍。他并没有解释什么样的需求结构变化可以造成这样的增长。他没有对其有关 806 年的估计给出适当的文献记录。他研究了宋朝初期首都开封铁的供给，对铁的主要需求来自中央政府，用来制造武器和铸币。他的研究表明，开封人口从 742—1078 年间增长了 6 倍，而从 1078—1330 年间骤降了 10 倍以上。据此，这一地区铁的生产出现大起大落并不令人吃惊。李约瑟(Needham, 1958:18—19)认为，“常规的铸铁业生产在公元前 4 世纪时就已经在中国出现了”。铁在军事、农业、建筑、贸易及家庭生活上的使用，在哈特维尔所研究的时期之前就已经广泛地传播了几个世纪。因此，我极度怀疑哈特维尔所提出的有关“工业革命”的证据的代表性。然而，他的观点影响了麦克尼尔(McNeill, 1983)和琼斯(Jones, 1981, 1988)对宋朝经济表现的解释。

[3] 李约瑟(Joseh Needham)关于中国发展轮廓的观点与表 1.3 提出的不一样。他认为中国在过去领先于西方。他所主持的对中国科学与技术的百科全书式的研究中的观点值得
42 仔细考虑。他的《中国科学技术史》(*Science and Civilisation in China*)开始于 1954 年。直到 1995 年他逝世为止，这部尚未全部完成的著作有大约 6 000 页已经出版。他和他的助手们概括性地对中西方技术的发展提出了一种比较的观点，特别是关于中西方技术发展的时间顺序，但他们并没有强调技术变化对经济的影响。在这一方面，Francesca Bray(1984)关于农业和 Dieter Kuhn(1988)关于纺织技术的卷册最有启迪作用。

李约瑟关于中国发展概况的观点，更清楚地体现在他的《大滴定测量法：东西方的科学与社会比较》(*The Great Titration*, 1969)一书中，该书收录了他在 1946—1966 年间发表的论文。他认为，宋朝没有出现巨大的跳跃式的进步，但是强调了中国在冶金学和造纸方面领先了上千年，在印刷术上领先了七百年。他在 1961 年发表的一篇文章(第 40 页)中指出，中国的发展“表现为一条缓慢上升的曲线。大约在公元 2—15 世纪期间，它的发展水平高于欧洲，有时候甚至高出许多”。在 1964 年的一篇文章里(第 117 页)，他又指出，中国的领先地位早于欧洲七百年，“很明显，在公元前 5—15 世纪，中国的官僚封建制度在利用自然知识方面要比欧洲(以奴隶或农奴为基础)的军事贵族封建制度更为有效”。在另一篇 1964 年的文章中(第 190 页)他提出了另外一种估计，“在公元前 1 世纪到公元 15 世纪，与欧洲文明相比，中华文明在将人类的自然知识应用于实际需求方面的效率更高”。

很明显，他的结论并不是基于对中国技术和发明活动的经济意义的仔细分析。他的有关东西方发展水平的大致观点，在他的代表作构思之前就已经形成。他在早年深受 Wittfogel(1931)的影响。作为一个马克思主义者，李约瑟相信西方文明陷于一个低级的发展模式(先是奴隶制后为农奴制)，而中国通过建立进步的精英官僚体系，成功地突破了这一模式(参见李约瑟有关亚洲生产方式的论述，1969:193—217)。

我认为，李约瑟关于中国官僚权力的优点及其最终局限性的评价具有一定的道理，但是，精英选拔制度在唐朝之前并没有出现。同样值得怀疑的是，中国是否在汉朝时就已经在技术水平和经济表现上领先当时处于罗马帝国时代的欧洲。罗马帝国在组织和军事技术方面至少同中国的水平相当。中国的农业土地生产率要高于罗马帝国时的意大利(参见 Bray, 1984; Mayerson, 1981)，但是低于埃及的水平。罗马帝国在市政工程和建筑水平方面也领先中国，体现在道路、筑城、渡槽和砖墙等方面。其中许多至今仍然可见于欧洲、中东和北非。中国的城市建筑都是木质结构，直到明朝时墙壁还是由夯土筑成的。此外，罗马的道路交通网络规模超过汉朝两倍多，尽管它的人口要少于汉朝时的中国(参见 Needham, 1971, Vol. 4:29)。

根据上面的分析，看起来从公元前 1 世纪直到公元 5 世纪罗马帝国衰落之前，中国总体经济发展水平要低于欧洲(参见 Maddison, 2007，第一章，有关罗马帝国经济发展的最新估计)。

43 # 第二章

经济衰退与列强欺辱，1820—1949 年

从 17 世纪末至 19 世纪初，清王朝在其自定的目标上表现得很出色。从 1700—1820 年，人口从 1.38 亿增长到 3.81 亿，增长速度几乎是同期日本人口增长速度的 8 倍，欧洲的 2 倍。人口增长并没有导致生活水平下降。在 18 世纪，尽管欧洲的人均收入扩张了 1/4，中国国内生产总值的增长速度仍然快于欧洲。

清朝政府取得的第二个成就是由于帝国版图大幅扩张而创造的安全感。1820 年时，中国的国土面积已经达到 1 200 万平方公里，是其 1680 年面积的 2 倍。新扩张的地区多为人烟稀少的地域，1820 年时这些地区的居民只占总人口的 2%。新扩张的地区不是为了解决少数民族的居住问题，而是为了大幅度加强中亚边境地区的安全，以防止中国在此之前所遭受的蛮夷入侵。清朝在 1696—1697 年征服了蒙古族人，随之改变了他们的部落结构，使他们更易驯服。在 1689 年签订的《中俄尼布楚条约》所确定的清朝的边界已经深入西伯利亚。清朝于 1683 年收复台湾、1720 年平定西藏，后来又在 1756—1757 年间将中亚大片地区(即后来的新疆)纳入清朝的版图。周边的如缅甸、尼泊尔、柬埔寨、越南、朝鲜、琉球等清朝从属国也为清帝国提供了一层外围保护。

中国的 19 世纪与前面两个世纪相比较是令人失望的。国内发生了一系列的事件，其中规模最大的是太平天国运动，它持续了 14 年。财政资源的匮乏使发展新型军事力量受到限制。政府无力维护大型水利工程，致使黄河堤坝缺乏修缮，在 1852—1855 年间发生了灾难性的河流改道。大运河也被淤泥堵塞，到 19 世纪末时它已不能向北京输送粮食。作为灾难的后果，中国人口在 1890 年时并没有超过 1820 年的水平，肯定人均收入也降低了。中国在之前近两千年的时间里一直是世界上最大的经济体，但是到了 19 世纪 90 年代，它的这个位置被美国所取

代。民国时期(1912—1949)的记录依然是令人失望的。与世界其他国家形成强烈反差的是，中国 1952 年的人均国民生产总值要低于 1820 年的水平。中国在世界 GDP(国内生产总值)中所占的比重从 1/3 降到了 1/20，实际人均收入从世界平均水平降到了平均水平的 1/4。

表 2.1　欧洲、中国和世界其他主要地区的经济水平比较，1700—2003 年 44

年份	中国	日本	欧洲	美国	苏联	印度	全世界
GDP(十亿，1990 年“国际元”)							
1700	82.8	15.4	92.6	0.5	16.2	90.8	371.4
1820	228.6	20.7	184.8	12.5	37.7	111.4	694.5
1952	305.9	202.0	1 730.7	1 625.2	545.8	234.1	5 912.8
1978	935.1	1 446.2	5 268.2	4 089.5	1 715.2	625.7	18 969.0
2003	6 188.0	2 699.3	8 643.8	8 430.8	1 552.2	2 267.1	40 913.4
人口(百万)							
1700	138	27	100.3	1	26.6	165	603.2
1820	381	31	169.5	10	54.8	209	1 041.7
1952	569	86.5	398.6	157.6	185.9	372	2 616.0
1978	956	114.9	480.1	222.6	261.5	648	4 279.7
2003	1 288.4	127.2	516.0	290.3	287.6	1 050	6 278.6
人均 GDP(1990 年“国际元”)							
1700	600	570	923	527	610	550	615
1820	600	669	1 090	1 257	688	533	667
1952	538	2 336	4 342	10 316	2 937	629	2 260
1978	978	12 585	10 972	18 373	6 559	966	4 432
2003	4 803	21 218	16 750	29 037	5 397	2 160	6 516

资料来源：Maddsion(2001，2003) updated，see www. ggdc. net/Maddison. 欧洲包括 29 个西欧和 10 个东欧国家(不包括土耳其)。从 1952 年开始印度不包括孟加拉国和巴基斯坦。美国的数据包括了土著居民。

表 2.2a　世界 GDP 分布，1700—2003 年

(百分比)

	1700	1820	1952	1978	2003
中国	22.3	32.9	5.2	4.9	15.1
印度	24.4	16.0	4.0	3.3	5.5
日本	4.1	3.0	3.4	7.6	6.6
欧洲	24.9	26.6	29.3	27.8	21.1
美国	0.1	1.8	27.5	21.6	20.6
苏联	4.4	5.4	9.2	9.0	3.8

资料来源：Derived from Table 2.1；www. ggdc. net/Maddison.

表 2.2b 全世界 GDP 增长率,1700—2003 年

(年平均混合增长率)

	1700—1820	1820—1952	1952—1978	1978—2003
中国	0.85	0.22	4.39	7.85
印度	0.17	0.56	3.85	5.28
日本	0.25	1.74	7.86	2.53
欧洲	0.58	1.71	4.37	2.00
美国	2.72	3.76	3.61	2.94
苏联	0.69	2.05	4.50	−0.40
全世界	0.52	1.64	4.59	3.12

资料来源:Derived from Table 2.1; www.ggdc.net/Maddison.

表 2.2c 全世界人均 GDP 增长率,1700—2003 年

(年平均混合增长率)

	1700—1820	1820—1952	1952—1978	1978—2003
中国	0.00	−0.10	2.33	6.57
印度	−0.03	0.13	1.66	3.27
日本	0.13	0.95	6.69	2.11
欧洲	0.14	1.05	3.63	1.79
美国	0.72	1.61	2.24	1.85
苏联	0.10	1.11	3.55	−0.78
全世界	0.07	0.93	2.62	1.55

资料来源:Derived from Table 2.1; www.ggdc.net/Maddison.

45 第一节 帝国体制的瓦解

从19世纪40年代开始,一系列外国对中国主权的挑战加剧了内政的困难。中国对来自海上的入侵毫无防备。其海防完全被忽视,也没有真正的海军或现代化武器来抵挡海外入侵者。百年间,中国作出了屈辱的妥协,丧失了很多主权和大片领土。

无论从心理上还是知识上,中国都无法应对甚至不能理解这些新的挑战。中国没有外事机构,而且首都深处内地。政府对国际贸易的兴趣很小,只允许几个地方口岸与外国通商,包括澳门(只对葡萄牙开放)、广州(对其他西方国家开放)、厦门(与菲律宾通商)、宁波(对日本、朝鲜开放)、恰克图(对俄罗斯开放)。对西方地理和技术几乎一无所知,对西方语言所知更少。其教育体系仍专注于儒学经典,而其官绅权力精英阶层也没有任何改革国家体制的理念。

1. 1840—1842 年的第一次外国入侵和通商口岸开放

英国利用广州作为购买茶叶的口岸已有一个多世纪。到 19 世纪 40 年代，英国每年购买的茶叶数量达 14 000 吨。在几十年的时间里，英国商人建立起了一个以出售鸦片来支付茶叶及其他进口商品的中国市场。到 19 世纪 40 年代，中国不得不出口白银以弥补贸易赤字，而在此之前中国的白银一直是入超的。在 1820—1839 年之间，英国每年运到中国鸦片的数量从 4 000 箱猛增至 40 000 箱(Greenberg，1951:221)。这些进口是非法的，只是由于地方官员的松懈才得以进行。出于对白银外流的担心，加上一个新来的强势大臣，导致了在 1839 年英国 20 000 箱鸦片的充公与销毁。随后英国的贸易利益集团成功地游说政府，借此发动了对华战争。

战争以中国的投降而告终。英国海军夺去了香港岛，并在 1842 年签署的《南京条约》中使香港被割让。广州、厦门、福州、宁波和上海作为“条约口岸”对外开放，英国商人及侨民在那里享有治外法权和领事裁判权。中国也同意中止之前对进口的限制，只收取少量关税。中国支付给英国 600 万两白银的鸦片赔款以及 2 100 万两白银的“战争赔款”。在 1843 年的一项附属条约中，又通过贸易最惠国待遇的安排，这就意味着将来中国给任何一个外国的优惠权利，也可以被其他外国所享有。

这些条约为外国对华贸易渗透提供了一套模式。在两年之内，法国与美国都获得了与英国相等的权利，最终共有 19 个国家获得了治外法权及其他特权。到 1917 年，已经开放了 92 个条约口岸[1]，其中一些已经深入到中国内地，从上海远至长江上游 1 400 多千米处的重庆。

2. 太平天国运动，1850—1864 年

太平天国运动从 1850 年起延续到 1864 年止，影响遍及 16 个省，占领了中国当时最富庶的地区。它是对清朝皇府及儒绅官僚一次重大的意识形态上的挑战。

该起义发源于广西壮族自治区最南部。在当地，帝国的权威被鸦片战争的失 46
败所削弱，同时由于方言和生活习惯的不同，当地居民和客家移民长期存有敌意。

太平天国运动的意识形态来源于洪秀全，他是来自广州附近的客家人，曾为科举而学习，但考试落第。在与新教的传教士进行了一次接触之后，他相信新的社会秩序下基督教的千年盛世，即一个有着天国般和平的王国(即太平天国)。他认为自己是上帝的儿子，耶稣的弟弟，注定要成为新天国的皇帝。在十几年的时间内他建立起一大批客家党羽，并把主要副手分封了圣子或王的称号。为表示反清，他们不再剃光前额，或留辫子。他攻击官府腐败，反对鸦片、酗酒、卖淫和一夫多妻制。他们还热衷于废除土地私有制，由政府根据家庭规模和土地肥沃程度对土地进行分配，尽管他们事实上并没有将这个理念付诸实施。他们整合了国家的军事和行政，废除了儒家教育课程，同时也亵渎了庙宇和神龛。他们建立起一支由狂热的信徒组成的纪律严明的军队，尊重百姓，但敌视旧官僚和绅士。

这个新运动非常成功。1851年，太平军开始北上。1852年，在湖南岳州缴获了大量军火及5 000余艘船只，然后到达了长江和汉江交汇处的湖北三镇武昌、汉口和汉阳。在配备了新缴获的粮食、弹药和船只之后，他们在1853年攻下了江苏南京，遂在此建都，定名天京，在此占据了11年之久。在太平军北上途中，横扫清王朝的常规军队（即满族八旗军和绿营兵），在1856年摧毁了驻扎在南京两侧的清军大本营。同年，在太平天国领导层内部发生了几次重大争吵，最终导致了对挑战天王（洪秀全）的人士的大屠杀。尽管如此，太平天国又在1860年取得了新的胜利，攻占了苏州与浙江的宁波和杭州，向东扩张了它的统治地区。

太平天国运动并不仇外，驻扎在通商口岸的西方人士起初对起义持中立态度。他们认为太平天国对基督教的解释是一种亵渎，同时觉得太平天国人士傲慢。直到他们的贸易被骚扰之前，他们并不认为这个运动会有碍于他们的利益。在1861—1862年间，上海的商人雇用了一支外国军队来保护他们的安全。

最终，是为了保卫朝廷和士绅而新建立的职业军队镇压了太平天国。由于传统军事力量纪律涣散、无能且指挥无方，清政府委任一位学者式的官员曾国藩来建立一支新式的、有着良好训练、纪律及策略的专业军队。曾国藩组建了一支拥有12万陆军水师的湘军。他还吸引了其他杰出的汉族官员，他们后来成为成功的将军。曾国藩的副手李鸿章组建了另外一支新军。这些部队花了一些时间来训练战斗力，最终在1864年将南京的太平天国军队包围并镇压下去。

新军的出现使清朝统治本质发生了根本性和永久性的变化。它意味着中央对省级政府的权力下放的重要性，它也结束了先前严格的官僚与军队的分离。从此，地方官员及军事指挥越来越多地依靠汉族人，而不是满族人。清王朝曾想要解散新军而且已经着手进行，但又不得不靠它来镇压北方的捻军起义以及陕甘回民起义。在太平天国起义期间，曾国藩已经掌控了4个主要省份；在1870—1895
47 年间，李鸿章成为直隶总督和内阁宰相；左宗棠先是成为浙江和福建的总督，后来成为陕西和甘肃的总督，是他镇压了陕甘的回民起义、收复了新疆。新的军事统帅们成为太平天国运动后出现的洋务运动的重要政治集团，但是他们的官僚—绅士利益仍旧使他们效忠朝廷。他们的现代化运动受制于财政资源的短缺，以及在1861—1908年期间由慈禧太后主导的朝廷的保守政策，因而归于失败。

3. 英国、法国和俄国的入侵

在太平天国时期，有两个主要的外国势力针对中国的入侵行动：一是英法为实现航运和贸易特权对中国的联合入侵；二是俄国对东西伯利亚的占领。

在1858—1860年英法联合入侵了中国。1858年一个临时的《天津条约》产生了11个新的通商口岸，同时将九龙并入香港版图。沿海交通及长江一带各口岸都对外国通航，外国人被允许到中国内地旅行、经商，鸦片交易也合法化了。为监督中国低关税的承诺，英国人建立了中国海关税务总司来为中国政府征税，由罗伯特·赫德爵士(Sir Robert Hart)在1861年至1908年期间任司长。其中一部分关税用来支付对入侵者花费的“赔款”1 600万两白银。当中国在1860年拒绝承认这个条约时，英法联军摧毁了在天津的海防，占领了北京，劫掠并焚毁了圆明园。皇帝逃往热河。在后来的停战协议中，中国同意外国在北京派驻代表，并且在1861年开设了一个很小的外事衙门。但是，直到中国于1877—1879年在伦敦、巴黎、华盛顿、东京和圣彼得堡设立大使馆之前，清政府一直没有建立任何驻外代表机构，也从来没有制定过任何外交政策。

在1858—1860年，俄罗斯西伯利亚总督穆拉维耶夫(Muraviev)抓住机会蚕食了黑龙江阿穆尔河(Amur river)北部和乌苏里(Issuri)河东部直至朝鲜边境的大片中国领土。在1860年的《北京条约》中，中国被迫割让这些区域，由此丧失了满洲全部的太平洋海岸线。另外，俄国还吞并了西伯利亚东部8 200多万公顷的土地，并在此建立了新港符拉迪沃斯托克(中国传统称“海参崴”)。19世纪60年代，通过占领塔什干的布卡拉、撒马尔罕、希瓦和浩罕汗国，后来又通过占领中国伊犁河流域和巴尔喀什湖南部地区，俄国再度扩张了它在中亚的版图。1881年，在向俄国缴纳了500万两白银赔款之后，中国才得以收回其中小部分土地。

在1885—1895年的10年间，其他几次事件的发生对尝试自强的中国来说不啻是莫大的嘲讽。首先是法国自1859年开始逐渐控制了越南。1884—1885年中法在越南北部的“东京湾”爆发战争，法国于1885年时摧毁了福州新式海军的基地，并封锁了台湾，以此迫使中国转让出印度支那半岛的宗主权。英国效法法国的行动，于1886年从中国手里夺去了对缅甸的宗主权。

4. 1894—1895年的中日甲午战争及其后果

从19世纪70年代以来，日本对中国的压力与日俱增。日本声称对琉球群岛(今冲绳县)拥有主权，派出报复性的远征部队以所谓惩罚杀害了日本海事遇难水手的借口攻打台湾土著居民。1876年日本向朝鲜派去了一支陆军和一支海军，迫使釜山、仁川、元山港口开放，并在当地拥有领事裁判权。1894年，日本以武力入
48 侵朝鲜并发动了一场战争。中国水师在鸭绿江被击败，日军跨过鸭绿江进入中国，占领了辽东半岛的旅顺和大连两个港口。在1895年的《马关条约》里中国被迫承认失去对朝鲜的宗主权，将台湾、澎湖列岛及辽东半岛割让给日本，将重庆、苏州、杭州和沙市等通商口岸向日本开放，同时，日本人(及其他外国人)被允许在中国开办工厂从事制造业生产。日本得到2亿两白银的战争赔款，后来在法、德及俄国的压力下同意撤出辽东半岛，但将赔款增至2.3亿两白银。这是中国支付过的最大的一笔战争赔款，相当于当时日本国民生产总值的1/3，而中国不得不靠向外国借贷来偿还。

中国的战败导致了大量其他国家的权益要求。1896年俄国在东北获取一条宽阔的土地来修建一条从赤塔直至海参崴的"中国东部铁路"；1897年又强占了旅顺和大连，并获准兴建南满铁路。同年，德国占领胶州湾海军基地，获得了在山东修建铁路的特许权。1898年，英国强租山东港口威海卫，并以协约租借"新界"99年以扩大他们在香港所占领的土地。此外，英国还要求中国政府承认他们在长江流域的势力范围。中国允许法国对"广州湾"(Kuang-hsü)(海南岛对面)的长期租借，也承认了法国在广东、广西以及云南南部省区的势力范围。日本获得的势力范围在福建，与台湾省相望。唯一被中国拒绝的是意大利，它想把浙江三门湾作为根据地，但未能如愿以偿。

被日本这样一个远小于自己的亚洲国家所击败，以及随后蒙受的主权分割之辱，使中国大失颜面，也开始导致鼓吹自强运动的官僚们(洋务派)在政治上失势。一批年轻一代的知识分子开始要求政府对基本制度进行改革。在1898年他们说服光绪皇帝进行"百日维新"，颁布一系列新法，其中包括改革教学课程、考试制度及学校体系；精简行政机关并使其现代化，以推动铁路建设和工业发展。官僚行政体系中的当权派并不愿意改变现行政府机构或传统的儒学教育。在他们的支持下，这些主张被1898年慈禧太后的政变所推翻，皇帝变为阶下囚，统治阶层中

满族人的势力再度加强。

5. 义和团运动及清政府统治的瓦解

1900 年，慈禧太后以复古的方式应对外国入侵，即支持袭击中国基督徒与外国传教士的一场义和团运动。她禁止惩罚义和团，而义和团又在政府默许下占领了天津。1900 年 6 月 21 日，慈禧对外国列强们宣战，招编义和团为政府军来对抗外国人，并让他们去攻击集中于北京城中心的使馆群。

在广东、武汉及山东的总督们都拒绝执行慈禧的命令，力劝太后镇压义和团。将军们也无心参加这场战争。8 月 14 日，18 000 多人的八国联军攻下天津，并北上入京解了使馆区之危。慈禧太后的战争持续不到两个月的时间，就以极不光彩的失败而告终。皇室撤退至西北部的陕西西安。由于担心中国政府整个垮掉，以及列强内部的纷争，八国联军对慈禧太后网开一面。停战协定包括：处死或流放有关的大臣，加强列强驻华使馆的安全，摧毁从北京至海路的防御工事，外国有权 49
在这个地区驻军，中国支付 4.5 亿两白银的战争赔款。在这次危机中，俄国占领了全东北。后来俄国虽然同意撤出，却迟迟没有行动，直到 1905 年的日俄战争后才被迫撤离。这场战争还让日本人赢得了南满洲和半个萨哈林岛。1910 年，朝鲜成为日本的保护国，后来又沦为它的殖民地。

慈禧太后于 1902 年返回北京，不情愿地开始实行改革，其内容与 1898 年曾被她推翻的“百日维新”内容相似。包括重建军队，削减御林军并给予满族八旗军现代化训练。重要军机大权落入曾帮助慈禧发动了 1898 年政变的袁世凯将军手中。外交部建立起来了，教育制度也开始改革。1905 年之后具有儒家传统色彩的科举考试被废除，这给绅士地位带来了深远的不利影响。慈禧太后一再延迟立宪改革，1908 年在她侄儿光绪皇帝死去(很可能是被毒杀)的第二天，她也终于驾崩。帝国的重任落到了辅佐年幼皇帝的新的摄政王身上。摄政王辞退了袁世凯，并于 1909 年建立了各省议会，但却始终拒绝了各界提早召开国会的呼声。

禁止召开国会，加上政府要求私人铁路公司国有化的笨拙建议，最终诱发了武昌起义。在 1911 年 10—11 月期间，共有 15 个省相继宣布独立，脱离清朝统治。从 19 世纪 80 年代孙逸仙(孙中山)就已经开始积极推动民主共和运动。他在海外从事工作，1905 年在日本东京创立了同盟会以吸引日本、美国、欧洲的中国留学生参加革命同盟。1911 年 12 月 25 日，各省代表在上海推选孙中山为临时大总统，并定于次年 1 月 1 日正式成立中华民国。

与此同时，摄政王退位，重新起用袁世凯为总理大臣。而袁世凯并没有捍卫清王朝，相反力劝皇帝退位（虽然皇室成员及其遗族仍被准许住在紫禁城内直到 1924 年）。由于孙中山一直认为革命应该从军事统治开始，因此，在 2 月 13 日，他自愿让出临时大总统职位给袁世凯，并使在不到两个月前刚刚选举了孙中山的同一批人选举了袁世凯。

第二节　中华民国时期

1. 军事统治与军阀政府，1911—1928 年

这样，清王朝被新的军事势力推翻了。这些军事集团的势力已经在清王朝的旧体系之中不断增长了半个世纪，直到 1928 年某些地方政权仍然掌握在这些军事实力派及一些省级军阀之手。新任的共和国大总统袁世凯无意执行孙中山的民主、民生政策。他派人刺杀了国民党的议会领袖，解散了刚刚组成的议会，自任为终身总统，并有权指定继任者。这实际上企图称帝，袁世凯对外国继续妥协让步。1915 年，他承认了俄国对外蒙古、英国对西藏的控制，接受了日本在山东、东北三省、内蒙古和长江流域新的势力扩张的要求。

1916 年，袁世凯在数省起兵反抗之中死去。此后，中国陷入一个长达 12 年之久的，失去了中央政府控制的，军阀割据的内战时期。

50 ### 2. 国民党的兴起

1928 年，蒋介石建立南京国民党政权，终止了四分五裂的军阀割据时期。

新的国民政府在很大程度上发源于孙中山领导的民族主义运动。他于 1913 年逃亡日本，1916 年回国之后，往返于上海、广州两地从事民主活动，直至 1925 年逝世为止。孙中山一直努力想建立一个地区性的军事基地，并寻找一切机会获得外国的财政资助。1923 年，苏联答应给予他经济上、组织上的援助，同时要求他与当时新成立的中国共产党（1921 年创立）实行联合。孙中山得到了苏联的财政资助和他的政治参谋鲍罗廷（Michael Borodin）在组织上的协助。从苏联那里，孙中山还获得了步枪、机关枪、弹药以及一位军事顾问布留赫（Vasili Blyukher）的帮助。国民党的组织加强了，在莫斯科经过几个月培训之后回国的蒋介石，被任命为广州附近新成立的军事学校黄埔军校的校长。1925 年孙中山去世以后，蒋介石巩固了自己在国民党内的领导地位，率领一支 85 000 人的国民革命军挥师北伐，到 1926 年底，便攻占了武汉、福州，控制了 7 个省的地盘。当 1927 年蒋介石进驻

上海时，共产党员组织一场大罢工来配合他的行动，但蒋介石为了获取上海商界和外国人的暂时信任，背叛了他的共产党盟友，并派人暗杀了工会领袖。不久，他便用恐吓、勒索等手段从上海资本家手中获取大笔资金。1928 年，蒋介石在山东跟日本军队发生了激烈的冲突。之后，他通过权力交易获取了各地残余的军阀统治者对南京国民党政府的支持。而直到 1949 年，他一直处在南京政府实际领导人的地位。

一些重要军阀被允许他们在各自的地盘上保持半独立的统治权，以换取他们对新的中央政府的承认。然而，蒋介石却未能成功地清除共产主义运动。共产党内的“左”倾分子建立城市苏维埃政权的企图未获成功，但是毛泽东却在农村地区争取到了农民的支持。通过把土地在贫苦农民、小地主和富农之间重新分配，他获得了农民的广泛支持。他采用游击战术与国民党军队作战，最终确立毛泽东在党内领袖地位的，是他领导红军取得了长征的胜利。这次长征自 1934 年从中国南部江西省的根据地出发，1936 年到达陕西西北部的延安，并在那里建立了一个新的、更加安全的根据地。

1931 年 9 月，日本人在中国东北发动了侵华战争，不到五个月便占领了东北全境。蒋介石的政府几乎没有作任何有力的抵抗，只是毫无成效地要求国联出面干预。1932 年日本开辟第二战场，进攻上海。1933 年，日本人在东北三省和热河(包括部分内蒙古、河北、辽宁)等地建立了伪满洲国，中国被迫把北京、天津附近地区变成非军事区，致使华北门户洞开，防御全失。

3. 抗日战争与中国内战，1937—1949 年

1937 年 7 月，日本在华北靠近北京的地方再度发起进攻。他们打仗的目的究竟是为什么，还不是完全清楚。也许是想通过一场速战速决的战争完全夺取华北，然后迫使南方的中国政府屈服，成为他们所谓的东亚新秩序的一个部分。但这一次他们遭遇到了国民党军队的顽强抵抗，在上海附近的第二条战线上，重创了日军。中国政府还拒绝了德国关于缔结和平条约的游说，这场战争持续 8 年之久。

战争形势对南京政府非常不利。1937 年 7 月，京津两地失守。12 月，日军攻 51
陷南京后屠杀了大约 10 万平民(南京大屠杀的实际遇难人数为 30 万——校者)，国民党政府转移到遥远的西南地区——重庆。他们转移了可能被日军占领的地区的工厂设备，在不得不撤退时把不能带走的设备和设施毁掉。1938 年，广东省沦陷，长江沿岸重镇武汉失守。18个月之内，日本就夺得了华东的绝大部分，其中包括中国最大的城市和经济最发达的地区。在1937—1938年间，日本相继建立了三个地方傀儡政权。1940年，这三个傀儡政权全都并入南京的汪精卫政府之下。汪精卫原来是国民党中的政治要人，但是脱离了重庆政府。

1938年之后，蒋介石避免与日军进行大的战役。延安的共产党势力也成功地运用游击战术抵抗住日军的压力而得以生存。在抗日战争期间，国共两党达成了休战协议，但这并不意味着双方已经尽释前嫌，达成了一致。两方都准备着在对日作战结束后再进行一场你死我活的较量。1941年日美战争爆发，日本占领了通商口岸，把主力部队从中国调到别处战场。最后，日本被美国打败，于1945年撤出中国。次年，国民党与共产党之间的内战爆发了。

抗日战争结束时，共产党的实力比1937年时已经大大增强，它拥有100万纪律严明的正规军和大量的民兵。不过，国民党军队的数量仍近三倍于中共军队，在外交方面亦获得美国与苏联的承认。美国命令在华日本军队只对国民党军队投降，使后者因此获得了大量的武器装备。但是，在光复地区，国民党政府的腐败与独裁却给人们以非常恶劣的印象，大小官吏只顾搜刮老百姓的钱财来中饱私囊，老百姓因恶性通货膨胀而饱受痛苦。而在共产党统治区中，部队作风简朴，纪律严明，他们通过推行土地改革，成功地赢得了农民的支持。

表2.3　按省份分组的中国人口变动，1819—1953年

（百万人）

	1819	1893	1953
受太平天国运动影响最大的5个省[a]	153.9	101.8	145.3
受陕甘回民起义影响最大的3个省[b]	41.3	26.8	43.1
十个其他中国省份[c]	175.6	240.9	338.6
东北三省[d]	2.0	5.4	41.7
新疆、蒙古、西藏等	6.4	11.8	14.0
合计	379.4	386.7	582.7

a安徽、浙江、湖北、江西、江苏。b甘肃、陕西、山西。c福建、河南、河北、湖南、广西、广东、贵州、山东、四川、云南。d黑龙江、吉林、辽宁。

资料来源：Perkins(1969)，p.212.帕金斯没有给出1819年最后一组省区的数据（西藏除外）。因此我假定它们1819—1873年的增长率一致（有确实数据）。清朝共有23个省，列出的21个再加上新疆和台湾。台湾1885年才建省，这以前它只是福建的一部分，表2.3中没有包括。1893年时台湾人口为250万。外蒙古（人口约100万）于1911年脱离中央政府控制。1860年割让给俄国的大片西伯利亚土地上，人口只有1.5万。

在战争结束前的最后一个星期，苏联按照雅尔塔会议的协定对日宣战，占领了中国东北。苏军在那里驻留了将近一年。在这期间，斯大林开始转向支持中国共产党而非国民党。共产党的部队在东北接受了日军的投降，并取得了日军在东北的武器装备。到 1946 年中期苏军撤走之时，共产党已从军事和政治上有效地控制了这一地区。

经过 3 年激烈的战争，共产党军队终于击败了国民党军队。1949 年 10 月 1 日，毛泽东宣布中华人民共和国成立。同年 12 月，蒋介石势力逃往台湾。

第三节 经济衰退，1820—1949 年 52

在太平天国运动影响最严重的 5 个省中，19 世纪 90 年代初的人口数与 70 年前相比，减少了 5 000 万(参见表 2.3)。一般认为，太平天国运动导致了许多人的死亡，它显然还间接导致了人口出生率的降低和死亡率的升高。在这 5 个省中，部分地区还遭受了 1855 年黄河泛滥的灾害。由于政府对水利工作的忽视，黄河决堤，使安徽、江苏两省遭到大面积的破坏。本来黄河从淮河较低的河段入海，1855 年后却改道从开封流至山东半岛北部入海，河道较过去向北移动了 400 多公里。

甘肃、陕西、山西这 3 个北部省份，由于 19 世纪 60 年代至 70 年代北部的回民起义及清政府的严酷镇压，加之 1877—1878 年间非常严重的旱灾与饥荒，人口也减少了 1 400 多万。

至于中国的其他各省，在 1819—1893 年间人口总共增加了 7 400 万，年增长率为 0.46%。这虽然远小于 18 世纪的增长速度，但足以弥补那些 19 世纪时受起义打击最严重的省份的人口损失了。

似乎比较清楚的是，19 世纪大规模的起义也造成了受难地区生活水平的严重下降。我以为直到 1890 年这些省份也未能完全恢复元气。在 1820 年至 1890 年间，这些省份的人均国民收入极有可能是下降的。

1890 年时，中国的现代制造业与运输业仅占当年 GDP(国内生产总值)的 0.5%(参见表 2.5)。那时实际上还没有铁路，运输业方面的主要创新体现在长江和沿海航线上投入使用的外国蒸汽船。在 19 世纪 80 年代，电报网已经开始形成。在规模不大的自强运动中出现了几个政府工业企业，包括 19 世纪 60 年代建立的上海与南京的兵工厂、福州的造船厂、轮船招商局(它于 1877 年在上海购进了一家美国航运公司)、天津的开平煤矿，19 世纪 70 年代建立的几家纺织工厂，

19世纪80年代新建的几家工厂，再有就是1890年兴建的汉阳铁厂。假如不是慈禧太后挪用大笔资金去重修皇家颐和园的话，政府为现代化所做的努力也许还会更多一点。

19世纪末时，中国城市人口占人口总数的比重比1820年时大不了多少(参见Perkins，1969:292—295，关于1900—1910年记录见表1.7中关于1820年的记录)。除了那些在太平天国运动中受破坏程度较严重的城市(例如南京和武汉等)，大部分中国城市的面貌几乎没怎么变化。但是，那些条约口岸城市，特别是上海和香港，则发展成为现代化的孤岛。在这些享有治外法权的地区，受惠最多的是外国商人。但是，与他们合作的本地的华人中介者们(即买办)也逐步熟悉了西方的银行、航运及技术。在1890年，通商口岸城市里的华人企业家还只是一个很小的群体，但后来他们发展成为中国资本主义的核心力量。

1890年，中国的出口额大约只占GDP的0.6%(参见表3.25)。几乎没有机器及其他现代设施的进口。鸦片仍然占进口总额的1/4，棉制品占41%，食品占15%，羊毛制品占3%。出口产品中最大宗的项目是茶叶，约占总量的27%，生丝约占25%，丝织品占6%，原棉占3%(参见Hsiao，1974，贸易结构部分)。

从1890年至1933年，中国人均GDP大约上升了7%(平均每年大约上升0.16%)。按照西方国家的标准，这点成绩是十分可怜的，但中国的经济结构已经
53 开始发生了一定的转变(参见表2.5)。到1933年，现代产业部门(含制造业、矿业、电力、运输及通讯业)已由占1890年GDP的0.7%上升到5.3%。从1937—1949年，中国经历了8年的抗日战争和3年半的解放战争，其结果使得1952年的人均GDP退回到1890年的水平。尽管如此，现代部门在经济结构中所占的比重仍然有所增加，到1952年时，已经占当年GDP的10.4%。

清王朝所实行的经济政策并非中国现代化的主要动力。由于甲午中日战争和义和团运动造成的巨额赔款，政府面临着严峻的财政困难，再加上由于国际市场白银价格急剧下跌引起了严重的通货膨胀。从1890—1911年，白银兑美元的比价下跌了一半。

通商口岸不断扩展，1895年外国人所获得的在中国开办工厂的自由，俄国与日本所致力的东北的开发，这些都促成了包括铁路、银行、商业、工业和采矿业等在内的现代经济成分的增长。这种情况也孕育着中国民族资本家的成长，他们中的大多数曾经是在通商口岸城市从事对外贸易的中间商(买办)。海外华人的资

本也流入中国。他们早年移居到亚洲其他国家，但是保持着与中国东南沿海地区的文化联系。一些人致富之后在故乡投资。[2]

在 1911—1928 年间，统治中国的各军阀政府几乎没有采取什么措施来刺激工业发展。地区间战火连绵不断，各地任意滥征商业税赋，这些都不利于资本主义的发展。但是另一方面，科举考试废除以后，权力从官僚阶层转移到军队手中，造成了旧体制之下社会结构与思想观念的崩溃。因此，资本家们所受到的束缚变少了，也更加受到社会的尊重，他们的行为方式吸引了越来越多的年轻读书人竞相仿效。

由于第一次世界大战削弱了西方资本家在中国通商口岸的竞争力，为中国民族资本家们在工业领域扩充势力提供了机会，华资企业在矿业、船舶、银行、铁路等领域所占的地位上升了。

在 1928—1937 年间，国民政府在经济政策方面实施了一些制度上的变动。中国在 1929 年恢复了关税自主权，这使得外国进口商品必须缴纳的关税大幅度上升，结果是政府的财政收入增加了，国内工业也受到了一定的保护。在 1931 年，厘金(即国内货物转运税)被废除了。该项税目是 19 世纪 60 年代清政府为了解决财政困难，不得不采用的税收政策，由于外国商人可以免征，它对中国商人是歧视性的，因此妨碍了中国经济的发展。但是，政府无意实施土地税的改革。该项税目曾是中华帝国财政收入的主要来源，在 20 世纪 20 年代它的收入落入了各省政府之手。在 20 世纪 30 年代早期，国家设法增加了税收，但是据 Young (1971, 146)的研究，各级政府财税收入的总和，哪怕是在 1936 年达到最高峰时期，也只占 GDP 的 5.4%。由于巨额的军费支出，政府总是面临相当大的预算赤字。为了减轻大量外债负担，政府与西方债主玩起了猫捉老鼠的长期游戏，包括债务减免或者拖欠，并且以偶尔支付部分本金和利息以使对方尝到一点甜头的做法延长拖欠。由于这些债务有很大一部分来自甲午中日战争和义和团运动之后的赔款，相对商业性的借款而言，西方列强更倾向于默许这方面的债务拖欠。

第一家中央银行 1928 年在上海成立，由财政部长担任行长。其他各大银行也都在政府的有效控制之中，正如一位观察者所言，“很难弄清楚政府与银行职能之间的界限在哪里”(Young, 1971:264)。新式银行不断在各地扩展分支机构，导致了传统钱庄业的急剧衰落。但是，新式银行在农村地区的信贷，以及对新式工业企业提供融资方面，却甚少建树。1935 年的法币改革用纸币替代了白银。这样

54 **表2.4 中国、印度和日本的人均出口额,1850—2003年**

(美元)

	中国	印度	日本	中国	印度	日本
	(按当年价格和当年汇率)			(按1990年价格和1990年汇率)		
1850	0.12	0.36	0.00	n.a.	n.a.	n.a.
1870	0.28	1.01	0.44	3.90	13.70	1.5
1913	0.70	2.49	6.10	9.60	31.22	32.59
1929	1.36	3.39	15.32	12.90	24.64	68.67
1950	1.01	3.18	9.95	11.60	15.29	42.21
1973	6.60	5.00	341.00	13.24	16.69	874.87
2003	339.96	54.40	3 278.90	352.17	82.02	3 166.80

资料来源:中国的数据来自附录E,印度和日本的数据来自W. A. Lewis in Grassman and Lundberg(1981,49),Maddison(1995a,235,237),以及IMF,*International Financial Statistics*。

表2.5 按照1933年价格计算的中国GDP结构,1890—1952年

(占GDP的%)

	1890	1913	1933	1952
种植业、渔业和林业	68.5	67.0	64.0	55.7
手工业	7.7	7.7	7.4	7.4
现代制造业	0.1	0.6	2.5	4.3
采矿业	0.2	0.3	0.8	2.1
电力	0.0	0.0	0.5	1.2
建筑	1.7	1.7	1.6	3.0
传统运输和商业	5.1	4.6	4.0	3.8
现代运输和商业	0.4	0.8	1.5	2.8
贸易	8.2	9.0	9.4	9.3
政府	2.8	2.8	2.8	
金融	0.3	0.5	0.7	{10.4
个人服务	1.1	1.2	1.2	
住宅服务	3.9	3.8	3.6	
GDP	100.0	100.0	100.0	100.0

资料来源:Table C.1.

做使得政府以后可以更方便地实行扩张性质的经济政策,但这最终毁掉了他们的政治信用。在减少外国势力在条约口岸的特权,以及在控制某些政府机构的特权方面,南京政府成就甚微。西方列强在1919年的巴黎和会上拒绝结束在华的治外法权,尽管大多数国家表示愿意在将来某个时候放弃。直到1943年,中国才分别与英美缔约终止了这一特权。[3]外国势力对中国海关控制力量的削弱仅仅是一个逐渐的过程。到1937年时,还只有1/3的海关行政首脑是华人。中外食盐的经营管理权直到 1938 年之后才得以分离。

国民党政府没有采取任何有效措施来进行土地改革或向农民提供农业信贷。1930 年它制定了一部土地法来限制土地撂荒并限制地租水平。但是，正如当时政府的经济顾问 Young 所评述的那样："不幸的是，1930 年通过的法律在很大程度上只是一纸空文，政府被当时各种内外紧急事务搞得疲于应付，根本没有精力去推行大规模的基础改革以改善农村状况。更重要的是，领导层中大多数人来自城市，对农村事务并不关注，而且同情土地所有者和他们的经济利益"（Young，1971：302）。当地主们失去了士绅阶层的特权地位之后，反而变得更加具有掠夺性。此外，农村居民仍旧遭受着军阀们的掠夺与蹂躏。

宋子文于 1928—1933 年担任财政部长，之后由孔祥熙继任。这前后两任财 55
政部长都是蒋介石的连襟，并且都与银行集团保持着亲密关系。政府力图通过国营公司的活动来推动工业的发展，在这一点上它与 19 世纪 70 年代和 80 年代倡导自强运动的清朝改革者们类似，对企业采取了一种家长制方式进行管理。交通是少数几个取得进展的领域之一，公路和铁路网络的覆盖面积大幅度增加了。

关于中国 1933 年的情况，据刘大中和叶孔佳（Liu and Yeh，1965：143；428）的估计，当年工厂的增加值中有 67％来自民族资本公司，18.8％来自在关内的外资公司，另有 14.2％来自东北，其中大部分是日本人投资的公司。1936 年，在棉纺织业中，有 48％的纱锭和 56％的织布机属于外资企业，而且大部分是日资公司（Chao，1977：301—307）。传统的手工业则完全由中国人掌握，其增加值是现代制造工业的 3 倍。在航运业方面，1936 年外资拥有的吨位约占总吨位的 55％（Hou，1965：60）。1937 年外资拥有的铁路里程几乎达到总长度的 1/3（Hou，1965：65；244）。1937 年煤炭产量中约有一半产自外资或中外合资企业（Hou，1965：231）。1933 年外国银行占金融业增加值的比例似乎要少于该行业全部增加值的 1/3（Liu and Yeh，1965：604）。农业生产则基本上没有外资参与。总的看来，1933 年的国内生产总值中可能大约有 2.5％来自外国企业。

表 2.7 列出了 1902—1936 年间外国在华直接投资存量的估计金额。这些数字清楚地表明，这期间外国投资存量有着可观的增长。尽管如此，整个 20 世纪 30 年代中国的人均投资只有 5 美元，只及当时印度的一半，澳大利亚的 1％（参见 Maddison，1989：61）。在 20 世纪 30 年代，大约有 46％的外国直接投资集中在上海，36％集中在东北地区，剩下的 18％散布在中国的其他地区。1936 年时，有

37%的外国投资集中在对外贸易与银行业方面,运输和通讯领域的投资占 30%,工业方面的投资占 21%,其余的则主要投资在房地产。

到 20 世纪 20 年代末,中国的出口额上升到一个高峰,约占 GDP 的 2.3%。受 30 年代初世界经济大萧条的影响,中国的出口额下降了,后来虽然有所恢复,但是直到 1937 年抗日战争爆发时,仍然比 1929 年的水平低了大约 10%左右。在 1937 年的全国出口总额中,约有 38%来自日本统治下的伪满洲国;在中国关内的出口总额中,上海占了 46%,天津和广州分别占了 15%和 7%(参见 Hsiao, 1974)。

与 1890 年相比,1937 年中国对外贸易的商品构成已经发生了很大的变化。茶叶出口已降至出口总量的 3.5%,这是英国人分别在印度和锡兰投资开辟的茶业种植园与华茶竞争的结果。最大的出口项目是桐油、生丝、鸡蛋、钨、锡、刺绣工艺品、原棉、茶叶、猪鬃和羊毛(参见表 2.8)。进口商品结构也有急剧变化。自第一次世界大战之后,鸦片的进口逐渐停止了,1937 年的纺织品进口额也下降到不足总量的 6%,进口商品中有一部分是食品,但所占比重更大的是工业原料和投资设备。

在 20 世纪,中国贸易出现了相当大的贸易赤字。这与印度和印度尼西亚这些拥有大量贸易盈余的国家很不同。雷米尔(Remer, 1933)曾经估计过,在 20 世纪 30 年代,世界上大约有 900 万海外华人,其中约有 300 万或 400 万人给他们在祖国的家庭成员汇款。据估计,1928 年汇入中国的总金额为 2.81 亿元(按当时中国货币单位计,折合美元为 1.8 亿)。90%的汇款是通过香港转寄的,其中约有

56 **表 2.6　铁路营业里程,1870—1995 年**

(千米)

	中国	印度	日本
1870	0	7 678	0
1890	10	26 400	2 349
1913	9 854	55 822	10 570
1930	13 441	68 045	21 593
1950	22 238	54 854	27 401
1975	46 000	60 438	26 752
1995	54 000	63 000	27 258

资料来源:1870—1950 年中国的数据、1870—1975 年印度与日本的数据均参见 Mitchell(1982, 504—507)。中国 1975 年、1994 年数据参见 SSB,《中国统计年表 1995》,第 467 页。印度 1995 年数据参见当时政府官方报告。日本 1995 年数据由东京交通部给出。

表 2.7 外国在中国直接投资存量，1902—1936 年

（百万美元）

	1902	1914	1931	1936
按当年价格	503.2	1 067.0	2 493.2	2 681.7
按 1931 年价格	922.5	1 784.0	2 493.2	2 681.7

资料来源：第一行数据参见 Hou(1965，13)。这些数字包含香港和东北地区在内。1931 年英国在香港的投资额约相当于 9 400 万美元，根据 Hou 第 14 页(南开物价目录表)作了校订。在第 13 页中，他说明了从 1931—1936 年价格基本没有变化。

表 2.8 中国贸易中的主要商品，1937 年

（千元人民币）

出口		进口	
木油	89 846	纸	56 498
生丝	56 598	煤油	47 860
鸡蛋	54 382	大米	40 781
钨	40 759	羊毛织品	35 000
锡	39 917	汽油	27 613
刺绣品	36 900	木材	23 239
原棉	31 301	棉织品	21 710
茶叶	30 787	糖	21 471
猪鬃	27 921	纺织机械	20 986
羊毛	19 427	汽车，卡车	19 096
丝匹	17 728	烟叶	19 449
胡桃油	17 332	液态燃油	14 968
煤炭	13 044	铁路设施	13 946
兽皮	12 602	钢铁	17 096
锑	11 446	渔业	13 823
		电子机械	4 681
总出口	880 010	总进口	953 386

资料来源：Hsiao(1974). 这些数据不包括伪满洲国的进出口额。

44%寄自美国，其余大部分来自亚洲国家。雷米尔还指出，海关报告可能少报了中国的出口额，尤其是输往俄罗斯和香港地区的部分。因此，实际上的贸易赤字也许比账面上要小一些。

在 20 世纪 30 年代，中国是主要白银输出国之一。这种情况颇不寻常，因为 57
中国曾经是一个长期进口白银的国家。1928 年时中国净进口的白银价值 7 400 万美元，1929 年的这个数字为 6 800 万美元。1934 年，由于受到在国内白银生产商的压力，美国政府为了提高白银价格而使白银生产商获利，制定了一个官方的白银收购计划。在1932—1935年间,纽约的银价上涨了1倍多,这刺激了中国白银的大量外流。中国政府利用了这次机会,在1935年有效地废止了白银作为通货在市面上流通,取而代之的就是一种法定纸币(法币),是相对独立于英镑、美元和黄金的具有浮动汇率的货币。出于外交方面的考虑,这场币制改革的特点被巧妙地掩饰。因为公开放弃使用白银作为通货,将使美国的白银政策显得荒谬绝顶——正是这个政策导致了全世界最大的白银消费国脱离了银本位制(参见Maddison, 1985)。纸币的使用大大增加了日后出现赤字财政的可能性。

从1926—1937年上半年,中国的物价上涨了20%,但后来的战乱年代里,价格暴涨的情形发生了。从1937—1941年间,零售物价在上海上涨了15倍,在重庆上涨了37倍。到战争结束时,重庆的物价则已经相当于1937年水平的2 500倍(参见Young, 1965:139)。

自从19世纪60年代以来,中国经济发展最有活力的地区就是上海与东北。

上海之所以能上升到如此显著的地位,因为它正好位于一个庞大的水路交通系统的入口处。它有"一年四季均可适合帆船航行的总长度近3万英里的内陆水道,此外,还有三角洲地带。据估计50万英里的可供小船航行的人工开凿的运河与渠道。了解这些之后,你就不会再惊奇地问为什么从1865—1936年间上海囊括了中国对外贸易的45%—65%"(Eckstein, Galenson and Liu, 1968:60—61)。上海在清朝时就已经是一个重要的沿海港口。在19世纪40年代,它拥有23万人口。到了1938年,上海的人口增至360万,成为中国最大的城市(参见Cooke Johnson, 1993:180; Perkins, 1969:293)。

直到19世纪60年代以前,清王朝禁止汉人在东北地区定居。此后,当地人口很快就由1872年至1873年时的大约450万人,上升至1940年时的3 840万人;在1941年日伪政府时期,人口达到了4 880万(含热河与东北三省)。东北的耕地面积也从1872年的170万公顷增至1940年的1 530万公顷,从占全中国耕地总面积的2%增长到15%。但是,农、林、渔业产值在1941年只占东北地区GDP的大约1/3。东北的铁路建设先由俄国人开始,后由日本人继续经营,发展得非常迅速。在20世纪30年代,日本主要在东北的煤炭、金属矿产和制造业领域进行投资。从1929—1941年,现代制造业的增加值翻了4倍以上,采矿业增加值翻了3倍。据刘和叶(Liu and Yeh, 1965, 428)的估计,1933年的满洲地区生产了中国工厂工业总产量的14%,到1941年则可能已经上升到了1/3,而在1945

年时可能已占全国制造业产量的一半。在1929年至1941年间，东北的GDP以平均每年3.9%的速度递增，人均GDP的年平均增长速度大约为1.8%（参见Chao，1982）。

1940年共有82万日本人居住在伪满洲国，到1945年则超过了100万。这些人主要由官僚、技师、行政人员、经营以及监察人员组成，其中只有10%的人员从事农业生产，约有45%的人员在工业、商业和交通部门工作，还有26%的人从事公共事务。他们是这一地区居民中拥有特权的精英阶层。该地区的总人口中，85%为汉族人，6%为满族人，3%为朝鲜族人，2.5%为蒙古族人（Taeuber，1958）。

1945—1946年，当苏联军队占领东北时，他们拆走了东北地区工厂里大多数可以运输的机械装备。尽管如此，东北地区仍是共产党领导时期中国一个重要的工业基地。

★ ★ ★

经过70年的大规模内乱和备受屈辱的外国入侵，清王朝的统治终于在1911 58
年崩溃了。那些保守的官僚士绅们根本不可能进行比较彻底的改革或推行现代化，因为他们的特权和地位，全部依赖那个长达千年的古老的政治体制。清王朝垮台以后近40年的时间中，政权又完全操纵在军人手中，他们也同样忙于内战，而且面临比清王朝时更为严峻的外国侵略，因而在促进经济变革方面甚少作为。国民党的“五权分治”的政府结构模式与真正的民主政治相距甚远。经济方面有限的一点现代化成就，主要是在通商口岸城市和东北地区实现的。在那里，外国资本主义企业得以渗透，中国民族资本主义得以萌生并成长。外国列强曾经使用武力强迫中国开放口岸，参与国际贸易，却对中国的商业机会之有限深感失望。

注 释

[1] 福尔沃克（Feuerwerker）在《剑桥中国史》（第12卷，第128—129页）中解释围绕“通商口岸”的含义而存在的一些争论。《南京条约》的中文版本中所指的是“海港”或“停泊地点”，而英文版的条约中则定义为“城市”和“城镇”。1842年的条约中所提到的5个城镇的名称，很明显地同时也是海港的名称。“到1893年，另有28个城市相继对外实行开放，1894—1917年，又有59个城市加入了这个行列。至此，中国已有92个对外开放城市，其中一部分在内陆的边境城市，其他则是位于沿海的港口城市或东北地区位于铁路枢纽的城市，还有一些城市是扬子江或西江沿岸的河港城市。在汉语中它们总称为‘商埠’，即进行贸易的港口。从法律上讲，这些对外开放城市可分为以下三类：‘条约口岸’是指按照国际条约或协定对外

开放的港口;‘开放城市’是指未受条约限制而由中国政府自愿对外开放的城市;‘访问港口’则是指外国船只可以获准停泊、载客或者按照规定装载某种货物的城市,但外国人不准在那里居留。”1915年,各类对外开放的港口城市中只有48个城市设有海关。艾伦和汤尼索恩(Allen and Donnithorne, 1954:265—268)列出了90个开放城市的名单。

[2] 海外华人几乎全部来自中国东南部省份。从明代以来就陆续有华人移居海外,至清初出现了一次大的移民潮。反清将领郑成功占据了台湾,并不时袭扰东南沿海。为了切断其供给,同时胁迫这一地区同情反清活动的民众与台湾断绝关系,清政府强制广东、福建、浙江等地民众放弃沿海8—30英里以内的地区,该区域内的土地被撂荒,房屋被烧毁(Purcell, 1965:24)。结果导致许多人移民海外。另一次移民潮发生在1870年后,在美国的压力下,清政府在《蒲安臣条约》中承认了华人有移民权。

[3] 中华民国新闻部公布的《中国手册1937—1943》(1943:178—179)给出了外国在华特权终结的详细经过。在第一次世界大战前,“共有19个国家通过不平等条约享有在华治外法权和领事裁判权”。它们是:奥匈帝国、比利时、巴西、丹麦、法国、德国、英国、意大利、日本、墨西哥、荷兰、挪威、秘鲁、葡萄牙、俄罗斯、西班牙、瑞典、瑞士和美国。第一次世界大战中,奥匈帝国和德国失去了在华特权,俄国的特权也于1920年被中国搁置,1924年苏联对此予以认可。在1919年召开的凡尔赛和平会议上,西方国家拒绝考虑废除治外法权的提案,当1921年和1929年中国再次试图终止这些特权时,大多数条约国家不愿合作。到1930年底,只有墨西哥、芬兰、波斯、希腊、玻利维亚、捷克、波兰等国同意放弃治外法权,服从中国的法律。1937年战争爆发后,中国终止了意大利、日本、罗马尼亚、丹麦、西班牙等国的治外法权。1943年,英美两国分别在与中国签订的条约中放弃治外法权。至此,外国人在华享有特权的制度才宣告结束。在1927—1943年间,一些特殊的港口的管理权也陆续由中国收回。

第三章

新中国充满活力的发展过程

中华人民共和国的成立标志着中国政治精英结构和政府治理模式的重大改变。同清王朝和国民党时期相比，中央控制的程度极大地强化了。它深入到基层政府、工厂车间、农村和家庭。党有高度的组织纪律性，并且对处理日常工作的行政机构保持着密切的监督。军队与这个制度极其密切地结合成一体，党所领导的群众运动使政府的政策和意识形态得以传播和贯彻。对私有财产的没收剥夺了地主、民族资本家和外国资本家的利益。中国转变成苏联模式的指令性经济。在经历了长达一个世纪对外来打击和侵略的投降退让之后，新政权通过激烈的方式，卓有成效地维护了中国的主权完整，希望在尽可能不与世界经济发生联系的情况下实现自主发展。

在毛泽东时代，这些政治上的改变也使中国付出了极大的代价，降低了它为发展所做的种种努力的效果。中国式的共产主义导致了大规模的冒险试验。这种自我残害所造成的创伤，先是在“大跃进”时期(1958—1960年)，后来又在“文化大革命”中(1966—1976年)，使中国的经济和政治体系几近崩溃。“文化大革命”深刻地动摇了中国的教育和政治体制。但是，同过去相比，经济建设仍然取得了很大的进展。在1952—1978年间，GDP增长了两倍，人均实际产出增长了82%，劳动生产率增长了58%。经济结构出现了转变。在1952年，工业在GDP中所占的份额相当于农业的1/7，到1978年时，它几乎等于农业的份额。尽管中国在政治和经济上孤立，与美苏都处于敌对关系，进行了朝鲜战争，又同印度进行了战争，但它仍然取得了这些成就。

1978年后，中国在政治上转向了谨慎务实的改革主义。这一重要的变化放松了中央政治控制，从基础上改变了经济体制。这些变化使中国走上了比较稳定的发展道路，加快了经济增长。在1978—2003年的25年间，中国的GDP增长将近7倍，劳动生产率增长了4倍，人口增长明显减慢，人均实际收入提高了将近5倍。每年6.6%的人均实际GDP增长使这个时期的中国经济实现了比以往任何时期要快得多的增长。中国经济增长的加速主要归因于效率的提高。在这期间，个体农户重新获得了生产自主权。小规模的工商业的发展，极大地削弱了国营企业在工商业中的地位。在城市地区，由私人储蓄和巨额的外国直接投资（6 200亿美元）支持的工业生产实现了迅速的扩张。中国在相当大的程度上开放了对外贸易。从1978—2003年，出口增长了28倍，而在1952—1978年间，出口仅仅提高了两倍。这些变化不但增强了市场的力量，使中国更容易发展和消化新技术，而且给消费者带来了各种各样的新产品。

60 **表3.1 中国主要经济部门GDP增长率，1890—2003年**

（不变价年均复合增长率）

	1890—1952	1952—2003	1952—1978	1978—2003
种植业、畜牧业、渔业、林业	0.3	3.3	2.2	4.5
工业	1.7	10.0	10.1	9.8
建筑业	1.6	8.5	7.8	9.8
交通与通讯	0.9	8.3	6.0	10.8
商业与餐饮业	0.8	6.5	3.3	9.9
其他服务业（含政府部门）	1.1	4.9	4.2	5.6
GDP总额	0.6	6.1	4.4	7.9
人均GDP	0.0	4.4	2.3	6.6
每个就业者生产的GDP出口额	0.0	3.8	1.8	5.8

资料来源：Appendices C and D.

表3.2 中国GDP结构，1890—2003年

（以不变价计算的部门比重）

	1890	1952	1978	2003
种植业、畜牧业、渔业、林业	68.5	59.7	34.4	15.7
工业	8.1	8.3	33.5	51.8
建筑业	1.7	1.7	3.4	5.3
交通与通讯	5.5	2.4	3.6	7.0
商业与餐饮业	8.2	6.7	5.1	8.2
其他服务业（含政府部门）	8.0	21.2	20.1	11.9
GDP总额	100.0	100.0	100.0	100.0

资料来源：Appendices C and D.

表 3.3　中国在世界地缘政治中的地位,1890—2003 年

	1820	1890	1913	1952	1978	2003
占世界 GDP 的比重(%)	32.9	13.2	8.8	4.6	4.9	15.1
占世界人口的比重(%)	36.6	26.2	24.4	22.5	22.3	20.5
同世界平均水平相比的人均 GDP (世界=100)	90.0	50.3	41.7	23.8	22.1	73.7
在世界各国 GDP 的排名	1	2	3	3	4	2
占世界出口额的比重(%)	n. a.	1.7	1.6	1.0	0.8	5.9

资料来源:www. ggdc. net/Maddison; Table 3. 26.

中国的新经济政策是土生土长的,它同苏联所得到和遵循的“转型”处方大相径庭。改革时期中国和苏联的经济出现惊人的差异。当中国欣欣向荣之时,苏维埃经济和国家体制却在崩溃。1978 年时中国的人均收入只是苏联的 15%,而到了 2003 年时已经是俄罗斯的 76%。

这一改革时期恰是国际紧张局势得到极大缓和的一个时期。中国在地缘政治中的地位、表现和影响都极大地提高了。中国目前已经成为世界第二大经济体,其经济总量显著超过了日本,同时在极大程度上超过了苏联。它在世界总收入中所占的份额提高了 3 倍,在世界贸易中所占的份额增长超过了 7 倍。中国已经和平地收回了香港和澳门,开创了“一国两制”的制度,目的在于吸引台湾重归其怀抱。

相对而言,中国仍然是一个低收入的国家,但对一个想要迎头迅速追赶的国家来说,这倒是一个有利的条件。中国大陆的收入水平远低于中国香港地区、日本、马来西亚、韩国、新加坡和中国台湾地区。这一事实使它更容易利用落后之优势,这也意味着同这些国家和地区相比,它可能实现更长时间的高速发展。

战后大部分国家的经济表现得益于西方资本主义的复苏以及其对世界经济 62
扩张所产生的影响。中国的情况则截然不同。在 50 年代,它的经济与苏联集团紧密相连,在 60 年代这种联系中断了。从此以后直到 1971 年,它游离于国际边缘,被排斥在联合国组织之外,承受着 1950—1971 年间美国全面贸易封锁之下的各种困难。然而,在过去 1/4 个世纪里它的国际地位已经改变了。在对外贸易、旅游、投资和技术转让领域都出现了迅速增长。中国已经成为亚洲、非洲、拉丁美洲许多国家重要的贸易伙伴。它通过援助计划和投资加强与这些国家的关系,以保证从后者获得自己发展所需的能源和原材料。

61

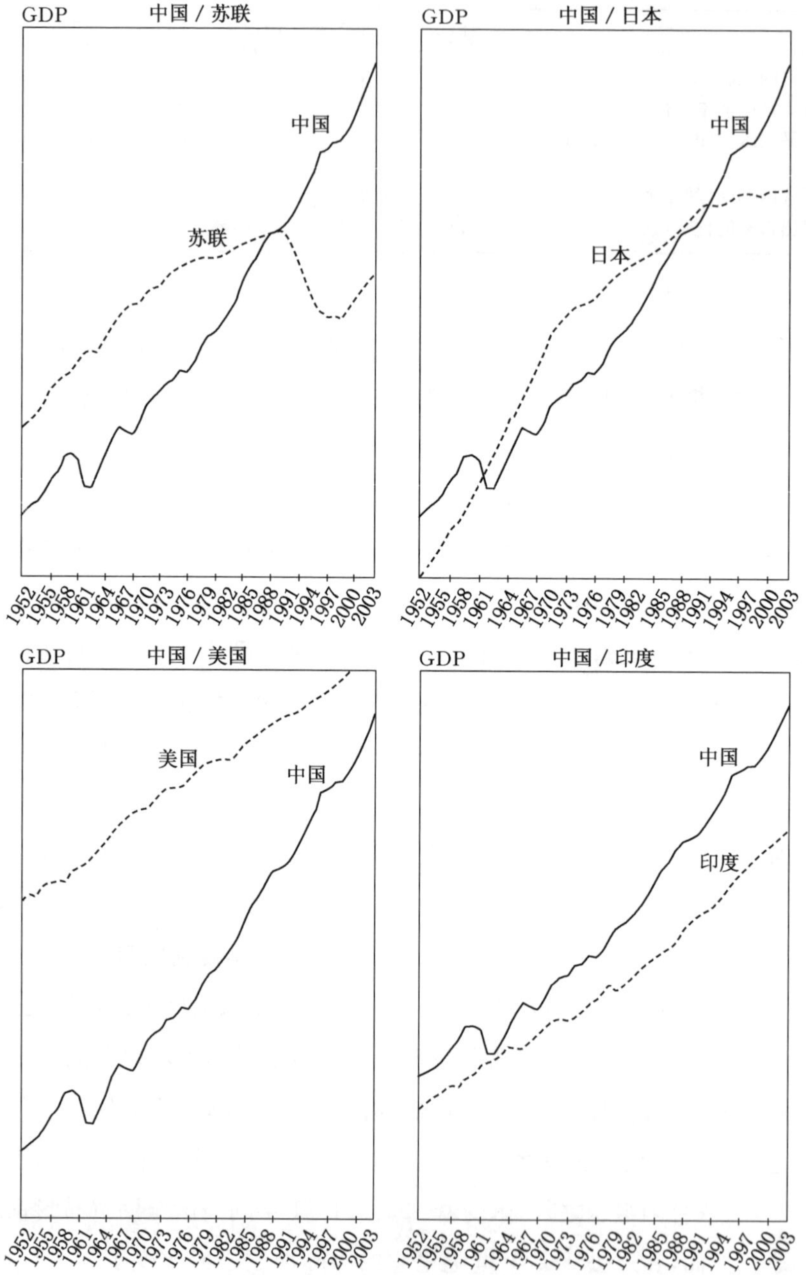

图 3.1　比较中国和 4 个大国的 GDP 规模，1952—2003 年

资料来源：www.ggdc.net/Maddison.

中国的经历一直让人兴奋，又扑朔迷离，令人费解。这种困难来自直到 80 年代才开始改变的以苏联统计概念为基础的中国统计制度。在 60 年代和 70 年代之间曾经有一段统计空白时期，那时信息非常缺乏，而且常常因为政治目的而被歪曲。在 1968—1972 年间，统计机构事实上被关闭了。1978 年以来情况有了很大的好转，核算变得比较透明了，统计覆盖和分类也或多或少地接近了西方的概念。但是统计报表系统和核算中的价格平减方法，仍然受到先前做法的影响。官方统计数字仍然夸大 GDP 的增长率，同时低估其水平。尽管有这些问题，多数观察家还是简单引用中国官方统计数据，因为校正这些数据的工作过于复杂。但是，现在有可能重新调整中国的国民核算账户，以改善 GDP 估计的国际可比性和历史可比性(参见我在附录 C 中所做的工作)。本章所使用的就是我调整过的数据，而不是官方数字。

表 3.4　比较 14 个国家和地区人均 GDP 增长率和人口增长率，1913—2003 年

(年均复合增长率)

	1913—1952	1952—1978	1978—2003	1913—1952	1952—1978	1978—2003
	人均 GDP 增长率			人口增长率		
中国	−0.1	2.3	6.6	0.7	2.0	1.2
中国香港地区	1.6	5.4	3.9	3.9	3.1	1.5
印度	−0.2	1.7	3.3	1.0*	2.2	1.9
印度尼西亚	0.02	2.5	2.9	1.3	2.1	1.7
日本	1.3	6.7	2.1	1.3	1.1	0.4
新加坡	1.5	4.8	4.2	3.3	2.9	2.4
韩国	−0.1	6.3	5.6	1.8	2.2	1.1
中国台湾地区	0.9	6.6	4.7	2.3	2.7	1.1
澳大利亚	0.9	2.4	2.1	1.5	1.9	1.3
法国	1.3	3.7	1.6	0.1	0.9	0.5
德国	0.6	4.3	1.4	0.2	0.5	0.2
俄罗斯	1.8	3.1	−0.6*	0.4	1.0	0.2
英国	0.9	2.3	2.1	0.3	0.4	0.3
美国	1.7	2.2	1.8	1.2	1.3	1.1

* 根据国家疆界的变化已进行数据调整。
资料来源：www.ggdc.net/Maddison.

毛泽东时代实现了四个重要经济目标：

(1) 彻底变革财产所有权。其主要针对三个目标，即地主阶级、民族资产阶级(资本家，商人，银行家)和外国在华利益(多数集中在东北三省和前通商口岸)。

(2) 大幅度提高国家财政收入。目的是支持庞大的行政机构，保持高度战备

63

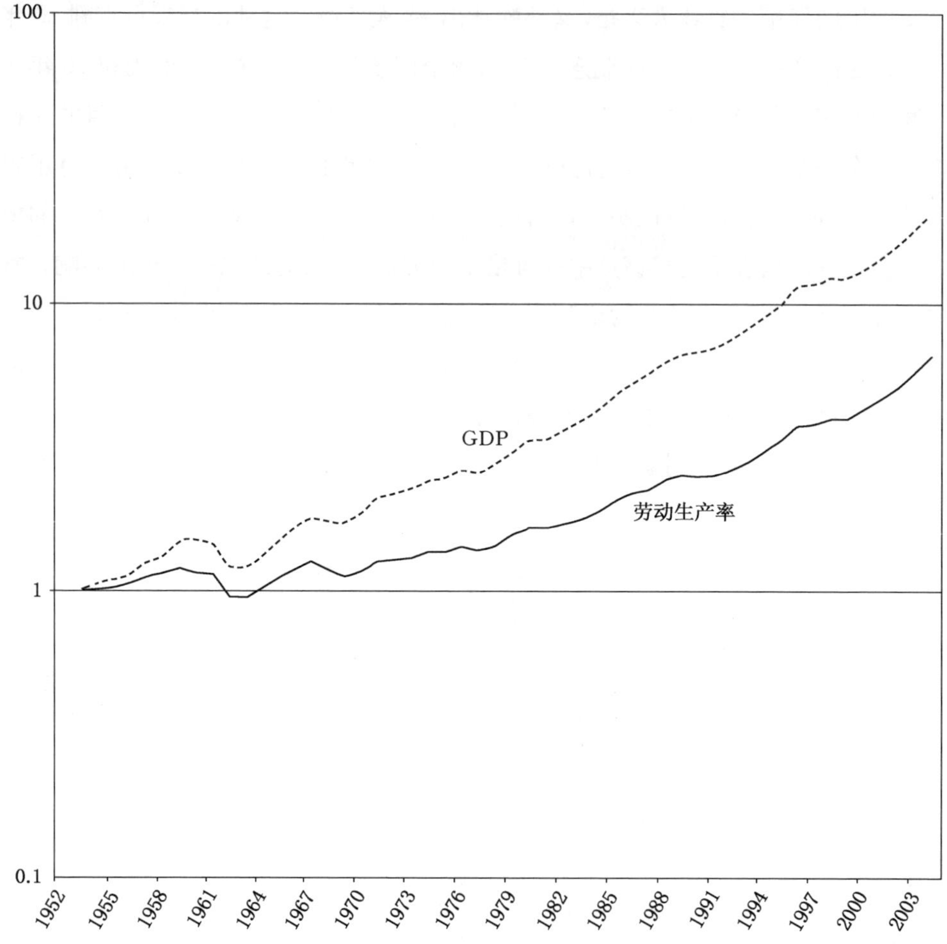

图 3.2　中国 GDP 和劳动生产率的变化，1952—2003 年

（指数，1952＝1，纵轴为对数标准）

资料来源：Table C. 3 and D. 3.

能力和提高“积累”率。投资集中于工业发展，特别是重工业部门的发展。实行紧缩消费政策。优先满足食品、卫生和教育上的基本需要，但是服装单调，因循守旧，住宅和各种商业服务维持在最低标准。从 1972 年起官方施加强大压力以限制家庭规模。

(3) 完全取消市场经济。取而代之的是以行政管理方式分配资金和原料、控制劳动力流动、规定物价和工资水平。最初几年，当局尤其担心会出现通货膨胀，努力加以避免，因为它是使国民党政权威信扫地的主要原因。国家通过税收和农产品上缴定额限制了农村消费，以保证低价供应城市人口所需的食品。这样使城市有可能保持低工资水平。国家建立了一个中央计划机制，但在这样一个交通设施落后的大国，它强调的是国家，各省和企业的“自力更生”。同在资本主义市场经济中的企业相比，中国大企业的重要区别在于它处在一种自上而下的垂直关系之中。城市社会公共支出作为义务委派给国营企业，企业负责为职工提供住房、子女教育、医疗保健等服务，还有食堂和俱乐部，等等。更本质的区别在于，由于国家承诺充分就业，国营企业不能够解雇懒散、低效率或者富余的职工。

(4) 国家垄断对外贸易，其目的是维持自给自足。进口商品主要是基本的生产资料，国内经济与国际市场相脱节。外国直接投资完全绝迹，外债主要被严格限制于同苏联和其他共产主义国家政府之间的交易。中国依赖从共产党国家进口生产设备，这不仅是自给自足政策下的选择，而是在贸易禁运、外交孤立，以及不可能从资本主义国家获得任何贷款的情况下，不得已而为之的必要的政治选择。

表 3.5　比较 14 个国家和地区人均 GDP、人口、能源消费量和出口额，2003/2006 年 64

	2003 年人均 GDP（1990 年国际元）	2003 年人口数量（百万）	2003 年能源消费量（百万吨石油当量）	2006 年出口额（十亿美元）
中国	4 803	1 288.4	1 409	969
中国香港地区	24 098	6.8	17	317
印度	2 160	1 049.7	553	120
印度尼西亚	3 555	214.5	162	99
日本	21 218	127.2	517	650
新加坡	21 530	4.2	22	272
韩国	15 732	48.2	205	326
中国台湾地区	17 284	22.6	99	224
澳大利亚	23 287	19.7	113	123
法国	21 861	60.2	271	485
德国	19 144	82.4	347	1 126
俄罗斯	6 323	144.6	640	305
英国	21 310	60.9	232	371*
美国	29 037	290.3	2 281	1 038

* 2005 年数据。

资料来源：人均 GDP 和人口数据来自 www.ggdc.net/Madddison。能源数据来自 International Energy Agency, *Energy Balances of Non-OECD Countries, 2002—2003*，以及 *Energy Balances of OECD Countries, 2002—2003*, OECD, Paris, 2005。出口数据来自 IMF, *International Financial Statistics*, April 2007。

在 1978 年后的改革期间，上述某几个方面的政策都发生了变化。国家在各个方面的重要性出现了迅速的下降。财政收入从占 GDP 的 31%跌至 17%，现在投资主要来源于(通过银行系统配置的)私人储蓄,市场在资源配置中起着越来越大的作用,经济已经对外国贸易和投资开放。目前还没有通过国家财产私有化将曾经剥夺的资本家私有财产正式归还给个人,但实际上,农民已对其土地重新获得了极大的控制权,私人所有的房产在迅速增长,个人完全可以通过经营私人和准私人企业而发家致富。生产单位的平均规模戏剧性地缩小了。在1978年,有600万生产队进行农业生产,而现在出现了2.5亿农户。1978年共有38.4万家工业企业,平均职员为175人。到了1996年,出现了800万家企业,平均职员仅有14人。在商业及餐饮业中,1978年时拥有160万销售点,而到1996年时增长至1 860万,其平均规模从5.4人下降至2.8人。

第一节 宏观经济纪录

1. 劳动力投入

如表3.6所示,中国劳动力投入增长速度快于人口增长速度。政府的计划生育政策导致了出生率的下降,从而改变了中国的年龄结构,并提高了劳动年龄人口在人口总数中所占的比例。由于妇女劳动参与率的提高,就业快于劳动年龄人口的增长。在20世纪30年代,只有20%的农业劳动由妇女完成,但是到了1995年,有近一半的农村劳动力是妇女。

在毛泽东时代,由于僵化的体制把劳动力市场严格区分为城市和农村两部分,中国的劳动力利用是低效率的。农村人口不准迁入城市。在户籍制度下,他们被迫向(出生)所在地当局登记户口,并被限制在低收入的农业、农村工业和服务行业中。他们得不到城市居民所享有的社会福利。在一般情况下,他们只能得到口粮分配,只有在年末才可以根据累计工分拿到现金报酬。

65 **表3.6 中国的出生率统计、劳动投入和教育水平,1952—2003年**

	毛出生率(千人)	出生时预期寿命(年)	人口中劳动年龄人口比重(%)	就业人口比重(%)	15岁及以上人口的平均受教育年限
1952	37.0	38*	51.7	36.4	1.70
1978	18.3	64	53.6	41.9	5.33
2003	13.0	72	69.5	49.7	10.20

* 1950年数据。

资料来源:统计资料来自国家统计局《中国统计年鉴》。根据国际上劳动者受教育程度与收入关系的经验,我将小学教育的权重定为1,中学教育的权重定为1.4,高等教育的权重定为2。http://dx.doi.org/10.1787/086561554774。

而在城市中，国营企业不准擅自裁员或招工，企业的职工是由劳动部门按照计划指标分配的。同时劳动当局也借鉴苏联的工资等级制度来确定工人、管理人员和技术人员的工资结构。事实上，所有登记在案的城市劳动年龄居民，都可以得到一份有终身保障的工作，并在一定程度上按年资提高工资。工人不可能在企业间调换工作。由于工资低和没有被解雇的危险，工人缺乏工作积极性。国营企业的管理层也由于软预算约束而容忍偷懒的行为。

在改革时期，劳动力资源配置得到了改善，尤其是在农村地区，小型工业企业和服务行业的繁荣从农业中吸收了剩余劳动力。然而，城乡间人口迁移仍然存在着严格的限制，城市的国营企业中仍然存在着大量的过剩人员。

2. 劳动力素质

中国人力资本形成的长期记录给人相当深刻的印象，但是它却经历了艰难的过程。中国教育的重点是发展初级和中级教育（参见表 3.7）。1949 年大约有 1/3 的儿童进入小学，成年人的识字率为 20%。现在，有 4/5 的成年人可以识字，但是小学入学率仍然未能达到百分之百，农村地区的辍学率仍然相当可观。

在 20 世纪 60 年代，高等教育损失惨重。高等学校在学人数从 1960 年的 96.2 万人下滑至 1970 年的 4.8 万人。虽然后来得到一定的恢复，但是直到 1978 年仍然没有恢复到 1960 年的水平。在“文化大革命”的最初时期，所有高校都被关闭了，教师们受到羞辱和政治迫害。学生们在 1966—1969 年间纷纷被鼓励加入红卫兵的破坏活动，在以后几年中大多数又被下放到边远农村。当高校重新开课时，它的重点是放在学生的“正确”社会出身和政治态度上，而不是考试成绩。中等专业教育（包括技术和师范教育）的情况也基本类似，在校人数从 1960 年的近 225 万人的高峰下降至 1969 年的 3.8 万人，此后的恢复相当缓慢。

在经济改革时期，高等学校在学人数迅速增长，从 1978 年不到 100 万人提高到 2005 年的 1 600 万人。同时出现了海外留学浪潮，从毛泽东时代的几乎零记录增加到 2005 年的 11.85 万人（从 20 世纪 70 年代起计算，总留学人数已经达到 100 万人以上）。

1952—2003 年，15 岁及 15 岁以上的中国人口平均受教育程度从 1.7 年增至 10.2 年（参见表 3.6 和表 3.8），增长了 6 倍。劳动力素质的提高，再加上健康状况的改进，对中国生产潜力的提高起了重要作用。初生儿预期寿命从 1950 年的 38 岁增至 2003 年的 72 岁。婴儿死亡率仅为 1949 年的 1/8。人们对传统中医中药的依赖性仍相当强，但西医人数和现代医药的使用量已经有了很大的增长。饮食结构和卫生设施的改善，以及现代医药的广泛应用是提高预期寿命的主要原因。

66 **表 3.7 中国各级学校入学人数，20 世纪 30 年代至 2005 年**

（千人）

	高等教育	中等教育	小学教育	学前教育
20 世纪 30 年代	31[a]	632[b]	12 670[b]	n. a.
1949	117	1 268	24 391	140[c]
1952	191	3 145	51 100	424
1957	441	7 081	64 283	1 088
1960	962	12 476	93 791	29 331
1970	48	26 483	105 280	0
1978	856	65 483	146 240	7 877
2005	15 618	85 809	108 641	21 790

a. 1937 年数据。b. 1939—1940 年数据。c. 1950 年数据。

资料来源：20 世纪 30 年代的数据来自 Ministry of Information, *China Handbook 1937—1943*, China News Service, New York, 1943。其他年份的数据来自国家统计局（NBS, *China Statistical Yearbooks*, 1984:483—485; 1993:640—641; 2006:800）。

表 3.8 10 个国家和地区在 15—64 岁人口的人均受教育年限，1950—1992 年

（不同教育水平换算为同等小学教育年限）

	1950	1973	1992		1950	1973	1992
法国	9.58	11.69	15.96	中国	1.60	4.09	8.50
德国	10.40	11.55	12.17	印度	1.35	2.60	5.55
英国	10.84	11.66	14.09	日本	9.11	12.09	14.86
美国	11.27	14.58	18.04	韩国	3.36	6.82	13.55
西班牙	5.13	6.29	11.51	中国台湾地区	3.62	7.35	13.83

资料来源：有关中国的估计来自表 3.6 列出的资料。其他国家资料来自 Maddison(1995a, 77)。根据国际上劳动者受教育程度与收入关系的经验，我将小学教育的权重定为 1，中学教育的权重定为 1.4，高等教育的权重定为 2。

3. 投资率与资本投入

毋庸置疑，新政权成功地提高了投资率。非居民性固定资产投资率从战前占 GDP 的 7%（参见表 C.8 以及它的注释），提高到 20 世纪 50 年代初期平均 11%。在毛泽东时代的其余年份达到了 18%，而改革时期增加到 22%。这是非常让人敬佩的成绩，它大大超过了发达资本主义国家的水平（参见表 3.9）。

像其他共产主义国家一样，中国也有着超常大量的投资用于存货和在建工程。中国的国营企业需要保持大量原材料储备，以防止出现供给困难或因为计划的低效率所导致的供给问题。由于价格体系的低效率和软预算约束，像钢铁和能源这样的原材料在使用时存在着大量浪费。同时也有大量没有建成的建筑物，工厂里常常滞留着大批因为质量问题，或设计上不能迎合顾客需要而无法售出的产品。从 1978 年至 2003 年，美国每年平均存货量只相当于 GDP 的 0.45%，而同期中国的比率为 5.75%。在发达资本主义国家，大约 2/3 的 GDP 是由服务业创造的，而服务业的存货量非常低。在比较贫穷的国家，物质部门生产在 GDP 中占有较大比例（所以存货量较高），但即便如此，中国仍旧是个例外。存货所占的比例 67
如此之高完全是由于生产组织上的低效率，这在国有部门中尤其如此。然而，其下降在 2000—2003 年间非常明显，这期间的比率平均为 1.55%。

要对资本存量进行估计必须加总不同时期投资的资产，这需要以不变价格计算的长期投资数据。中国统计中并没有这样的投资估计。所以我不得不根据现价的投资率和不变价格的 GDP 推算出一个代表性变量（方法参见附录 C 以及表 C.7 和表 C.8）。在估计时我使用了永续盘存法（perpetual inventory method），并且假设资产的平均寿命为 25 年。根据战前资本形成的有限资料，我对 1952 年的资本存量进行了粗略的估计。我对 1978 年和 2003 年的资本存量估计相对更可靠些。我由此推出中国 1952 年的资本—产出比为 1.2。这个系数低于国际标准，但是战前的投资水平并不高，而且长期的抗日战争和内战使资产蒙受了巨大的损失。

毛泽东时代资本存量的增长大大快于产出的增长。资本—产出比由 1952 年的 1.2 上升到 1978 年的 2.7。从此以后，资本的生产率大幅度提高，到 2003 年时该比率维持在 2.6。

在改革之前，国家是投资的主体。它通过限制消费和保持低工资来实现资本积累。到了改革期间，家庭储蓄在投资资金中所占的比例出现了迅速的增长。虽然政府在投资资金的分配上继续扮演着主要角色，但是它正面对日益增长的非国有企业投资的全面冲击，因为后者将资金投入到收益更高的经济活动中去。

更有效的资源配置所带来的影响可以参看表 3.9 的宏观经济增长核算情况。此表显示了从 1978—2003 年全要素生产率的显著增长，与此对应的是 1952—1978 年的记录，它表现为极高的全要素生产率的负增长。

4. 全要素生产率

表 3.9 左上方是一组关于中国的简化的增长核算，分两个主要的时期，即 1952—1978 年时期和 1978—2003 年时期。

大规模的资源动员在资本存量的变化上是最明显的，这表现在毛泽东时代资本存量的增长速度大大快于 GDP 的增长速度。在第一个时期，投资比率较低，资本投入增长速度也比较快，这主要是由于初期资本存量水平非常低。基于前面已分析过的原因，这两个时期的就业增长速度快于人口增长速度。在两个时期里，教育水平都有着显著的提高，因此改善了劳动力的素质。

在毛泽东时代，劳动生产率有了一定的增长，但是资本生产率却出现了大幅度的下降。通过对投入要素加总(对劳动力来说，我们考虑到因教育水平和非居民资本存量变化而引起的质量改进)，再把它们的增长与 GDP 增长相比较得出的"全要素生产率(TFP)"，我们可以对中国经济在配置资源方面的总体效率进行粗略的估计。结果如表 3.9 所显示，在 1952—1978 年期间，全要素生产率的年增长率为负数，即－1.37％。

1978 年后的情况则是一个鲜明的对照。劳动力投入的增长率下降了，人力资本存量的增长率放慢了，资本投入的增长率保持了同上个时期相同的增长速度。然而 GDP 的增长明显加快了，劳动生产率的增长速度大大超过改革之前的速度，资本生产率也摆脱了负增长，结果是全要素生产率以每年 2.95％的速度增长。这些简单的宏观经济核算数字极为显著地说明了改革时期中资源配置效率的改善。在本章随后的一些分节中，我们在对政策和制度变化详细分析的基础上，进一步地理解效率提高的原因。

有必要将表 3.9 中所运用的简化核算技术应用于其他国家，以使我们的结果建立在更坚实的、可比的基础之上，同时也为我们在第四章所进行的对未来展望的讨论提供一个基础。表 3.9 使用同样的方法对世界生产率的领先国家美国、日本以及其他亚洲大国进行了 TFP 估计。我们在表 3.9 中也包括了对韩国的估计，它的 40 年增长经历说明了实现对领先国家迅速追赶的可能性。

日本的经验与中国相比提供了一个极为显著的对照。日本经济的超高增长发生在 1952—1978 年，当时它的 GDP 增长速度事实上同改革时期的中国一样。从 1978 年以来，日本经济增长明显放缓，并且低于中国在毛泽东时代的增长速度。这种分期的反差也适用两国的 TFP 和对外贸易增长。

表 3.9　关于中国、日本、美国和韩国基本经济增长核算的结果,1952—2003 年 68

（年均复合增长率）

	中国		日本	
	1952—1978	1978—2003	1952—1978	1978—2003
	宏观经济表现			
人口	2.02	1.20	1.10	0.41
GDP	4.39	7.85	7.86	2.53
人均 GDP	2.33	6.57	6.69	2.11
劳动投入	2.57	1.89	1.12	0.07
教育	4.49	2.63	1.19	1.12
质量调整过的劳动投入	4.87	3.23	1.72	0.63
非居民资本存量	7.72	7.73	9.57	5.03
劳动生产率	1.78	5.85	6.67	2.46
资本生产率	−3.09	0.11	−1.56	−2.39
每个劳动力资本存量	5.02	5.73	7.97	4.38
全要素生产率(TFP)	−1.37	2.95	3.32	0.36
出口	2.6	14.42	13.17	4.09

	美国		韩国	
	1952—1978	1978—2003	1952—1978	1978—2003
	宏观经济表现			
人口	1.34	1.07	2.21	1.06
GDP	3.61	2.94	8.63	6.68
人均 GDP	2.24	1.85	6.28	5.56
劳动投入	1.12	1.10	3.40	1.75
教育	1.12	1.20	*3.13*	*3.13*
质量调整过的劳动投入	1.69	1.61	5.02	2.15
非居民资本存量	3.39	3.23	10.89	10.24
劳动生产率	2.47	1.82	5.05	4.85
资本生产率	0.22	−0.38	−2.05	−3.22
每个劳动力资本存量	1.85	1.81	8.77	8.05
全要素生产率(TFP)	1.28	0.69	1.48	0.93
出口	5.19	5.91	26.1	11.2

资料来源:所有国家的人口和 GDP 数据来自 Maddison www.ggdc.net/Maddison。日本和美国的劳动小时、教育以及资本存量的数据主要来自 Maddison (1995a, 253—254),资料现已更新(Maddison, 2007)。关于日本和美国的资本存量估计的细节,参见 Maddison (1995b, 150—156)。对这两个国家,我假定非居民建筑的服务年龄为 29 年,设备的服务年龄为 14 年。关于韩国 1952—1978 年的劳动投入和教育情况,参见 Maddison (1998, 66)。韩国 1952—1978 年生产性固定资本存量的估计来自 van Ark 和 Timmer (2002, 239—240)。韩国 1978—2003 年劳动投入来自 Groningen Growth and Development Centre 的数据库,资本存量来自 Pyo, Rhee and Ha(2006, 108)。中国的就业、教育和资本存量数据来自 Maddison (1998a),数据已更新。我无法将非居民建筑与设备分解,所以假定它们的综合服务年限为 25 年(参见表 C.8)。日本、韩国和美国的劳动投入以工作小时为基础计算,中国以就业人数为基础计算。劳动质量由于劳动年龄人口的平均教育水平提高改善。我假定劳动质量改善的速度是教育增长速度的一半。在估计 TFP 时,总劳动投入的比重假定为 0.65(简单劳动和作为人力资本的教育各为 0.325),资本为 0.35。

69 然而,我们必须意识到,由于两个国家的经济史不同,这种比较只是简单的对比。日本的现代化进程始于1867年,在近80年的时间里它的主要目标是对外扩张,尤其是对中国的侵略。在1952年以前,日本已实现了完全非军事化,因此它能够将其高度熟练的劳动力和惊人的动员储蓄能力完全用于非军事目的。同时它也能够充分融入世界经济,分享一个正在迅速扩张的世界经济所能带来的利益。1952年时,日本人的教育水平或多或少可与欧洲国家相比,相当于当时中国水平的5倍以上。日本当时的人均收入是中国的4倍。日本有着漫长的独立发展本国资本主义的经验,也拥有一个复杂的银行体系,贸易公司制度和管理方面的经验。它比任何一个国家都具有更好的条件以迅速赶上最发达国家的生产率水平,它可以重新实现因战前的军事扩张而丧失掉的经济发展。在1952—1978年间,日本的人均收入由不到美国人均收入的1/4上升到2/3以上。这之后,它的增长速度不可避免地放慢了,因为它已经接近了技术前沿,而在那样高的投资水平上,回报率是相当低的。

5. 产业结构变化

从1952—2003年,中国发生了巨大的产业结构变化。农业生产和就业的增长大大慢于非农业经济。农业在GDP中的比例由60%下降到16%,在就业中的比例由83%下降到51%。最有活力的部门是工业,它在GDP中的比例从8%上升至52%。在此期间,服务业在GDP中略有下降,但是它在就业中的比例却有很大的增长(参见表3.2)。

产业结构变化一般反映了两个基本的推动力,在所有国家中,它们推动着实际收入水平和生产率的逐步提高。第一个基本推动力是对一些特定产品的需求弹性。这些推动需求的力量随着收入的提高减少农产品在消费中的比重,与此同时,提高工业产品和服务在消费中的比重。第二个基本推动力是部门之间不同的技术进步速度。在中国,这两个推动力都在发生作用。不过,中国的发展模式受到政府政策的严重影响。

在毛泽东时代,农业的落后主要是由于政府通过财政、物价和收购政策限制了农民收入,(户口制度)限制了农村人口向城市的迁移,以及制度变动的负面影响,因为集体主义的制度安排降低了效率与工作积极性。相比之下,改革时期农产品收购价格的提高,放松劳动力向非农业的转移,以及恢复以农户为基础的农业制度,都对生产率的表现产生了极为有利的影响,但是这种影响在某种程度上只具有一次性效果。

与此相类似，工业和建筑产出在改革前的大幅度增长，依靠的是政府的价格刺激和将投资资源向这些部门的高度集中，这有利于提高这些部门的相对劳动生产率水平。改革期间，工业和建筑业保持了计划经济时期的增长速度，然而，资本在这些部门的浪费减少了，国有企业的重要性也相对减弱了。

服务业在改革前也是被压抑的，对商业及餐饮业尤其如此。在改革时期，这些控制大为放松，私人服务业出现了迅速的扩张。

表 3.10 中国分部门经济增长的表现，1952—2003 年 70

（年均复合增长率）

	1952—1978	1978—2003	两个时期增长率的变化
农业			
GDP	2.20	4.52	2.32
就业人数	2.02	0.51	−1.51
劳动生产率	0.17	3.99	3.82
工业、建筑业			
GDP	9.76	9.76	0.00
就业人数	5.84	2.83	−3.01
劳动生产率	3.70	6.74	3.04
服务业			
GDP	4.18	7.60	3.42
就业人数	3.20	3.65	0.45
劳动生产率	0.96	3.81	2.85
全部经济			
GDP	4.39	7.85	3.46
就业人数	2.57	1.89	−0.68
劳动生产率	1.78	5.85	4.07
部门就业变动对 GDP 增长的影响	0.88	2.01	1.13

资料来源：Appendices C and D.

表 3.10 的最末一行给出了劳动力重新配置对 GDP 增长的大致影响。改革前，如果假定就业结构没有发生变化，而每一部门劳动生产率的增长同事实上相一致，那么年平均 GDP 增长率就会降低 0.88 个百分点（即 3.51%，而不是 4.39%）。根据同样的假设，从 1978—2003 年的年平均 GDP 增长率将会降低 2.01 个百分点（即 5.84%，而不是 7.85%）。但是，对表 3.9 中总增长核算不应计入产业结构变化的影响，因为那样将造成重复计算。各部门之间在劳动生产率和

增长率上的巨大差异，在相当大的程度上是由于资本和劳动者受教育程度在不同部门间分布的不同。这些因素之间的相互影响已经存在于对总体经济的增长核算之中了。对产业结构变化的更复杂的分析，需要各部门的物质和人力资本的信息，但是目前还没有这样的信息。

表3.11 中国经济结构的变化，1952—2003年

（占总量的百分比）

	种植业、畜牧业、林业、渔业	工业、建筑业	所有服务业	总值
		GDP总额		
1952	59.7	10.0	30.3	100.0
1978	34.4	36.8	28.8	100.0
2003	15.7	57.2	27.1	100.0
		就业人数		
1952	82.5	7.0	10.5	100.0
1978	71.9	15.8	12.3	100.0
2003	51.1	19.9	29.0	100.0
		相对劳动生产率		
1952	72.7	142.9	288.6	100.0
1978	47.8	252.9	234.1	100.0
2003	41.2	287.4	93.4	100.0

资料来源：Appendices C and D.

71 第二节 农村部门的经济表现

1. 农业

由于几方面的原因，新政权将土地改革放在了首位。共产党承诺要建立一个更公平的社会，一个消灭了有产阶级，尤其是消灭了地主贵族残余分子的社会。可供利用的农业剩余是一个重要的资金来源。在那些共产党已施行政治与军事控制的地区，土地改革被证明为争取群众支持的有效办法，于是他们认为土改的推进将帮助其巩固领导地位并使之合法化。

重要的是要了解这个新政权所面临的农村所有制的真实状况。共产党认为农业制度是“封建”性质的，而地主的剥削是残酷的。事实上，中国多少世纪以来就不是封建制社会。中国并没有大片领域是由土地贵族来经营的，也不存在农奴制。中国农民的大部分是自耕农、佃农或者取得报酬的雇农。土地是可以自由买卖的。只有10%的农村家庭不拥有土地。在农民中有44%是自耕农户，23%属于半自耕半租佃的农户，最后的33%是佃农。这是巴克（Buck，1937）对1929—1933年情况的估计。而政府1931年至1936年的调查结果与其类似，分别是46%、24%和30%（参见Feuerwerker，1977：57）。地租平均大约为收成的43%（参见Feuerwerker引用的资料，1977：59）。只有5%的农业贷款是通过西方式的银行或信用合作社进行的，14%是由当铺或地方钱庄提供的，而81%来自商人、乡镇商店、地主或富裕农户（Feuerwerker，1977：64）。

我们没有关于1949年情况的调查，但是没有理由相信它较之20世纪30年代的情况会有很大的变化。根据巴克（Buck，1937：172—177）在1929—1933年间对22个省的3.8万多农户所作的大型调查，30年代早期，一个拥有6.2人口的农户平均的土地规模是1.7公顷。[1]拥有67公顷以上的农户的全部土地面积仅为总耕地的2%（Feuerwerker，1977：55）。而在1930年时，美国农场的平均面积是63公顷。中国没有像印度、印度尼西亚和锡兰那样的大型种植农场，一个平均规模的农场通常分割成6个不同的地块，分布在村庄里的不同地点。这种土地的细碎分割是由于在一个自然资源条件只能允许非常有限的耕地面积的国家中，长期存在的人口压力所造成的。土地的可分割男子继承制度导致这种土地的分割一代代地延续下去。一户土地被分割为不同地点上的地块，是为了让每个继承者都能公平地获得各种不同等级的耕地。土地的这种分割可以看成是一种保险。托尼（Tawney，1932：39）指出："每公亩土地的质量都不一样；一个人拥有的土地不可能都是最好的，也不可能全部都是最差的；一个农户既需要较干燥的土地，也需要湿润的土地；既需要丘陵地提供燃料和肥料，也需要平地来种植庄稼；土地的这种分散可以担保它在出现水涝和干旱的时候对冲风险。"

农作物占了90%的土地，农房占了1.4%的土地，宗族坟墓占了1.9%，道路和池塘占了2%，草地、燃料、作物地、森林、灌溉设施用地则占了3.1%，尚有1.4%的土地未被开发利用。中国农民多少世纪以来都没有休耕制度，他们也没有公共的牧草地。土地平均复种比率是1.38，这使得每个农户的平均播种面积为2.1公顷（小麦区为2.45公顷，水稻区为1.85公顷）。[2]由于这种人口耕地比例和农耕技术的性质，企图实行大规模农场化经营是无利可图的。清朝为满洲贵族和军队所开发的土地早已被分割成若干小地块出租或是分小块卖掉了（参见Myers，1970：217—220）。在这个农村社会里，妇女明显地处于劣等地位。她们不能继承财产，只有1.2%受过教育(而男性中的这个比重为30.3%)，只占农业劳动力的20%(参见Buck, 1937:291, 373)。更大程度地使用这些潜在的女性劳动力，是共产党发展战略中的一个主要考虑。到1995年时，已有47%的农村劳动力是妇女了。

72 瑞斯金(Riskin, 1975:68—75)估计，1933年乡村财产收入占农业纯收入的26%：其中16.5%来自租金，5.2%来自雇佣劳动力，4.3%来自贷款利息。另外，大约3.2%来自土地税。资产折旧率约为2.2%(参见Liu and Yeh, 1965:140)。瑞斯金的这个估计可以让我们大致了解到共产党政府的目的在于通过转变财产关系，即通过对地主、商人及高利贷者财产的剥夺，来取得农业剩余。地租被国家税收、强制性交货、加上维持农产品低价和工业品高价的“价格剪刀差”所取代。从长远来看，这也是为了将农业消费限制在一个较低水平上，从而保证可利用的农业剩余成比例地、持久地增长。

自从1949年以来，一共有过六次影响农业制度的重大政策变化。其中连续四次的变革导致了集体化，几乎使农业制度退回到集体化之前的状况。1949—1950年的土改没收了已开垦土地的43%(4 500万公顷)以及上面的建筑和家畜，然后把它们重新分配给佃户和没有土地的农民。寺庙的土地和房屋也被没收了。商人和高利贷者的活动被终止了，他们的财产也被剥夺了。斯泰维斯(Stavis, 1982)对这个过程作了如下的描述：“土地的重新分配并不是依照行政管理步骤和平地进行的。相反，政府在农村召开大会划分人们的经济阶级成分，并且讨伐了地主。在有些农村中，这种大会是在暴力中进行的。从中国文化的角度看，这种让人丢尽脸面的斗争对有产者来说是毁灭性的。有些地主或地方绅士被毒打、羞辱至自杀或被处死。在那种情绪冲动的农村斗争大会氛围中，暴行是常见的。”运动中大约有4%的人失去了土地，同时有60%的农民在这一变革中有所获得。这次变革为1.06亿农户建立了平等主义(egalitarian)的制度，使他们都转变成了自耕农，以向政府交税(通常是实物性的)的形式代替了以往的地租。

不久以后，在改革的第二阶段，农户们被鼓励在农忙期间将劳动力、役畜和农具合并在一起进行生产。开始时，这种叫做“互助组”的合作形式只是在少数农民之间进行，此后出现了将更多劳动力结合在一起的、目标宏大的“初级合作社”，它主要是承担与灌溉和抗洪有关的大型基本建设工程。到1955年为止，约有2/3的农民“自愿”加入了互助组和初级合作社。当时合作社的平均规模大约为27个农户(参见林毅夫,1990)。

共产党的领导人发现这些措施仍然不够,因为他们感到土地买卖和租赁所存在的危险,有一天会使旧的所有制模式复辟。而且他们也希望能够对农业生产拥有更大的决策权。他们相信通过加快社会主义的进程可以获得经济上的规模效益,从而得到更多的农业剩余。在1956—1957年间进行的第三个阶段的改革中产生了“高级合作社”,几乎所有的农民都被强迫加入了这个组织。这项新的制度安排将所有的劳动力和土地合并在一起。于是,农民失去了对自己土地的财产所有权,成为事实上按苏维埃原则组织起来的集体农庄中的股东。作为一种安抚,农民们可以在大约相当于集体土地5%的小块自留地上种植蔬菜和饲养家畜。这个新集体组织的规模在人口上和当时苏联的集体农庄相仿,大约为160户农户,但在耕地规模上却仅为苏联的1/5。生产和管理的决策权被共产党的干部所接管,农民被分成了平均20户为一个单位的生产队。

在1958年夏末,中国的农业制度发生了第四次大变动。75.3万个高级合作社中的1.23亿农民被强制分入2.6万个大型人民公社中。每个公社约有4 600个农户和6 700个劳动力。从劳动力上看,这是苏联集体农庄的30倍,从耕地面积上看,为苏联集体农庄的4倍。在这些公社中有50万个生产大队,以及300多万个生产小队。中国也有国营农场,但是它们的作用相对很小,所占的土地面积从未超过4%。与此相比,苏联的国营农场在1950年时占到已开垦土地的11%,1960年时为36%,而到1990年时已经达到51%。

表3.12　农户参与各类社会主义农业组织的程度,1950—1958年 73

(占全部农户的百分比)

	互助组	初级合作社	高级合作社	人民公社
1950	10.7	0.0		
1951	19.2	0.0		
1952	39.9	0.1		
1953	39.3	0.2		
1954	58.3	2.0		
1955	50.7	14.2		
1956	0.0	8.5	87.8	
1958年8月底				30.4
1958年9月末				98.0
1958年12月底				99.1

资料来源:SSB, *Ten Great Years*(1960).本资料来源不包括1957年数据。

表3.13 中国农业经济表现的特点,1933—2003年

	种植业、畜牧业、林业、渔业、副业总增加值(百万元人民币,1987年价格)	人均增加值(元人民币,1987年价格)	每个农业劳动力提供的增加值(元人民币,1987年价格)	农业在总就业中的比重(%)	农业在GDP中的比重(%)
1933	138 497	277	789	85	63
1952	127 891	225	748	83	60
1957	153 649	241	812	80	54
1958	154 538	237	889	68	49
1961	110 965	168	604	71	43
1978	225 079	235	781	72	34
2003	679 821	527	2 858	51	16

资料来源:Table A. 3, update from Appendices C and D.

人民公社创立于1958年至1960年间那场所谓的“大跃进”运动之中。当时,一些私人财产被剥夺了,包括自留地、家畜、农业建筑等。农村市场也被取缔了[3]。国家现在彻底控制了市场和信贷。人民公社要求农民家庭到公社食堂或大礼堂去吃饭,农民像士兵一样执行上级指派的各项工作。这个新的经营制度还冒险地推行深耕密植的试验,但结果造成了巨大的浪费。各地方的行政事务都由公社负责,包括税收、提供医疗和教育等社会服务,监督指导农业生产、农村工业建设,以及社区内其他的服务业发展。政府希望公社可以实现自给自足。这主要是由于当时中国完全孤立于国际政治,错误地认为需要建立一种能安全渡过核战争的经济模式。统计报告沦为满足领导人幻想的政治工具。它虚拟了这样一种假象,即这场千年来的大变革正在取得奇迹般的成果,从而可以支持从农业向群众性的后院土法炼铁、水泥制造、建筑和水利工程的大规模转移。从1959年至1961年,大约有3 000万农业人口被动员去从事上述工作,结果造成1961年人均农业产出比1957年降低了31%。由于城市可以优先分配到粮食,致使数百万的农村居民死于饥馑。饥荒造成的死亡与出生率下降,估计导致了1959年至1961年间中国的人口总数减少近600万,而在此之前,1957年至1959年间人口增长超过了2 800万(参见Banister的详细分析,1987)。然而,这期间增产的大量工业产品都是废品或无法使用。以上事实说明,中国的工业化走向了反面。本来1959年的工业就业人数已从1957年不足2 300万人上升到1959年的6 200万人。可是到了1963年,又跌到了1957年的水平之下(参见表D. 3)。

74 中国的农业政策在1962年又出现了第五次大变动。虽然人民公社作为政府机构的一部分一直延续到80年代中期,农业经营管理转向了以较小的生产单位——

平均拥有30户的生产小队进行。自留地又恢复了，农贸市场重新开放了，公社食堂也取消了。政府拨出大笔资金支持农业现代化，包括购买化肥、电动工具和拖拉机。农民的报酬按所在集体记录的工分来计算。全年基本生活资料实行分配制，只有年终才会收到现金报酬。因为党的干部能够强有力地干预工分分配过程，在这种制度下，劳动努力所得到的报酬和劳动积极性远低于以农户为决策主体的耕作制度。强调自给自足经济模式的思想仍占主导地位，它阻碍了农户生产和地区经济的专业化。

毛泽东逝世后，随着新的政治领导人上台，中国出现了农业政策的第六次变革。但这一次并不是突如其来的换挡加速，而是推出了一系列脚踏实地的改革措施。这些措施是以市场为主导的，较好地刺激了农民的生产积极性。自1978年后，政府逐渐放松了对农业的控制，放宽了生产指标和定额。自留地的面积由农地的5%增至15%，对副业的限制也放松了。在1978—1983年间，农产品的收购价格被大幅度提高，平均上调了50%，而同期的工业产品价格的增长远低于这个水平。国家提高了定购农产品的收购价，并以三级不同水平的价格收购超定额农产品。定额以外的产品可以服从自由市场价格(参见表A.22c)。平均主义的分配制度随着家庭(联产承包)责任制而被废除了。1978年在安徽省试行的把集体的土地重新分配给农户耕种的试验，被证明是非常成功的。1980年，有14%的生产队实行了家庭生产(联产承包)责任制，到1981年时这个比例提高到了45%，到1982年时进一步提高到80%，而到1984年时已达到了99%(参见林毅夫，1992)。

在集体农业解体的过程中，在农户间重新出现了地块分割问题。伍晓鹰和孟昕(Wu and Meng, 1995)1993—1994年对5个省的调查结果显示，每个农户平均拥有6.5个相互分离的地块，这与巴克(Buck, 1937)对30年代考察所发现的情况相似，当时每户平均拥有6个分散的地块。

在1984、1985年以后，政府用以鼓励农民向国家缴纳粮食的收购价格相对激励减少了。其中一个原因是1978—1984年间农业产量的迅速增长已经改善了供给情况(该期间农业GDP提高了53%)；另一个原因是国家需要减轻财政负担，因为在提高支付给农民的收购价的同时，维持对城市消费者的低销售价增加了预算负担。

人民公社和生产队经营的工厂在1984年被改变成了乡镇和村庄的企业。乡镇和村庄重新作为行政管理单位出现。旧的公社管理机构被取消了，其功能分别以乡政府、党委和各种经济委员会所代替。政府也允许发展农村的私人企业。和放松农村人口向城镇迁移的结果一样，工业和服务业中所出现的新的就业机会也降低了农业对劳动力的吸引。

一些研究利用估计的农业 TFP 来评价中国不同时期的经济政策对农业效率的影响。他们采用了不同的方法，有的采用增长核算的方法，有的采用计量经济学的方法。文冠中（Wen，1993）的研究是其中最全面，在方法上最透明的一个。他还包括了对这一领域其他研究工作的回顾。他使用官方的以“可比价格”度量的农业总产值作为产出指标（包括种植业、畜牧业、林业、渔业及副业）通过下列几个因素的变化来“解释”产出的变化：①当年物质投入（包括饲料、种子、传统的和现代的肥料、电力）；②劳动力；③用复种指数和灌溉面积调整过的耕地面积；④用

75

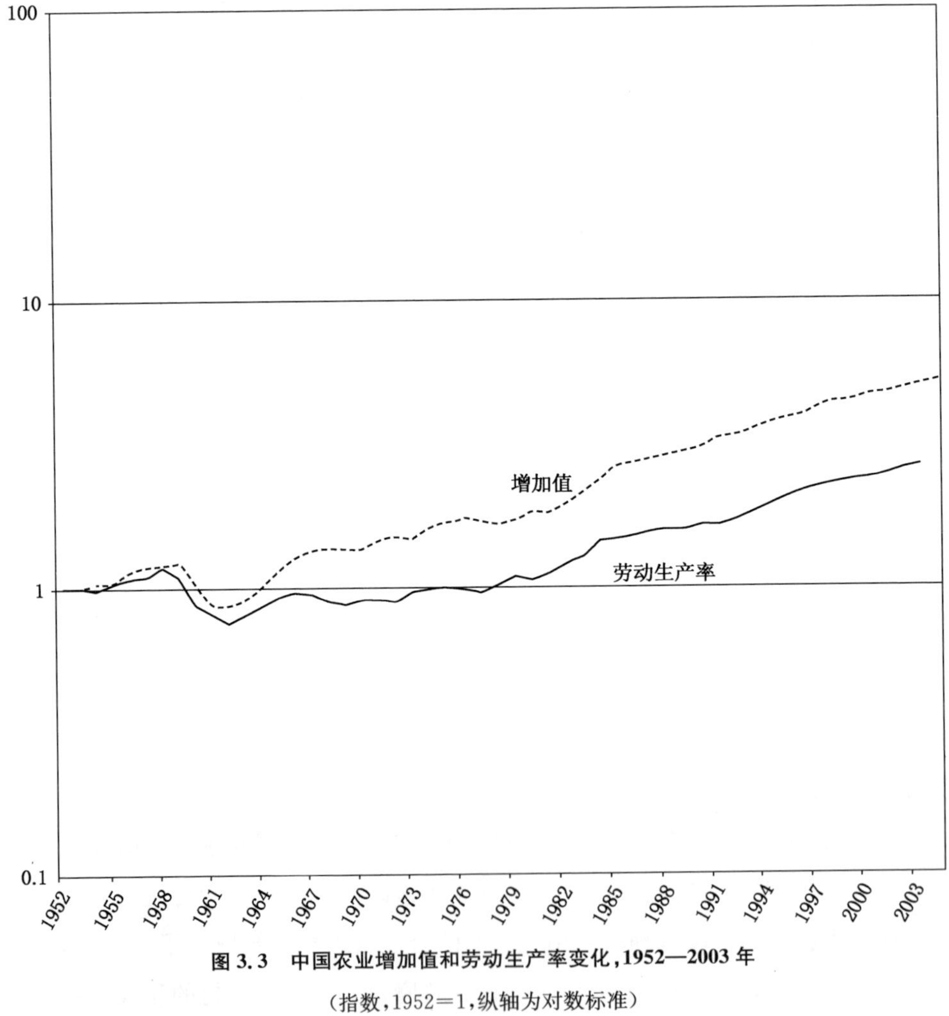

图 3.3 中国农业增加值和劳动生产率变化，1952—2003 年

（指数，1952＝1，纵轴为对数标准）

资料来源：Table C. 3 and D. 3.

来度量“资本”的役畜和机器设备。他倾向采用 Wiens(1982)权重，即当年投入为 20%，劳动力为 35%，土地为 36%，“资本”为 9%。此外，他也采用了 4 种不同权重来检验上述 Wiens 权重结果对权重变化的敏感程度。他的 5 次检验结果都表明，在 1952 年至 1957 年间中国农业只有很低的 TFP 的增长或负增长，在 1957 年至 1978 年间也存在着显著的负增长。TFP 的正增长出现在 1978 年至 1987 年期间(参见表 3.15)。文冠中(1993)的增长核算方法同林毅夫(1992)使用的计量经济学方法一样，其结果都把生产率的改善归因于 1978 年后出现的农业政策自由化。

表 3.14 给出了从 1952—1994 年 4 个阶段农业经济表现的详细核算结果。在 1952—1957 年间，当农民还是名义上的土地所有者时，劳动生产率每年增长 1.7%，TFP 每年增长 0.63%。但是，在 1957—1978 年间，劳动生产率却以每年 0.2%的速度下降，TFP 也下降了。这 20 年间冒进地实行集体主义，造成了资源配置和劳动积极性的严重扭曲，这个情况一直延续到 1978 年。从 1978—1987 年，由于比较自由的政策和农产品价格的提高，劳动生产率以每年 5%的速度增长，TFP 的增长达到了每年 4.6%。这里很明显地具有经济恢复的因素。在 1987—1994 年间，农业增长速度就在一定程度上放慢了，劳动生产率的年增长率为 3%，TFP 的年增长率为 2.7%。

表 3.14　中国四个时期的种植业、畜牧业的投入、产出和 TFP 变化，1952—1994 年 76

(年均复合增长率)

	1952—1957	1957—1978	1978—1987	1987—1994
农业总产出	3.70	2.32	5.77	4.28
农业投入	6.36	2.54	4.35	4.83
非农业投入	12.12	8.98	8.43	6.67
流动资本投入	7.36	4.57	6.42	5.86
农业增加值	3.05	1.72	5.52	3.62
农业就业人数	1.35	1.92	0.49	0.58
农业劳动生产率	1.66	−0.19	4.99	3.05
灌溉面积	6.46	2.41	−0.16	1.32
非灌溉面积				
耕地面积	−0.79	−2.08	−0.60	−1.49
按土壤质量调整后的耕地面积	1.70	0.18	−0.32	0.34
其他资本	7.81	4.43	5.00	3.48
TFP	0.63	0.57	4.56	2.67

资料来源：Appendix A；Table A.3，A.4，A.8，A.9，A.10.“按土壤质量调整后的耕地面积”的估计，假定灌溉面积权重为 2，非灌溉面积权重为 1。“其他资本”包括牲畜存栏和农业机械，我依照 Wen(1993，13)的做法将牲畜存栏量 1987 年权重设为 51%，将机械设为 49%。TFP 的估计将劳动力的权重设为 0.55，“按土壤质量调整后的耕地面积”权重设为 0.30，“其他资本”权重设为 0.15。

尽管中国农业自从 1978 年以来同毛泽东时代相比已经有了很大的改善，但是应该记住，以国际标准来衡量，中国的劳动生产率仍然是非常低的。表 3.16 列出了中国与其他三个大国在 1933—1994 年间以 1987 年美元表示的可比农业经济表现(解释参见附录 A)。在 1994 年时，中国农业的可比劳动生产率仅是美国的 1.6%，比 1978 年的水平还要低一些。中国的自然资源禀赋远低于美国(参见表 1.4)，从它的比较优势来看，迅速赶上美国的潜力存在于农业以外的经济活动之中。日本的例子也很说明了这个问题。相对人口而言，日本的自然资源更为贫瘠，但日本却奉行高成本政策以保证谷物生产上的自给自足。日本的农业劳动生产率只是美国的 1/20。如果在谷物进口上能够采取更自由的政策，日本的实际收入应该还会更高。中国的政策制定者将来的确应当以此为戒。苏联(俄罗斯)持续的集体化和国营农场政策在一个自然资源极为丰富的国度造成了生产率水平低下的灾难性后果。相比之下，这显示出中国的政策转变的确是明智的，其结果已经开始显现。

2. 农村的非农业经济活动

帝国时期的中国，就已有了为数众多的农村手工业、商业和运输业活动。但是，在 1958—1960 年的“大跃进”运动中，大量的农村劳动力被转移到非农业生产活动，然而得到的却是截然相反的灾难性的结果。1957 年，从事非农业生产的人数占农村就业人数的 6.6%，到了 1958 年底，这个比例一跃而上升到 28%，然后又跌回到 1962 年的 2%。到 1977 年时，这个比例仍旧低于 1957 年的水平(参见表 3.17)。

77 **表 3.15 文冠中对中国农业三个时期的投入、产出和 TFP 变化的估计，1952—1987 年**

(年均复合增长率)

	1952—1957	1957—1978	1978—1987
农业总产值	4.56	2.33	6.93
流动资本投入	11.20	7.63	−0.53
农业就业人数	1.36	2.20	1.29
耕地面积(已做质量调整)	1.92	−0.43	−0.63
“资本投入”	6.03	4.32	4.48
TFP	0.08	−1.53	6.00

资料来源：Wen(1993). 这里的 TFP 是文冠中采用不同要素权重所得结果的平均数。他采用了 Jorgenson 的增长核算方法，即解释总产值的变化，而我的方法是 Denison 式的，即解释增加值的变动(参见 Maddison，1987，对这两种方法的分析)。另外一个不同点在于，我对农业增长的核算集中在农场业(即种植、畜牧)，而他包括了林业、渔业和副业在内的全部农业。再者，他使用官方的产出数据，我使用我的产出估计(参见附录 A)。他所估计的传统农家肥投入远高于我的估计(参见表 A.8 的注释)。

表 3.16　中国、日本、苏联/俄罗斯和美国种植业的比较经济表现，1933—1994 年

	中国	日本	苏联/俄罗斯	美国	中国	日本	苏联/俄罗斯	美国
	增加值（百万美元，1987 年价格）				就业人数（千人）			
1933	56 846	7 316	25 273	41 466	166 545	14 078	42 244	8 722
1952	52 071	7 482	33 913	37 522	161 097	16 450	35 318	5 946
1957	60 501	6 400	45 598	38 432	172 301	15 210	34 326	5 295
1978	86 732	6 925	70 337	41 972	256 726	6 330	29 740	2 723
1990	159 435	7 631	69 303	70 623	287 134	4 510	27 239	1 999
1994	180 517	7 665	26 274	83 337	279 487	3 740	10 350	2 114
	劳动生产率（美元，1987 年价格）				比较劳动生产率水平（美国＝100）			
1933	341	520	598	4 754	7.1	10.9	12.6	100.0
1952	323	455	960	6 310	5.1	7.2	15.2	100.0
1957	351	420	1 328	7 258	4.8	5.8	18.3	100.0
1978	338	1 094	2 365	15 414	2.2	7.1	15.3	100.0
1990	555	1 692	2 544	35 329	1.6	4.8	7.2	100.0
1994	646	2 050	2 539	39 421	1.6	5.2	6.4	100.0

	农业就业在就业人口中的比重（%）			
1933	80.4	45.9	60.0	21.1
1952	77.7	42.5	42.1	8.8
1978	63.5	19.0	23.2	2.8
1990	50.3	7.2	20.6	1.7
1994	45.2	5.7	14.9	1.7

资料来源：中国和美国的数据来自表 A.14。苏联 1933—1990 年增加值资料来自 Kouwenhoven（1996）。Kouwenhoven 完全按照我对中国/美国比较的方法对苏联/美国进行了比较。他将其结果与 CIA 的时间序列相结合。苏联 1952—1990 年的就业数据来自 *Narodnoe Khoziastvo* 有关各卷（参见 Maddison，1998，Table 2）。1933 年的估计由内插法得到（参见 Maddison，1998）。俄罗斯 1990—1994 年的增加值和就业变动，以及俄罗斯 1990 年在苏联增加值和就业中的比重来自 World Bank（1995）。1990 年时，俄罗斯在苏联种植业和畜牧业增加值中的比重为 50.9%，在其就业中的比重为 36.6%，而它在种植业和畜牧业的劳动生产率高于苏联水平的 39.1%。它在苏联人口中的比重为 51.2%。1975 年日本相对美国的比较增加值水平来自 Maddison and van Ooststroom（1993）。1933—1990 年的不变价增加值时间序列来自 Pilat（1994，276，278）。这些数据根据 OECD，*National Accounts 1982—1994*（第 93 页）更新。1952—1994 年就业数据来自 OECD，*Labour Force Statistics*，有关各期。1933—1952 期间的变动来自 Pilat（1994，277）。

1978 年以后，中国农村的小型企业大规模地发展起来，但这一次比起“大跃 78
进”时期的情况要成功得多，基础也更为稳固。在 1977 年，在农村中从事小型工业、建筑业、贸易、运输及其他服务性行业的人数为 1 700 万（参见表 3.17）。到 2005 年时，这一数字已经上升到 1.66 亿。

乡镇企业的数量在 1978 年之后并没有增加很多，但以就业人数衡量的平均规模却大幅度地提高了。乡镇企业就业总人数从 1978 年的 2 800 万上升到 1996 年的 5 900 万。乡办企业的劳动生产率提高了 7 倍，而村办企业的劳动生产率提高了近 11 倍。然而，最有活力的还是个体企业。1978 年时还不存在个体企业，到 1984 年也只有 400 万家，但是到 1996 年已经超过了 2 300 万家。个体企业的就业人数在 1978 年时为零，而到 1996 年时已达到 7 600 万。一般说来，它们的规模都很小。1996 年时平均每户个体企业只有 3 个人（以农户本身为基础，多为兼业——译者）。而相比之下，乡办企业平均人数是 73 人，村办企业平均人数是 26 人。

这一情况的出现可以用几个原因来解释。首先是从 20 世纪 60—70 年代出现的农业现代投入品的增长，包括化肥、机械灌溉、小型拖拉机和卡车，等等。再有就是实行家庭承包责任制后，资源更为合理的配置导致了农村剩余劳动力储备的增加。这些人几乎没有机会在家庭承包的土地上有效率地工作，因为平均每户分得的耕地面积还不足半公顷。而在严格的户口制度下，他们中的大多数人又不可能迁移到城市里去就业。所以，存在大量宁愿接受低工资也希望在乡镇企业工作的劳动力。

表 3.17 中国人口与就业人数的城乡分布，1952—2005 年

（年末数，千人）

	农村人口	城市人口	农业就业人数	农村非农业就业人数	城市就业人数	总就业人数
1952	503 190	71 630	173 170	9 500	24 620	207 290
1957	547 040	99 490	193 090	13 690	30 930	237 710
1958	552 730	107 210	154 900	60 040	51 060	266 000
1959	548 360	123 710	162 710	48 030	51 000	261 740
1960	531 340	130 730	170 160	31 690	56 960	258 810
1962	556 360	116 590	212 760	4 550	41 790	259 100
1970	685 680	144 240	278 110	8 750	57 460	344 320
1977	783 050	166 690	293 400	17 320	83 050	393 770
1978	790 140	172 450	283 730	31 510	86 280	401 520
1987	816 260	276 740	308 700	81 304	137 826	527 830
2005	745 440	562 120	318 560	166 300	273 310	758 250

资料来源：城乡人口来自 SSB《中国统计年鉴》（以下简称《年鉴》）1988 年第 75 页，《年鉴》1995 年第 59 页和《年鉴》2006 年第 99 页。通常，人口按照常住地分类。城市人口只包括居住在城市和市镇的居民。表中的数字看来根据 1964 年关于城市的定义，即拥有 3 000 居民的聚居地点，其中 75%以上的人口从事非农业生产，或者拥有 2 000 居民，其中 85%以上的人口从事非农业。1952—1977 年的就业数据来自《年鉴》1993 年第 78 页，1978—1987 年数据来自《年鉴》1996 年第 92 页，2005 年数据来自《年鉴》2006 年第 99 页。1978—1987 年农业和非农业就业来自 Wu（1992），1987 年数据来自《年鉴》1996 年第 354 页，2005 年数据来自《年鉴》2006 年第 125 页。读者应该注意到本表与表 D. 3 在 2005 年前的总数上有些差异。关于 2005 年以后数据上出现的怪现象参见附录 D。

农村实际收入的大幅度提高，不仅意味着农民对农产品的消费需求更偏重于肉类和鱼类，他们也产生了潜在的对工业消费品以及改善居住环境的需求。制度的变化促进了供需关系中这些因素之间有利的相互作用。如今，农村自由市场开放了，农民也可以获得银行贷款了。1981 年，还实行了“税收减免期”政策。农村企业不必像城市里的大型国有企业一样承担沉重的福利负担。更为实质性变化是意识形态观念的转变，放弃官僚们制定的计划转向对利润的追逐，已经不再是禁忌。从前负责非农业经济活动社办企业的地方官员和党的干部，现在成了乡镇工业企业的董事和经理。尽管这些企业仍属于集体或公共所有，但实际上却几乎能够完全以市场经济的方式进行经营。这些企业的收入是地方政府预算外财政收入(extra-budgetary revenue)的主要来源。而且如果经营成功的话，地方的行政官员们，包括先前的地方干部们，就能合法地大幅度地提高自己的收入。

表 3.18　中国按所有制划分的农村小型企业的经济表现，1978—1996 年 79

	乡办	村办	个体/私营	全部	乡办	村办	个体/私营	全部
	企业数量(千个)				就业人数（千人）			
1978	320	1 205	0	1 525	12 576	15 689	0	28 265
1984	402	1 462	4 201	6 065	18 792	21 030	12 259	52 081
1987	420	1 163	15 919	17 502	23 975	23 208	40 869	88 052
1994	423	1 228	23 294	24 945	29 607	29 381	61 194	120 182
1995	417	1 201	20 409	22 027	30 294	30 311	68 016	128 621
1996	406	1 143	21 814	23 363	29 588	29 940	75 555	135 083
	企业平均人数(年末，千人)				总产值(十亿元人民币，现价)			
1978	39	13	0	19	28. 11	21. 19	0. 00	49. 30
1984	47	14	3	9	81. 75	64. 84	24. 40	170. 99
1987	57	20	3	5	182. 59	141. 16	152. 68	476. 43
1994	71	24	3	5	1 504. 09	1 382. 51	1 372. 25	4 258. 85
1995	73	25	3	6	2 140. 09	2 031. 04	2 720. 39	6 891. 52
1996	73	26	3	6				
	增加值(十亿元人民币，现价)				增加值(十亿元人民币，1987 年价格)			
1978	6. 18	4. 86	0. 00	11. 03	8. 86	6. 97	0. 00	15. 84
1984	17. 96	14. 87	4. 70	37. 52	21. 90	18. 13	5. 73	45. 77
1987	40. 11	32. 37	29. 39	101. 87	40. 11	32. 37	29. 39	101. 87
1994	330. 43	317. 02	264. 14	911. 59	144. 52	138. 65	115. 53	398. 70
1995	470. 15	465. 73	523. 64	1 459. 52				

（续表）

	乡办	村办	个体/私营	全部	乡办	村办	个体/私营	全部
	劳动生产率（增加值/就业人数）（元人民币，1987 年价格）							
1978	705	444	0	560				
1984	1 166	862	467	879				
1987	1 673	1 395	719	1 157				
1994	4 881	4 719	1 887	3 317				

资料来源：最前面的四部分来自《年鉴》1995 年第 363—365 页；《年鉴》1996 年第 387—390 页；《年鉴》1997 年第 399 页。在 1995 年之前，官方统计中只有总产值指标。在《年鉴》1995 中报告了 1995 年的增加值。它表明，在 1995 年，乡办企业的增加值/总产值比率为 0.219 7，村办企业为 0.229 3，私人或个体户为 0.192 5。在第五部分，我将这些比率应用于其他年份以便得到现价增加值的大致估计。所有国家统计局的数字都是现价计算的，我从伍晓鹰的工业增长估计中推出隐含的价格平减指数（根据表 B.4 的第四栏和表 B.1 的第三栏推导），最终得出第六部分的结果。第七部分的结果根据第六和第二部分的估计推导。

表 3.19　中国农村小企业的分部门指标，1995 年

	占小企业增加值的比重（增加值合计＝100）	企业平均就业规模（人数）	劳动生产率（增加值/就业人数）（元人民币）
工业	74.0	10.5	14 282
建筑	8.8	18.1	6 631
交通	5.5	1.9	8 447
服务	9.8	2.5	6 791
农业	1.9	11.3	8 771

资料来源：*China Statistical Yearbook* 1996, pp. 387—390.

80 第三节　工业政策与经济表现

迅速实现工业化是新中国的头等大事。工业化的目的是提供源源不断的物资和机器以满足提高投资率的需要，同时也要提供军事装备以保证军事上的安全。为实现经济的结构性转变，这个新政权已经准备好了采取压制农业和服务业的政策，以及将消费维持在最低水平的方法，去获取工业化投资所需要的资源。

这个发展战略是成功的。2003 年的工业增加值相当于 1952 年的 126 倍。与之相比，农业增长的幅度却不大，其 2003 年的产出水平大约是 1952 年的 5 倍。结果是工业在 GDP 中所占比重由 1952 年的不足 8%上升到目前的 52%（参见表 3.2）。从产出所占的比例上来讲，中国现在已经是工业化程度最高的国家之一。其工业在 GDP 中的比重远超过美国的 17%，英国的 18%，日本和德国的 23%。

表 3.20　中国农业、工业、服务业的经济表现，1952—2003 年

	增加值、就业人数、劳动生产率的增长（年均复合增长率）							
	工业、建筑业		农业		服务业		全部经济	
	1952—1978	1978—2003	1952—1978	1978—2003	1952—1978	1978—2003	1952—1978	1978—2003
增加值	9.8	9.8	2.2	4.5	4.2	7.3	4.4	7.9
就业人数	5.8	2.8	2.0	0.5	3.2	6.5	2.6	1.9
劳动生产率	3.7	6.5	0.2	4.0	2.0	2.0	1.8	5.8

	劳动生产率水平（元人民币，1987 年价格，每个就业人员）		
	工业、建筑业	农业	服务业
1952	1 482	748	2 292
1978	3 128	781	3 831
2003	19 454	2 858	6 345

资料来源：Table C. 3 and D. 3.

但是，中国工业的从业人数却相对较低（2002 年时只达到 14%），因为这个部门的资本集约程度远超过大多数其他行业。结果是中国工业的劳动生产率处于反常的高水平。

在 1978 年以前，工业受到政府严格的控制，投资完全依靠政府拨款。国有企业部门发展得最快。它们规模庞大，所使用的工人是无产阶级中的佼佼者，可以享受充分的就业保障和相对丰厚的福利待遇。排在第二等级的是集体企业，这些企业的规模相对小些，资本集约程度较低，工人的福利待遇也不如国有企业。大多数过去从事小规模手工业的工人被并入到集体企业之中，但是有些传统的手工业活动被压制了或失传了。

自 1978 年以来的改革时期，政府放宽了控制。国有部门的相对重要性出现了明显的变化。国有企业的就业人数在 1992 年达到 3 500 万的高峰之后开始下降，到 2005 年仅剩下 600 万。这种自然衰亡过程的影响通过政府的干预而得到缓解。政府利用国有银行的资金，支撑那些经营亏损行将倒闭的国有企业。国有企业的衰亡过程有着严重的社会影响。享有大量社会福利和工作保障的国有企业工人的比重已经大幅度地降低了。

相比之下，非国有工业企业出现了迅速的扩张。1978 年时有 26.5 万家集体 81
企业。到 1996 年时已达到 160 万家集体企业。私有企业数目从无到有，此时已增长到620万家。这些非国有企业多数规模很小,大多分布在农村,由个人或乡、村一级政府经营。这些新企业成功的主要原因是其劳动力成本低于国有企业的劳动力成本。它们资本化的程度不高,同国有企业相比更容易对市场需求的变化做出反应。许多企业还得益于地方政府特殊的税收优惠。外国直接投资的大量涌入也是造成私营工业增长的一个主要因素。

在1978—1996年间,国有工业企业的平均规模几乎没有发生根本的变化,但是其他所有制类型的工业企业规模显著地缩小了,其平均职工人数由112人降为8人。这使得整个企业规模从平均175人降为14人(参见表3.21,C部分)。在计划经济时期,多数国家的企业规模要超过中国的企业规模。在1987年,苏联工业企业的平均雇员规模为814人。波兰也大致如此。捷克斯洛伐克企业的平均人数是苏联的2倍多。相比之下,美国平均的企业规模为49人,德国和英国为30人,法国是19人,而日本是16人。可见,中国在工业组织上的转变使其平均企业规模降到了多数先进资本主义国家的水平以下,大致接近日本的水平。但是,中国企业的平均规模仍然大大高于印度的水平,后者在1984—1985年时的制造业企业平均规模只是2.3人(以上关于企业规模的信息参考以下资料:有关苏联的资料参见Kouwenhoven, 1996;有关东欧的资料参见Ehrlich, 1985;有关资本主义国家的资料参见van Ark, 1993;有关印度的资料参见Lee and Maddison, 1997)。

现在,在工业增加值增长率方面,伍晓鹰的工作(Wu, 2002;参见附录B)为我们提供了一个很好的指标。他的研究提供了15个制造业行业,以及矿业、水、电、煤气部门的实际增长率指标。在增加值上我们还无法区分国有和非国有工业部门的实际增长率,但是在总产值上我们有很有力的证据。从表3.21的E部分提供的以现价计算的劳动生产率来看,国有部门在1978年以后的增长要慢于非国有部门。尽管国有部门的资本集约度大大高于非国有部门,前者的劳动生产率水平大大低于后者。

毛泽东时代的工业政策经历了两个阶段。1958年前的政策在剥夺国内私人企业方面是谨慎的。外国资产的大部分(占战前工厂资产的1/3)一开始就被没收了。其中一半是日本人的资产,在战争结束时已被没收。余下外国资产多数是在朝鲜战争爆发时作为对外国对华禁运的报复而被没收的。亲日伪政权的财产早已被国民党政府接收。1949年至1957年这个时期是新政权与国家资本主义共同存在的时期。私人企业或者接受国家订货,或者接受公私合营。一些私人企业的所有者在国有化之后被留用为企业的管理人员。大约有 110 万人从公私合营的财产中获得了一定的经济补偿,条件是根据他们资产评估后的价值以 10 年为期每年收到 5%的“定息”(参见 Riskin, 1987:97)。

私营工业企业在 1958 年“大跃进”时期被根除了。与此同时,农村的小规模工业有了巨大的发展,大量的劳动力被转移到后院炼铁、水泥、化肥和农具的生产。这些生产按照半军事化的方式进行。大约 3 000 万非熟练农民被错误地认为是多余的劳动力,因而被迫离开了他们的农场。工业从业人数从 1957 年的 2 300 万骤增到 1959 年的 6 200 万。但是,由于农业的严重歉收,以及大多数生产出来的工业产品无法使用,导致政策的急剧逆转。到 1963 年时,工业从业人员降回至 2 300 万人。

1978 年后,国有企业面对的竞争来自那些低成本、低工资的农村乡镇企业和私营企业的高速增长,沿海地区享受税收优惠的经济特区(SEZ)的迅速扩张,以及不断增长的进口——从 1978 年的 110 亿美元上升到 2005 年的 6 600 亿美元。这种竞争,再加上国家对国有企业管制的放松,使得后者的营业盈余急剧下降。

表 3.21　按所有制划分的中国工业经济表现,1952—1996 年 82

	1952	1978	1996
		A. 企业数量(千个)	
国有	n. a.	83.7	113.8
非国有	n. a.	264.7	7 872.7
总计	n. a.	348.4	7 986.5
		B. 就业人数(千人)	
国有	5 100	31 390	42 770
非国有	7 360	29 520	66 610
总计	12 460[1]	60 910	109 380
		C. 企业平均人数(年末,人)	
国有	n. a.	375	376
非国有	n. a.	112	8
总计	n. a.	175	14
		D. 总产值所有制结构(%)	
国有	41.5	77.6	28.5
非国有	58.5	22.4	71.5
总计	100.0	100.0	100.0

（续表）

	1952	1978	1996
	E. 劳动生产率（平均数＝100）		
国有	101.5	150.6	72.8
非国有	98.9	46.2	117.4
平均	100.0	100.0	100.0
	F. 增加值/总产值（%）		
总计	35.6	37.9	29.2

① 原文为2 460，疑印刷错误。——校者

资料来源：A. 1978年数据来自《年鉴》1984年第193页，1996年的数据来自《年鉴》1997年第411页。B. 1952年数据来自《年鉴》1984年第109和114页，1978—1996年数据来自《年鉴》1997年第98和109页。C. C的数据是从A和B的数据中推导出的。D. D的数据来自《年鉴》1997年第411页。E. E的数据是从B和D推导得出的。F. F中1952年的数据是从表B.1中推导出的。1978年后"增加值/总产值比率"下降的部分原因是小型非国有企业的迅速发展，同时也反映出生产结构的变化。《年鉴》1997年第424和428页列出1996年独立核算单位企业的增加值及总产值。国有企业的"增加值/总产值比率"为32%，而非国有企业"增加值/总产值比率"为26%。

表3.22 中国、日本、美国、苏联/俄罗斯的制造业经济表现，1952—1994年

	增加值（1985年价格，百万美元）				就业人数（千人）			
	中国	日本	美国	苏联/俄罗斯	中国	日本	美国	苏联/俄罗斯
1952	11 058	25 020	324 041	84 602	11 000	7 100	17 174	15 363
1978	105 185	357 958	730 655	395 739	53 320	13 260	21 784	32 913
1994	425 934	688 839	930 917	144 969	96 130	14 960	20 157	17 546
	劳动生产率（1985年价格，美元）				比较劳动生产率（美国＝100）			
1952	1 005	3 524	18 868	5 507	5.3	18.7	100	29.2
1978	1 973	26 995	33 541	12 024	5.9	80.5	100	35.8
1994	4 431	46 045	46 183	8 262	9.6	99.7	100	17.9

	制造业在总就业人数中的比重（%）			
	中国	日本	美国	苏联/俄罗斯
1952	5.3	18.4	25.4	18.3
1978	13.2	24.5	22.2	25.7
1994	15.6	23.2	16.2	25.3

资料来源：绝对值根据一系列ICOP研究工作的结果（Szirmai and Ren，1995；Pilat，1994；Kouwenhoven，1997），用1985年PPP＄转换。这些研究的基准年都采用了有关国家和美国的双边对比。我采用了以美国为中介的帕氏转换，将基准年结果同各国时间序列相结合。关于1952年的就业数据一般来自这些研究，其余来自OECD的资料或Maddison（1998）。

83

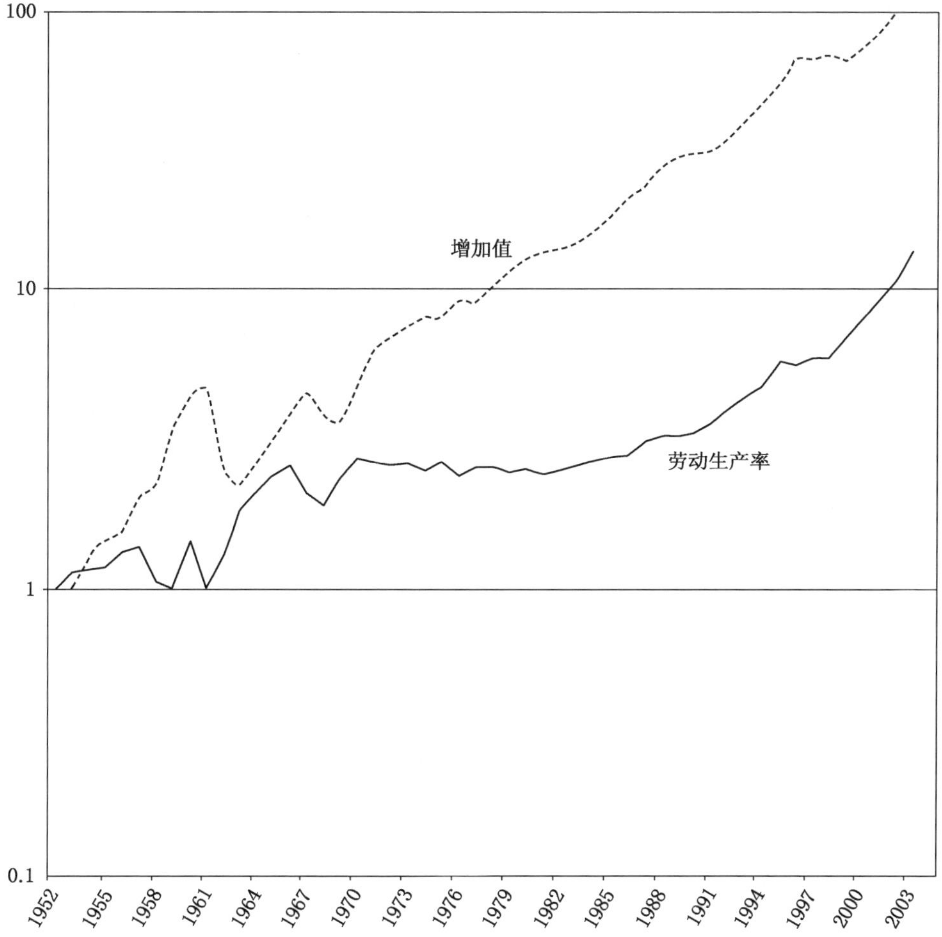

图 3.4　中国工业和建筑业增加值以及劳动生产率的变化，1952—2003 年

（指数，1952＝1，纵轴为对数标准）

资料来源：Table C. 3 and D. 3.

苏联在 1960 年终止对中国工业的援助是对中国的一个严重打击，因为这使很多雄心勃勃的投资项目半途而废。“文化大革命”的干扰又在 1967—1968 年间造成了工业生产的下降。

60 年代的“三线”建设规划也降低了工业投资的回报率。这是因为当时错误地认为核战争是不可避免的。由于这种战略上的考虑，这些项目建在了偏僻地区。像“大跃进”一样，这个规划也是一个失败。交通运输上的困难使其远离市场和原材料供应，因此影响了建设进度。这个规划在 70 年代被放弃了，让位给沿海地区的发展。

重大的政策失误和低下的管理水平相结合，导致了对投资和劳动资源的严重浪费。从1952—1978年，工业劳动生产率每年增长3.7%，但是资本的投入是巨大的。Chen等人(1988)估计在这期间国有工业企业的净资本存量的年增长率为13.3%。如果这可以应用到整个工业部门，它意味着这个时期的TFP每年仅增长0.5%(假定劳动投入的权重为60%，资本为40%)。而在1978—2003年这段改革时期，工业劳动生产率的年增长率达到了6.5%(参见表3.20)。

84 国有制造业在中国GDP中的比重已从1978年的31%降低到目前的大约10%。政府在关闭无法偿还银行贷款或企业间欠款的国有企业方面进展缓慢。按俄国方式不分青红皂白地全面私有化，看来不大可能是(政府)可以接受的一个选择。于是，大量贷款被允许拖欠，或者被一笔勾销。很多企业仍然在生产与市场需求相脱节的产品，使无法出售的产品大量积压。政府在1998年注资4 500亿美元，以便提高那些为国有企业提供贷款的国有银行的资本充足率。

国有制造业企业仍是国有或集体经济，政府可能会不得不与其相处相当一个时期。除非建立一个普遍的社会保障体系，不然的话，从政治上讲，也很难把这些企业的工人和管理人员解雇。随着私营企业变得更加繁荣，可以为工人支付较高的工资，那么就会吸引越来越多的国有企业的员工转向私营部门。

第四节 服务业

商业部门经历了国家政策的几度剧变。从1952—1978年商业活动受到严厉的压制而被削弱。自1978年以来，对零售业和餐饮业的控制几乎完全放弃了，其所有制结构又恢复到1952年前的状态。

从1952—1978年，虽然全国人口增加了2/3，从事零售商业、餐饮服务业和日杂货品的从业人员却从950万下降到610万。零售业商店、网点从550万个下降到130万个。农村和自由市场交易活动急剧下降，小商贩几乎灭迹。从事这些简单贸易活动的个人积极性的消失，意味着消费者生活质量的明显下降，加剧了物品短缺的影响，并且使生产者无法了解消费者的需求。[4]

1978年以后，这些活动在政府放宽限制之后迅速地发展起来，在农村地区尤其如此。开业无需大量资金或正式教育，所以从事这些活动的市场准入障碍很小。到1996年，零售业的93%、旅馆业的96%以及批发业的53%为私人所经营。

这个部门的就业从 1978 年的 1 100 万增加到 2002 年的 5 000 万。在 1978—2003 年期间，零售店的数量增长了 11 倍多，消费者的满意程度也随之提高了。很难理解取消该行业小资本主义经营活动的政策，曾经会成为国家的社会主义化战略的一部分。

第五节　对外关系的变化

在 20 世纪 50 年代，中国的对外贸易主要局限于苏联和其他几个共产主义国家。这反映了政治上的亲善关系，也反映了 1950 年 2 月斯大林—毛泽东协议的影响。在该项协议中，苏联同意向中国提供 3 亿美元的首期贷款用于购买投资设备，再加上提供大量苏联技术人员和苏式工程蓝图。在中国派遣志愿军入朝将联合国军赶出北朝鲜之后，欧洲、日本和美国在 20 世纪 50 年代后期对中国实行了联合禁运，此时苏联的援助加强了。1957 年时，英国、日本和大多其他国家取消了对中国的禁运，但是美国对中国的资产冻结和全面禁运一直持续到 1971 年。

对外贸易曾经完全由国家垄断并主要集中于生产资料和技术的进口。从共 85
产主义国家集团进口的设备大约占 20 世纪 50 年代对机械制造业投资的 1/3（参见 Chao，1974），这对中国的军事发展也是十分重要的。苏联的援助项目包括机床、卡车、拖拉机、石油工业、发电设备、喷气式飞机和潜艇建造、实验性核反应堆和其他与核技术相关的技术。在 1958 年，苏联停止支持中国的核武器计划，但其早期的援助肯定促进了 1964 年中国第一颗原子弹和 1969 年（应为 1967 年——校者）中国第一颗氢弹的成功研制。中苏关系在 20 世纪 50 年代末期恶化了，苏联停止了贷款，并在 1960 年突然撤走了技术人员。中国原希望依靠苏联的合作到 1967 年完成 290 个重点项目工程，但到中苏关系分裂时才完成了其中的 130 个。许多钢铁和水电工程在苏联专家撤走时尚未完工（苏联专家同时还带走了图纸）。因为当时中国正处在由于"大跃进"造成的混乱和无组织状态之中，所以苏联的决定对中国的投资和工业发展更是雪上加霜。食物短缺迫使中国在 20 世纪 60 年代不得不从澳大利亚和加拿大大量进口粮食，这就减少了中国可以用于进口机械设备的资金。

在 20 世纪 60 年代，中国的处境非常孤立。其出口在 1959—1970 年间降低了 1/5，来自共产党国家的进口从 1959 年占其进口总额的 66%降低到 1970 年的 17%。中国与美国没有任何贸易往来。国际信贷仅仅局限于西欧和日本的短期和中期贷款，用于建设化工厂、化肥厂和塑料厂。与此同时，中国不得不支付欠苏联的债务，并且还开始了一个向亚洲和非洲国家提供价值约 10 亿美元的贷款项目。从 1950—1964 年，海外华人的年均汇款仅为 3 000 万美元，而 1929 年的水平为 1.8 亿美元。在利用世界市场和资本方面，中国远不如大多数其他亚洲国家幸运（参见表 3.23 和表 3.24）。在 1952—1978 年间，韩国得到的外资相当于其 GDP 的 7.8%，台湾地区是 2.5%。幸运的是，在这个严酷的时期中，中国内地对香港地区的大量贸易顺差为其提供了可观的外汇收入和贸易联系，成为克服禁运的一条途径。

20 世纪 70 年代中期后形成的新的政治领导，决定放弃以往封闭的、自力更生的政策，开放中国经济，从而使中国可以像其他几个亚洲国家那样从世界经济的增长中受益。中央开始放松对外贸和国际支付的控制。外贸决策权下放到授权的企业和省政府当局，原先外贸和国内市场价格之间僵硬的壁垒开始逐步被取消，外贸开始可以更多地由市场因素所决定。从 1957—1970 年，人民币汇率没有发生任何变化。在 1970—1980 年之间，当局反而将人民币升值。从 1980—1995 年，当局将人民币对美元的汇率贬值了 5 倍。随后，在 1995—2005 年期间，人民币汇率被固定在 12 美分＝1 元的水平上（8.33 元＝1 美元）。这使得中国产品非常具有竞争力，它是中国出口迅速扩张的主要因素。为了防止人民币升值，中国中央银行大量购买美国政府债券，最终积累了上万亿美元的外汇储备。这种做法看来相当过分，这些资产完全可能得到更为有效的利用。但是，中国政府的做法是为了保护国家政治上的独立性以及对国际事务的影响力。从 2005 年开始，当局开始允许人民币逐渐升值。

新政策中的一项重大举措是建立经济特区。经济特区是自由贸易区，在那里，进口的投资品和出口商品都是免税的，同国际水平相比工资是非常低的，并且对新企业还有大量的免税优惠。1980 年，中国成立了 4 个经济特区：它们是广东的深圳（毗邻香港）、珠海（毗邻澳门）和汕头，以及台湾岛对面的福建厦门（这是被厦门方言称为 Amoy 的一个古老贸易港）。深圳特区是其中面积最大的（328 平方公里），它已经从 1979 年的一个只有 23 000 名居民的农村小镇，发展成为今天一
86 个拥有 1 700 万居民的大都市区。深圳已经成为大香港经济的一部分。香港工业的主体早已迁到这个低工资的地区。香港的航运代理机构、金融设施、与世界市场的广泛联系，使在此落户的新工厂的出口得以迅速增长。1984 年，14 个沿海城市在扩大的涉外经济活动范围内对外开放。长江三角洲的城镇和上海也加入了

这一进程。1988 年,海南岛成为中国第五个经济特区。

中国出口额从 1952—1978 年增长了 1 倍,而从 1978—2003 年增长了 28 倍。1978 年,出口额(按人民币现价计算)只相当于 GDP 的 4.6%(据官方统计资料计算),到了 2003 年,这个比率上升到 26.6%(参见表 3.26)。然而,这些比例夸大了出口的重要性,因为它是按照世界价格计算的,而中国总的价格水平是非常低的。如果将中国以不变美元价格计算的出口与利用购买力平价(PPP)而不是汇率折算的国际元 GDP 来计算,那么中国的出口占 GDP 的份额是相当小的——仅仅从 1978 年的 1.7%上升到 2003 年的 7.3%(参见表 3.25 和附录 C)。这些比率更为实际地反映了出口在整个经济中的重要程度。到 2003 年,中国的出口额只占世界贸易的 5.9%,这同 1978 年的 0.8%相比已经有了相当大幅度的增长。

表 3.23 比较 7 个国家和地区出口贸易增长表现,1929—2003 年

(年均复合增长率)

	1929—1952	1952—1978	1978—2003
中国	1.1	2.6	14.3
日本	−0.2	13.2	4.1
韩国	−13.1	26.1	11.2
中国台湾地区	1.7	16.6	7.8
德国	−2.3	10.0	4.8
英国	1.6	4.6	3.1
美国	2.3	5.2	5.9

资料来源:Maddison(1995a) updated.

表 3.24 比较 7 个国家和地区按照不变价格计算的出口贸易,1929—2003 年

(百万美元,1990 年价格)

	1929	1952	1978	2003
中国	6 262	8 063	16 076	453 734
日本	4 343	4 163	147 999	402 861
韩国	1 292	51	21 146	299 578
中国台湾地区	261	385	20 693	134 884
德国	35 068	20 411	241 885	785 035
英国	31 990	45 597	148 487	321 021
美国	30 368	51 222	190 915	801 784

资料来源:中国资料来自表 3.26,其他国家资料来自 Maddison(1995a),根据 Asian Development Bank, OECD, Economic *Outlook*, IMF *International Financial Statistics* 资料更新。中国台湾地区的资料来自当地官方出版物。

从20世纪70年代早期,中国正常参与世界贸易的机会逐步地,或多或少地得到了改善。1971年中国恢复了在联合国的合法席位。1972年中国同日本和美国的关系通过国事互访而得以改善,并最终同日本建立了正式外交关系,也同美国建立了事实上的外交承认。美国遂取消了对中国的贸易禁运政策。在1979年中美两国正式建立外交关系后,双方财产权的问题得以处理,资产被解冻,美国给予中国关税最惠国待遇。1980年中国加入国际货币基金组织和世界银行;1986年中国加入亚洲开发银行。1982年中国被授予《关税及贸易总协定》(GATT)的观察员身份,同时开始了为加入该组织和世界贸易组织(WTO)的长期努力,终于在2001年实现了这一目标。

87 **中国从国际孤立中崛起:1949—2001编年史表**

1949年10月	中华人民共和国成立,同年获得缅甸、印度和共产主义国家的外交承认。1950年获得阿富汗、丹麦、芬兰、以色列、挪威、巴基斯坦和英国的承认。
1950年2月	苏联同意提供资金和技术援助,总共14亿美元的贷款和1万名技术人员。中国承认外蒙古独立,同意在一定期限内中苏共同经营中国长春铁路,苏联在旅顺港和大连港驻军,也同意苏联在新疆采矿。
1950年6月25	朝鲜战争爆发。
1950年6月27	美国改变在台湾问题上的中立立场,派遣第七舰队进驻台湾。
1950年10月	中国派遣中国人民志愿军(最终达70万人)赴北朝鲜,迫使逼近中国边境鸭绿江的联合国部队后撤。
1950—1951年	中国军队进驻西藏。
1953年7月	朝鲜停战。
1958年	中国通过金门和马祖事件威胁台湾。赫鲁晓夫撤回原子弹援助。
1959年	西藏叛乱,达赖喇嘛逃往印度。
1960年	苏联撤走专家,放弃未完成的项目。
1962年	中国在新疆至西藏的阿克赛钦公路段与印度发生边境冲突。
1964年	中国第一颗原子弹实验成功。随后在1969年(应为1967年。——校者)中国成功地实验了第一颗氢弹。
1963—1969年	中国与苏联在中苏边界发生边境武装冲突。中国遂提出在东北地区和新疆与苏联的边界问题。
1971年4月	美国取消对中国的贸易禁运。
1971年10月	中国恢复在联合国的合法席位,台湾当局遭到驱逐。
1972年2月	尼克松总统访问中国。
1972年9月	日本首相田中角荣访华,日中关系正常化。
1973年	美国和中国建立事实上的外交关系。
1978年12月	美国与中国建立正式外交关系,不再承认台湾。
1979年2—3月	越南驱逐华侨以及在柬埔寨摧毁红色高棉政权,引起了中越边境之战。
1980年	中国被接纳为世界银行和国际货币基金组织的成员。
1986年	中国加入亚洲开发银行。
1997年	香港主权回归中国。
1999年	澳门主权回归中国。
2001年	中国被世界贸易组织接纳为正式成员。

资料来源:MacFarquhar and Fairbank(1987, 1991).

在20世纪50年代，中国的出口局限于食物、原材料和纺织品方面。经过一段时间的发展，轻制造业产品所占的份额上升了，到1978年，轻制造业产品已占总出口额的一半。但是到了2005年，中国的出口结构已经相当多元化了，各种制造业产品已经占出口总额的86%。与此同时，中国的进口结构也出现了多元化(参见表3.27)。生产资料和中间产品仍占主导地位，某些消费品的进口给中国国内市场带来了竞争压力。食品进口相对较少。从20世纪70年代起，中国贸易对象的地理分布也出现了多元化(参见表3.26)。

在1978年时，中国没有任何外债，事实上也没有外国直接投资。在此之后，年度外国直接投资额从1990年的35亿美元提高到2005年的600亿美元。1979—2005年期间的外国直接投资累计超过6 200亿美元(2006 *Yearbook*，752)。这些资金的一部分来自居住在世界各地的华人投资者，他们不但跟中国保有联

表3.25　中国出口贸易表现，1870—2003年 88

	商品出口(百万美元，1990年不变价格)	出口占GDP的比重(GDP以1990年百万国际货币计算)	商品出口(百万美元，名义价格)	中国出口占世界出口的比重(%)(名义价格计算)
1870	1 398	0.6	102	2.0
1913	4 197	1.2	299	1.6
1929	6 262	2.3	660	2.0
1952	8 063	2.6	820	1.0
1978	15 639	1.7	9 750	0.8
1990	62 090	2.9	62 090	1.9
2003	453 734	7.1	438 230	5.8

资料来源：第一栏由表E.4的物量指数和1990年出口额得出。第二栏由第一栏除以表C.3按照1990年国际货币(PPP)计算的GDP得出。中国出口名义额来自表E.2。世界出口名义额来自Maddison(1995a，238)，根据IMF，*International Financial Statistics* 更新。

表3.26　中国商品贸易对象的地区分布，1952—2005年

(贸易总额=100)

	苏联	其他共产党国家	美国	中国香港地区	日本	澳大利亚、加拿大	西欧
				出口商品目的地			
1952	47.4	21.7	0.0	n.a.	n.a.	n.a.	n.a.
1959	49.3	23.1	0.0	n.a.	0.9	n.a.	n.a.
1965	11.1	20.9	0.0	17.4	10.9	2.7	14.7
1970	1.1	21.9	0.0	22.3	10.7	3.0	16.9
1978	2.5	12.9	3.2	22.3	19.3	2.2	12.5
2005	2.9	2.3	21.5	16.3	11.0	3.0	18.2

（续表）

	苏联	其他共产党国家	美国	中国香港地区	日本	澳大利亚、加拿大	西欧
				进口商品始发地			
1952	54.2	15.8	0.0	n. a.	n. a.	n. a.	n. a.
1959	46.4	19.9	0.0	n. a.	0.02	n. a.	n. a.
1965	10.3	17.6	0.0	0.3	13.9	16.8	18.9
1970	1.1	15.8	0.0	0.5	26.7	12.9	29.4
1978	2.3	12.5	8.4	0.6	29.8	9.0	22.7
2005	2.4	0.9	7.4	1.9	15.2	3.6	11.7

资料来源：1952 年、1959 年和 1965 年数据来自 JEC(1975，631，648—649)；1970 年数据来自 JEC(1978，734—735)；1978 年数据来自 JEC(1982，41—42)；1959 年日本数据来自 JEC(1982，115)；2005 年数据来自国家统计局，*China Statistical Yearbook*(2006，720—743)。

表 3.27 中国主要贸易品，2005 年

（百万美元）

	出口	进口
纺织品	107 661	23 445
机器、电子设备、录像机等	322 008	271 119
鞋、帽、珠宝首饰品等	28 306	4 141
皮毛制品、橡胶及塑料制品	38 887	44 317
化学品	31 853	50 583
光学仪器、摄影设备、其他仪器	28 398	51 188
交通设备	28 410	19 835
金属即金属制品	57 086	56 593
木制品、纸制品	12 684	16 749
食品及与食品相关的产品	26 462	22 188
各种矿石	33 177	95 667
其他商品	47 023	4 119
总计	761 953	659 953

资料来源：NBS，*China Statistical Yearbook*，2006，pp. 738—739.

系，而且知道如何在机会巨大但法律保护极不健全的环境中进行经营。其中也有很重要的一部分来自中国大陆的投资者，他们通过香港迂回地将其资金转变成外资，以便享受经济特区的税收优惠。经济特区一直是培育中国资产阶级的重要温
89 床，同时也是成功实现技术转移的重要工具。当然，给予经济特区企业特权也造成了资源配置上的扭曲。经济特区是国内和国外投资者的免税天堂。如果全国税赋水平一致，经济特区中重要的投资可能会投向其他地区。税收和关税优惠的

目的是为了促进技术转移，加强出口贸易，但是也导致了非法进口免税消费品，然后通过走私，流出经济特区高价卖给内地市场（最典型的例子是 1984 年至 1985 年发生在海南的轿车走私事件）。经济特区的这些特权与 19 世纪的那些通商口岸所享受的特权有异曲同工之处，那就是，它们都扩大了沿海与内地的收入差距。

同外国直接投资相比，中国在国际借贷方面是相对谨慎的。从 1979 年至 2005 年，中国的国际借贷为 1 470 亿美元，其中大多数为长期和中期贷款。它的债务结构表明，中国不会因为投资者信心的突然变化而受到严重影响。中国从未拖欠过外债，并持有大量的外汇储备。由此看来，中国对世界的开放无后顾之忧，这与亚洲和拉丁美洲的一些国家，以及苏联和东欧共产党国家集团的情况完全不同。

第六节　宏观经济管理与变化中的财政和货币政策

从 1952—1978 年，中国政府实行的是指令性计划经济。国家提供投资资金并决定在哪些部门使用。生产资料和劳动力的投入按国家的指令执行，价格由国家控制，重要的消费品由国家进行补贴和配额供给。银行和金融部门的规模受到限制，并按照国家指令运作。政府牢牢地控制对外贸易，也不允许任何外国直接投资。

财政制度和计划体系是紧密相连的。政府最重要的支出是“经济建设”支出，它包括投资、行政管理和支持经济中主要生产部门的服务性活动。集体农场、国有和合作企业的一些投资和经营费用由自有资金支付，只有微不足道的经费采用银行借款、发行债券和股票这些资本主义经济的手段。

在财政收入方面，政府大部分的财政收入从它所资助的企业获得。除了“大跃进”年代和“文化大革命”初期以外，毛泽东时代的财政政策还是比较谨慎的，收入一般大于支出。早期从苏联借的款项到 1965 年时已经全部还清，到了 1978 年，中国既无外债，也无内债。从 1952—1978 年的通货膨胀率平均每年为 1.7%。

自从 1978 年以来，经济的性质发生了根本性的变化。政府在投资和控制发展方面的直接作用戏剧性地减少了。国有企业原先对财政的贡献消失了，取而代之的是国家大规模的净财政补贴。由于多数税赋由地方政府征集，他们在经济利益上关心由他们所经营或管理的企业的利润。他们为地方企业和经济活动减免税收,这是造成政府财政收入下降的第二个主要原因 。国家财政收入占 GDP 的比例从 1978 年的 31%降到了 2005 年的 17%。受财政收入减少的影响,政府的支出也明显地下降。然而,政府的国内债务的增长并不快,2005 年时还不到当年 GDP 的 16%。不过,1978 年至 2003 年期间的通货膨胀率远高于毛泽东时代,达到了年平均 5.5%。

90 **表 3.28 中国政府收入与支出的规模与结构,1952—2005 年**

(占官方估计的现价 GDP 百分比)

	政府分项净收入			
	收入总额	税收	企业净利润收入	其他
1952	25.6	14.4	8.4	2.8
1965	27.6	11.9	15.4	0.3
1978	31.2	14.3	15.8	1.1
1995	10.3	10.1	−0.6	0.9
2005	17.3	15.7	−0.1	1.7

	政府分项支出					
	支出总额	经济建设	文化教育	国防开支	行政支出	其他
1952	25.9	10.8	3.1	8.5	2.3	1.2
1965	27.1	14.8	3.6	5.1	1.5	2.1
1978	31.1	19.7	4.0	4.6	1.5	1.0
1995	11.4	4.8	2.9	1.1	1.7	1.0
2005	18.5	5.1	4.9	1.4	3.6	3.6

资料来源:1952 年和 1965 年财政支出与收入数据来自国家统计局《年鉴》1993 年第 187—189 页,1978 年和 2005 年数据来自《年鉴》2006 年第 281—283 页。这些数据包括中央和地方政府的财政收入和支出,但不包括政府借款。

改革的措施包括:政府放松对农业生产决策的控制,给企业家发挥作用的余地,并鼓励地方政府和私人的生产性活动。增长着的资本主义部门能够以低工资雇用工人,而且不提供失业保障和社会福利,也没有工会保护工人利益。国有企业的衰落大幅度减少了国有职工享有的,在健康、教育、住房、养老金和就业方面的丰厚利益。国家提供的养老和福利保障是微不足道的,其支出只相当于 2005 年 GDP 的 0.04%。从 20 世纪 90 年代开始,国家对教育实行收费制度,教育收费遂成为预算收入的一个重要项目(占 2005 年财政收入的 1.1%)。但是,这对贫困家庭构成了沉重负担。

在俄罗斯,从指令性经济向市场经济的转型是残酷的,它摧毁了私人存款。

在中国，这个转型处理得相对较好，没有出现过度通货膨胀，政府保持了良好的国际信用，没有造成资本外逃。曾有几年需要强硬的通货紧缩措施以稳定增长，但得到了妥善的处理。经济增长加速和个人收入提高的结果，使私人存款出现了大幅度的增加。

家庭储蓄的爆炸性增长和经济的迅速货币化是防止金融危机的最重要的因素。大多数私人储蓄都被存入国有银行，从而政府在货币化过程中获得了巨大的利益。这些新储蓄资金的增长远远超过了因为国有企业营业盈余的急剧下降和预算存款的消失对国有银行的影响。在改革以前，家庭存款是微不足道的，而现在家庭存款相当于家庭收入的 1/4。1978 年，货币供给量（即现金和活期存款）还不到 GDP 的 1/3，但是到了 2005 年，货币供给量已经超过了 GDP 的规模。直到 1978 年，中国人民银行只是财政部的一个部门，事实上控制着所有的金融和保险交易。自 1978 年以来，政府建立了更综合的国有银行体系。中国人民银行现在已成为中央银行，这个体系包括 4 家大型商业银行，以及一大批投资银行、保险公司、城市和农村的信用合作社。银行采取对存款支付利息的办法吸引客户，并扩展自己的分支网络。1981 年时政府发行了债券。最初，大部分债券属于强迫储蓄性质，但是政府提高了利息率。1988 年二级债券市场建立了。证券交易所在 1949 年被关闭，1990 年上海证券交易所开业。随后，深圳证券交易所在 1991 年开业。到 2006 年底，在这两个交易所上市的公司一共达到了 1 200 家，其中在上
海上市的 840 家公司的市值达到了 9 150 亿美元。2006 年上海证券交易所与香 91
港证券交易所（其总市值大于前者）成功地完成了中国工商银行（ICBC）上市，售出了市值为 219 亿美元的 ICBC 股票。

中国财政预算中一个极为引人注目的变化是军费支出由 1978 年占 GDP 的 4.6%降到了 2005 年的 1.4%（参见表 3.28）。这主要因为军队被鼓励参与经济活动以自筹军费。军队人员参与了一系列制造业的生产活动，包括制造药品、光学设备、钢材以及武器弹药，等等。他们也参与了物业、金融、酒店和旅游服务业。他们还与其他企业合资，并且已经成为重要的出口商。这种情况可能降低了军队的备战意识，也可能助长了腐败。但是它也改善了士气，特别是提高了高级军官的士气，其结果可能是加强了军队对经济改革的支持。

注 释

[1] 巴克所调查的省份代表了中国耕地面积的83.5%。未调查地区中最大的是满洲地区4省,大约有15.4%的可耕地,那里的农场规模比较大(参见Liu and Yeh, 1965:129,他们的研究提供了30个省份耕地面积的估算值)。

[2] 这些是巴克所调查地区的数字,其中包括东北三省,复种比率为1.32。

[3] 斯金纳(Skinner, May 1965:372)就取消市场作了如下评论:"持续了多少世纪的,成千上万个集贸市场的传统交易周被突然中断了……对中国的大部分地区来说,取消定期的集市交易使商品集散立即陷入了瘫痪状态。"

[4] 如果将表3.24中官方的1952年和1957年的商业从业人员数字,与刘大中和叶孔佳(Liu and Yeh, 1965)在表D.5中对同一时期的商业从业人员的估计加以比较,可以清楚地发现前者并没有把小商贩包括在内,所以官方数字低估了这些服务业活动的下降程度。

第四章 93

问题与前景：展望 2003—2030 年的中国与世界经济

第一节　中国经验和 2003—2030 年的中国经济

由于经济政策的成功，中国在 1978—2003 年间实现了人均收入每年 6.6％的增长速度。这个速度超过了所有其他亚洲国家，而且大大快于美国和西欧 1.8％的增长速度，相当于世界平均水平的 4 倍。中国的人均 GDP 水平从世界平均水平的 22％提高到 63％，中国在世界 GDP 中的比重从 5％提高到 15％。它已经成为世界上仅次于美国的最大经济体。1998 年，当多数东亚国家受到外汇危机的打击出现大规模衰退时，中国只受到很小的影响。[1]根据我们相当谨慎的假定，中国可能在 2015 年前后超过美国成为世界上最大的经济体。它的 GDP 水平可能会在 2030 年时达到世界总量的 1/4，其人均收入水平会超过世界平均水平的 1/3。到 2030 年时，中国经济对世界经济增长的影响，以及它在地缘政治中的作用，肯定会大大超过 2003 年。

中国仍然是个收入较低的国家。在 2003 年，它的人均收入水平仅相当于美国的 17％，日本的 23％，以及韩国的 31％。同世界技术前沿相比，具有与中国相同差距的国家都可能实现快速增长，但做到这一点的条件是有效地动员和配置物质及人力资本，接受同其自身要素相匹配的外国技术，以及利用同世界经济接轨所带来的机会，实现专业化生产。中国在改革时期的经验说明了它有能力做到这些。

中国这种追赶发达国家的过程可能在随后的 1/4 个世纪中持续。但是如果假定未来的增长将同 1978—2003 年期间的增长一样快是不现实的。在过去的这个时期，它因农业资源的重新配置而获得了巨大的效率提高，不过这是一次性的。它还经历了外贸方面爆炸式的迅速扩张，以及通过大规模的外国直接投资而加快吸收外国技术。随着逐渐接近世界技术前沿，中国增长的步伐就会放慢。我假定从2003—2030年人均收入会以平均每年4.5%的速度增长，但增长速度将是逐渐放慢的。具体来说，我假定2003—2010年期间的年增长率为5.6%，2010—2020年期间为4.6%，2020—2030年期间略高于3.6%。按照这样一个假设的情况，到2030年时，中国的人均收入会达到西欧1990年的水平，或日本1986年的水平。这也就是西欧和日本追赶过程停止的时候。在接近那个水平时，技术进步的成本就会更高，因为要用技术创新取代技术模仿。然而，到2030年时，世界技术前沿还会进一步外移，所以中国在那之后仍然存在一些追赶的余地。

94

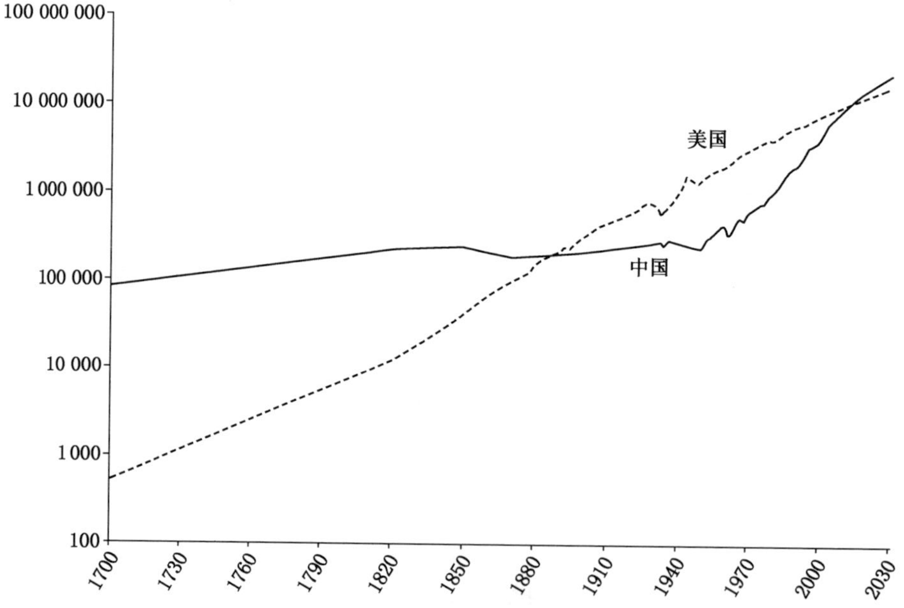

图4.1　比较中国和美国的GDP规模，1700—2030年

（百万国际元，1990年价格）

资料来源：www. ggdc. net/Maddison, Maddison(2007).

在改革时期，中国的就业增长速度几乎达到人口增长速度的2倍，主要因为人口结构的变化使劳动年龄人口比重由54%提高到70%，而且女性参与经济活动的人口也出现了大幅度的增加。到2030年，看来人口增长可能会显著减速，劳动年龄人口比重也会出现一定的下降。与此同时，平均劳动小时也可能会减少。

因为工资水平的提高可以使人们支付得起闲暇活动。但是，劳动力教育水平的改善速度会减慢。在 1952—2003 年间，教育水平提高了 6 倍，但是从现在到 2030 年它的增长速度不可能超过 50%。这样看来，我们可能有理由预期，从 2003—2030 年，按劳动力质量调整过的劳动力投入的年增长率为 0.5%，而不再会是 1978—2003 年期间的 3.2%（参见表 3.9）。

我在 1998 年对 1995—2015 年的中国经济进行预测时，曾经提到中国可能要面对三个主要国内经济问题：①关闭大量亏损的国有企业；②改造它的金融体系，这个体系具有大量的，而且还在不断增长的不良资产；③中央政府虚弱的财政地位需要加强。这些是从指令经济向市场经济转型中的典型问题。无法解决这些问题是大多数前苏联经济体在 20 世纪 90 年代出现令人沮丧的经济表现的主要原因。然而，中国在解决这些问题或减轻它们的危害方面所取得的成功超过了我的预期。再有，就是中国与世界经济接轨的速度远超过那些前苏联经济体。

在下面的表中，我们显示了中国在世界经济中的比较地位，即它在 1978—2003 年期间的增长表现，以及它在 2003—2030 年期间的前景。我们将中国的情况同其他 4 个大国进行了比较，它们是印度、日本、俄罗斯和美国。加上中国后这 5 个国家在 2003 年时的 GDP 占世界 GDP 总量的 50%。

在表 4.1a 和表 4.1b 中，我们清楚地看到中国的经济增长在 1990—2003 年期 95
间超过了其他 4 个大国。其中最鲜明的对比是与俄罗斯的对比，因为它也处在从指令型经济向市场经济转变的努力之中。在 1990 年时，中国的 GDP 总量还不到俄罗斯的 2 倍，但是到 2003 年时它已经超过了俄罗斯 6 倍。因此，值得总结造成中国这种卓越经济表现的原因。

表 4.1a　GDP 增长表现的比较：俄罗斯、日本、中国、美国、印度，1990—2030 年

	GDP 水平（十亿 1990 年 PPP $）					中国相当于下列国家水平的%			
	俄罗斯	日本	中国	美国	印度	俄罗斯	日本	美国	印度
1990	1 151	2 321	2 124	5 803	1 098	185	92	37	199
1991	1 093	2 399	2 264	5 792	1 112	207	94	39	204
1992	935	2 422	2 484	5 985	1 169	266	103	42	212
1993	854	2 428	2 724	6 146	1 238	319	112	44	220
1994	745	2 455	2 997	6 396	1 328	402	122	47	226
1995	715	2 504	3 450	6 558	1 426	483	138	53	242
1996	689	2 590	3 521	6 804	1 537	511	136	52	229
1997	699	2 636	3 707	7 110	1 611	530	141	52	230

（续表）

	GDP 水平（十亿 1990 年 PPP $）					中国相当于下列国家水平的%			
	俄罗斯	日本	中国	美国	印度	俄罗斯	日本	美国	印度
1998	662	2 609	3 717	7 407	1 716	561	142	50	217
1999	704	2 605	3 961	7 736	1 820	563	152	51	218
2000	774	2 667	4 319	8 019	1 900	558	162	54	227
2001	814	2 673	4 781	8 079	2 009	587	179	59	238
2002	852	2 664	5 374	8 209	2 080	631	202	65	258
2003	914	2 699	6 188	8 431	2 267	677	229	73	273
2015	1 300	3 116	12 271	11 467	4 665	944	394	107	263
2030	2 017	3 488	22 983	16 662	10 074	1 139	659	138	228

表 4.1b　人均 GDP 增长表现的比较：俄罗斯、日本、中国、美国、印度，1990—2030 年

	GDP 水平（十亿 1990 年 PPP $）					中国相当于下列国家水平的%			
	俄罗斯	日本	中国	美国	印度	俄罗斯	日本	美国	印度
1990	7 779	18 789	1 871	23 201	1 309	24	10	8	143
1991	7 373	19 355	1 967	22 849	1 299	27	10	9	151
1992	6 300	19 482	2 132	23 298	1 341	34	11	9	159
1993	5 752	19 478	2 312	23 616	1 390	40	12	10	166
1994	5 020	19 637	2 515	24 279	1 463	50	13	10	172
1995	4 813	19 979	2 863	24 603	1 538	59	14	12	186
1996	4 645	20 616	2 892	25 230	1 630	62	14	11	177
1997	4 717	20 929	3 013	26 052	1 680	64	14	12	179
1998	4 475	20 662	2 993	26 824	1 760	67	14	11	170
1999	4 776	20 594	3 162	27 699	1 835	66	15	11	172
2000	5 277	21 051	3 421	28 403	1 885	65	16	12	181
2001	5 573	21 062	3 759	28 347	1 963	67	18	13	191
2002	5 865	20 969	4 197	28 535	2 012	72	20	15	209
2003	6 323	21 218	4 803	29 037	2 160	76	23	17	222
2015	9 554	24 775	8 807	35 547	3 663	88	36	25	240
2030	16 007	30 072	15 763	45 774	7 089	98	52	34	222

资料来源：表 4.1a 和表 4.1b 中，1990—2003 年数据来自 www.ggdc.net/Maddison；2015 年和 2030 年的数据根据表 4.2 和表 4.3 得出。

96 （1）中国的改革者们将农业改革摆在了第一位，使个体农户有机会通过自己的努力提高收入水平。俄罗斯的改革者们或多或少地忽视了农业中个体农民曾经在 20 世纪 20 年代被斯大林扼杀了的创业潜力。中国政府鼓励乡镇和村庄中的企业进行小规模的制造业生产。地方官员和党的精英们可以因为成功地经营这些企业，而有机会合法地大幅度地提高他们的个人收入。

（2）中国没有出现苏联所经历的国家解体。中国的少数民族只占很小的比重，尽管中国幅员辽阔，但它是一个民族国家，而不是一个（统治多个民族国家的）帝国。通过耐心的外交途径和对完全资本主义自治区域的认可，香港和澳门以特别行政区的身份成为中国经济的一部分，这个重新整合推动了经济增长。

(3) 改革时期的中国也大大受益于为数众多的海外华人。在外国直接投资和来自海外的企业家中，有很大一部分是来自新加坡、中国香港地区和中国台湾地区，以及世界其他地方的华人。

(4) 中国改革的起点是非常低的劳动生产率和收入水平。在1978年开始经济改革的时候人均收入还不到苏联水平的15%，工业化水平也比苏联低得多。如果改革政策选择适当，落后是一个志在追赶的国家的有利条件。收入水平大大落后于中国香港和台湾地区、日本、马来西亚、韩国、新加坡的事实，使它可以较容易地利用这种落后所带来的优势（advantage of backwardness），从而进行大幅度的结构调整。这意味着同其他国家和地区相比，中国的高速增长能够延续得更久。

(5) 中国的计划生育政策降低了出生率，改变了人口结构，这对经济增长是有益的。从1978—2003年，劳动年龄人口由54%提高到70%。中国的预期寿命提高了，而在俄罗斯，预期寿命却在下降。

(6) 政府当局对恶性高通货膨胀的风险非常敏感，这是因为中国在国民党政府统治时期经历过这种恶性通货膨胀。中国的私人储蓄并没有像在俄罗斯那样被（高通货膨胀）毁掉，而是得到了鼓励，并且实现了巨额的增长。这是中国可以有如此高的投资水平的原因。俄罗斯的休克疗法（shock therapy）引起了高通货膨胀、大规模资本外逃、货币崩溃，最后是无法偿还的外债。相比之下，中国保持了国际信用，也几乎没有出现资本外逃。它所提供的税收优惠吸引了大量的外国直接投资，因而推动了它的技术进步。

(7) 国有部门并没有被私有化。中国如今出现了很多富有的企业家，其中一些人也受到政府的青睐。然而中国并没有通过俄罗斯那种廉价出售国有企业的做法创造超级富豪。在《福布斯》（*Forbes*）2007年公布的世界最富有的100名亿万富翁之中，俄罗斯有13个，中国香港地区有3个，而中国大陆一个也没有。

(8) 中国付出了巨大的努力以同世界经济接轨。它把推动制造业产品的出口放在至关重要的地位，在沿海地区创立了免税的特区。出口也由于保持了低估的币值而获益。而俄罗斯经济始自1998年的复兴，主要来自其出口的石油和天然气价格的上涨。如果加上香港地区，中国如今已经是最大的出口国，占世界贸易总额的11%。2006年,包括了香港地区以后的出口额为12 860亿美元。相比之下,德国处于第二位,达11 260亿美元,美国为10 380亿美元,日本为6 500亿美元,而俄罗斯处于第七位,其出口额为3 050亿美元(参见IMF, 2007年4月刊,*International Financial Statistics*)。

第二节 中国仍然面临的严重问题

中国仍然面对我在本书1998年版时提出的某些问题,那就是,①中央政府需要大力加强自己的财政资源,从而资助在教育和医疗保健方面的公共支出,缓和地区间的收入和机会不平等;②政府仍然需要关闭亏损的国有企业,虽然这一问
97 题的重要性已经大为减弱了;③政府在改善有大量不良资产的银行系统、提高它的偿付能力和效率方面已经取得了明显的进展。如今多数的不良资产被注销了。通过在香港和上海的股票市场上市,中国已经吸引了外国投资者对其国有银行进行参股。在2005年6月之后的两年期间,中国通过这种方式为其银行系统实现了600亿美元以上的融资,同时一些外国银行已经被允许在中国进行经营。中国已经积累了12 000亿美元的外汇储备,并且已经开始对海外进行大规模的投资,以保证未来原材料和能源的供给。中国同世界经济的融合因为其主动降低自己的贸易障碍,以及加入WTO所带来的更安全的进入外国市场。然而,中国还面对其他一些严重的问题。

1. 能源与环境问题

中国经济在迅速地扩张,能源消费在大幅度地上升。能源供给和环境问题已经成为中国未来发展的新的严重挑战。从1978—2005年电力供应提高了10倍。廉价电力的供应使电灯、电视、洗衣机、微波炉、电扇和空调器得到普及,从而改变了很多城市家庭的生活条件。私人汽车拥有量在上升,它很可能成为私人消费中最有希望快速增长的消费品。到2006年,运行中的轿车量已经达到1 900万辆(相当于每70人一辆)。而美国的水平是1.4亿辆,达到了每2人一辆(参见www.autoexecmag.com)。根据西欧私人汽车拥有量同人均收入的关系,看来到2030年时中国可能会拥有3亿辆私人汽车(达到每5人一辆汽车)。

中国的人均能源消费已经比1973年的水平提高了1倍。在能源使用效率方面出现了令人吃惊的进步。1973年时,每千美元GDP的产出要消耗0.64吨石油当量的能源。到了2003年,已经降到了0.22吨。根据国际能源机构(IEA,

2006)的 A 方案预测，到 2030 年时，这一指标会降到 0.11 吨。该方案的假定是中国政府会采取一系列提高能源效率的政策(参见表 4.2)。中国的能源效率在 2003 年时已经超过了美国。而 IEA 希望这一情况到 2030 年时仍然如此。

国际能源机构的“R”方案假设各国政府除了它们目前所承诺的能源政策以外不做任何进一步的改变，并由此估计了能源消费可能出现的上升。在这个方案下 IEA 仍然预期中国的能源效率会超过美国(参见表 4.2 的最后一列)。

表 4.2 能源集约度和碳排放水平：中国、美国以及世界，1973—2030 年 98

(能源以百万吨石油当量计算；碳排放以百万吨计算)

	1973	1990	2003	2030A	2030R
		中国			
总能源消耗	**472**	**880**	**1 409**	**2 630**	**2 971**
吨/人	0.54	0.78	1.09	1.80	2.04
吨/＄1 000 GDP	0.64	0.41	0.22	0.11	0.13
碳排放	**244**	**615**	**1 043**	**2 100**	**2 487**
吨/人	0.28	0.52	0.81	1.44	1.71
碳排放量/能源消耗量	0.52	0.70	0.74	0.80	0.83
		美国			
总能源消耗	**1 736**	**1 928**	**2 281**	**2 889**	**3 131**
吨/人	8.19	7.71	7.86	7.94	8.61
吨/＄1 000 GDP	0.49	0.33	0.27	0.17	0.19
碳排放	**1 283**	**1 321**	**1 562**	**1 828**	**2 081**
吨/人	6.05	5.28	5.38	5.02	5.72
碳排放量/能源消耗量	0.74	0.69	0.68	0.63	0.66
		全世界			
总能源消耗	**6 248**	**8 811**	**10 760**	**14 584**	**16 203**
吨/人	1.60	1.68	1.71	1.78	1.98
吨/＄1 000 GDP	0.39	0.32	0.26	0.15	0.17
碳排放	**4 271**	**5 655**	**6 736**	**8 794**	**10 447**
吨/人	1.09	1.08	1.07	1.08	1.28
碳排放量/能源消耗量	0.68	0.64	0.63	0.60	0.64

资料来源：1973—2003 年基本能源消耗数据来自 International Energy Agency, Energy Balances of OECD and Non-OECD Countries, 2005, OECD，巴黎。1990—2003 年的二氧化碳排放数据来自 International Energy Agency, *CO_2 Emissions from Fuel Combustion*, *1971—2003*, 2005, 1973 年数据由 IEA 直接提供。我将二氧化碳除以 3.667 转换成碳(3.667 是二氧化碳分子对碳分子的质量比)。对 2030 年的预测根据 IEA 不同方案推导而来，这些方案发表在 *World Energy Outlook 2006*，第 528—529、534—535 和 552—553 页。我根据 IEA 和我对 GDP 预测的差异调整了 IEA 的 2030 年预测(这个调整使用了 0.875 这样一个系数下调了中国 GDP，使用 1.069 上调了美国 GDP，0.947 8 下调了世界 GDP)。IEA 的 A 方案考虑了预测期间各国可能有道理采纳的节能政策；IEA 的 R 方案(第 492—517 页)采纳了一个最低限度的假定，即如果各国政府不会实行超出他们目前所承诺的政策，能源需求将会出现什么状况。GDP 以 1990 年 Geary-Khamis PPP 元所计算，人口数据来自 www.ggdc.net/Maddison。

然而，因为严重依赖煤炭作为能源，而燃煤所释放的二氧化碳又远高于石油和天然气，中国能源消费对环境的影响是极为负面的。2003年时，中国60%的能源消费来自煤，而在美国，这一指标只是23%，俄罗斯是17%，法国只有5%。中国有80%的电力是通过煤来生产的。这意味着中国的二氧化碳排放对能源消费的比率大大高于其他很多国家。在IEA的“A”方案中，到2030年时，中国每吨能源消耗所产生的碳排放为0.8吨，而美国是0.63吨，世界的平均水平为0.6吨(参见表4.2)。

中国的煤是一种不清洁的能源，因燃煤而产生的二氧化硫和烟煤颗粒已经污染了大多数城市的空气。它所产生的酸雨使30%的土地受到侵蚀。中国有超过20 000个煤矿，它的600万煤矿工人的生产效率极低，而且工作在危险的条件中。每年的矿难都要夺去数以千计的矿工的生命。中国华北的一些矿山可能因为矿层接近地表，长年不熄地自燃，无法扑灭。中国的这些环境问题可能远大于世界的其他地区，因为相比而言，在中国减少对煤的使用会更加困难，而且成本更高。IEA的预测假定到2030年时，中国将大约消耗世界煤炭产量的48%，而在2004年时它的消耗已经相当于世界煤炭产量的36%。在2000—2005年间，中国政府做出了极大的努力，通过每年造林400万公顷(1公顷=15市亩)来减低二氧化碳排放量的影响，而且正在寻求发展更有效的新能源技术。它已经同安哥拉、伊朗、苏丹和委内瑞拉进行洽谈，以对未来的石油供应进行投资。2005年，中国石油公司(CNOOC)出价185亿美元购买美国石油公司Unocal，但是这个交易被美国国会否决了。中国政府已经和欧盟达成协议，在一项煤炭加工厂的试验计划中，共同研究开发一项碳排放几乎为零的技术(即碳收集和储存技术)(参见Stern Review, *The Economics of Climate Change*, 2006:527)。然而，这项研究还要假以时日，我们也不清楚这个技术最终的成本如何。从长期来看，中国会极大地受益于通过管道购买俄罗斯的天然气。

2. 地区间的收入不平等

中国地区间收入不平等的程度已经登峰造极。表F.2的数据说明，2005年在中国31个行政区之间，居民的人均收入差别达到10∶1。全国当年人均收入为14 000元。上海最高，年人均收入达到52 000元(此数字有误——校者)，处于第二位的北京达到45 000元，天津为35 000元。贵州是最低的，只有5 300元，甘肃为7 500元，云南为7 800元。收入最高的3个地区的总人口为4 400万，但是收入最低的 3 个省份的人口达到 1.08 亿。这种收入差距从 1978 年的 14∶1 减低到 1995 年的 10∶1。以后基本没有改变。上海一直处于第一位，而贵州一直处于最末位(SSB, 1997)。这种收入差距的计算并没有按照地区间的价格差异进行调 99
整。不过，其他进行类似计算的国家通常也不做这样的调整。按照国际标准来衡量，中国地区间的收入差距可谓极端。我的计算表明，在 20 世纪 80 年代时，巴西的地区间收入差距为 8∶1，墨西哥为 6∶1，而美国只有 2∶1(Maddison, 1992: 79)。但是，印度的地区之间(在 Goa and Bihar 之间)的收入差距已经从 1993—1994 年的 5∶5 增加到 2002—2003 年的 10∶1(参见 Indiastat. com)。为了缩小中国地区之间的收入差距，政府可以大量增加对交通和其他基础设施的投资，提高低收入地区的受教育机会，取消地区之间的迁移限制，以及取消东部经济特区的税收优惠。然而，这可能会是一个很漫长的过程。

3. 城乡之间的收入差距

中国城乡之间平均收入的差距远比其他亚洲国家严重。在 2002 年，中国的城乡收入差距达到 3.2∶1，而亚洲其他各国的城乡收入差距处在 1.3∶1 到 2.2∶1 之间。中国的城乡收入差距在西部省份中最大(3.5∶1)，在东部省份中最小(1.9∶1)。造成这个差距的一个重要的因素，是毛泽东时代建立起来的用以控制人口流动的户口制度。这个通过法律强化的制度，变相惩罚了在城市中寻找非正式职业的外来劳动力。尽管这个制度在一定程度上松动了，许多农民工仍然被拒于公共医疗和教育体系之外。他们在获得住房方面面临困难。雇主可能因为非法雇用工人而受到罚款。农民工的谈判力量微弱，他们工资较低，工作时间较长。他们的工资常常被拖欠，有时根本得不到支付。希拉库等人(Sicular el al., 2007)估计，这些无户口的家庭目前已经相当于城市人口的 17%，他们的平均收入要比有户口的城市家庭收入低 60%，但是高于农村家庭收入 40%。前面提到的 3.2∶1 的收入差距只同有户口的城市居民有关，如果包括所有的城市居民，这个比率会降到 3∶1。如果城乡收入差距经过实际生活费用调整，会降到 2.1∶1。很清楚，这种歧视性的户口制度会成为社会不满的根源，所以必须进行纠正。

4. 法律制度和私人财产权利

中国已经在朝向市场经济方面发展迈了一大步，它的法律制度已经允许私人企业蓬勃发展。最近的政策变化强化了私人财产权利，但是同资本主义社会中的财产权利相比，还是相当虚弱和模糊的。土地仍然是国家或“集体”的财产。农民可以得到30年的土地承包期，城市居民对其房屋拥有70年的土地使用权。同资本主义国家的情况相比，城市中的开发商可以比较容易地剥夺农民或贫困市民的土地，推倒或拆掉他们的房屋，但却不支付给他们充分的补偿。有影响力的个别官员们能够通过纵容这样的交易而中饱私囊。这些问题已经引起越来越多的公开抗议，也导致了对党内腐败官员的严厉惩罚。如果私人财产权利可以得到加强，而且司法能够少受制于官员的压力，那么，中国经济在公平和效率两方面都会得到更大的改善。

100 第三节　展望2003—2030年的世界经济

过去半个世纪中的世界经济发展是相当复杂的。在1952—1978年期间，世界人均收入的增长速度达到每年2.6%，超过以往任何时代，是1500年至1820年水平的50倍，也几乎是1820年至1952年水平的3倍。在这个黄金时代，世界经济的各个部分都大大超过了它们过去的表现。然而，在生产率和人均收入水平上处于领先地位的美国，其增长速度却慢于世界平均水平。但是，它仍然保持了

表4.3　世界经济的增长表现及预测，1952—2030年

（年均复合增长率%）

	1952—1978		1978—2003		2003—2030	
	人均GDP	人口	人均GDP	人口	人均GDP	人口
西欧	3.66	0.65	1.84	0.32	1.7	0.05
美国	2.24	1.34	1.85	1.06	1.7	0.84
其他西方国家	2.54	1.89	1.76	1.21	1.7	0.70
日本	6.69	1.10	2.11	0.40	1.3	−0.33
富裕国家总和	**3.34**	**0.97**	**1.93**	**0.62**	**1.73**	**0.32**
中国	2.33	2.02	6.57	1.19	4.5	0.46
印度	1.66	2.16	3.27	1.95	4.5	1.13
亚洲其他国家和地区	3.58	2.44	2.25	2.05	2.5	1.29
俄罗斯	3.39	1.02	−1.48	0.22	3.5	−0.49
其他原苏联国家	2.86	1.69	−2.14	0.56	2.0	0.43
东欧	3.75	0.96	0.48	0.20	2.0	−0.21
拉丁美洲	2.62	2.65	0.53	1.82	1.5	0.97
非洲	1.83	2.45	0.16	2.63	1.0	1.98
其他国家总和	**2.72**	**2.14**	**2.00**	**1.72**	**3.01**	**1.08**
全世界	**2.62**	**1.91**	**155**	**1.55**	**2.23**	**0.98**

注：其他西方国家指澳大利亚、加拿大和新西兰。

资料来源：1952—2030年人均GDP数据来自www.ggdc.net/Maddison and Maddison(2007)；1952—2030年人口数据来自International Programs Department，US Bureau of the Census，www.census.gov/ipc。

相对较高的TFP增长，这说明它在迅速地推动着世界技术前沿的进步(参见表3.9)。这个时期，在日本和其他先进的资本主义国家都出现了引人注目的追赶过程，因此大幅度地缩小了它们同作为领先国家美国的人均收入差距。在其他亚洲国家，在东欧和苏联也出现了明显的从低收入水平基础上的追赶。拉丁美洲的人均收入达到了世界平均水平。中国和非洲的人均收入增长也超过了以往的记录，但是仍然低于世界平均水平。[2]

在1978—2003年间，世界经济的增长速度大大放慢了。世界领先国家美国的增长率放慢主要是由于其TFP增长速度的急剧下降。这有力地说明了推动技术前沿的进步过程已经放慢了。日本和其他先进资本主义国家的增长速度也出现了明显的下降，不仅因为推动技术前沿的增长放慢了，而且也因为这些国家已经大大接近了技术前沿，所以继续高速追赶的潜力已所剩无几。

在1978—2003年期间，世界经济中最有活力的部分就是亚洲经济。中国经历了人均收入的急剧加速增长。印度的增长表现也有了大幅度的改进，但是其他亚洲国家的经济只有较温和的加速。

先进资本主义国家增长速度的放慢在预料之中，因为它们追赶的余地已经有 101
限。为数众多的亚洲国家经济出现加速增长也是可以理解的，因为它们还具有相当大的追赶潜力。如果世界经济只由这两组国家组成，我们就可以把这样的发展模式看作是新古典增长理论中“有条件趋同”(conditional convergence)观点的鲜明例证。但是落后经济的追赶过程是不会自动出现的，或者说它并不是一个一般规律。这些国家之所以能够挖掘这一追赶潜力，是因为它们采取了有利于经济增长的政策，增加了对物质资本和人力资本的投资，提高了劳动参与率，实行对外开放贸易并由此促进了专业化生产，实行了稳定增长的宏观经济政策，以及提高资源配置效率的微观经济政策。这些政策是中国和亚洲这些充满经济活力国家的特点。

新古典的增长理论几乎无法解释其他国家在1978—2003年期间的表现。其中最大的冲击是苏联解体为15个独立国家。其结果是俄罗斯的人均收入出现大幅度的下降，更大的下降则出现在苏联的其他加盟共和国；与此同时，整个东欧的增长也严重地放慢了。中东、拉丁美洲和非洲在黄金时代的增长，并不是由于其国内经济政策的优越性，而是由于发达资本主义国家高速增长所带来的扩散效应。核心资本主义国家增长速度的突然放缓，引起了拉丁美洲和非洲的债务危机、通货膨胀、财政和货币问题。在中东，油价下跌，以及将伊朗、伊拉克、黎巴嫩卷入的战争，成为影响增长的主要因素。

表 4.4 和表 4.5 所给出的，对世界经济在 2003—2030 年的发展的预测主要来自我的新著《世界经济之轮廓：公元元年—2030 年》(《宏观经济史论文集》，牛津大学出版社，2007)。这些预测包括了两个因素：人口增长和人均 GDP 增长。对 GDP 总量的预测是在此基础上推导出来的。人口预测是根据美国普查局(The U. S. Bureau of the Census)的预测，后者包括了 224 个国家(参见 www. census. gov/ipc and www. ggdc. net/Maddison)。我对人均 GDP 的预测是以地区和大国为基础的，它包括 7 个地区，4 个占世界 GDP 比重最大的国家，再加上俄罗斯。我的预测并不是计量经济学分析的结果，而是基于对世界经济不同部分增长动力变化的分析，以及我对这种变化是否可能持续的评价。就是说，我考虑这些经济体是否可能持续或偏离它们在 1990—2003 年期间的增长趋势。

对先进的资本主义国家总体来说，这里包括了西欧、美国、其他西方衍生国家以及日本，我假定它们的人均 GDP 增长率基本上可以保持 1990—2003 年的平均速度，但这并不是说所有这些国家都可以达到这个速度。在 1990—2003 年期间，法国、德国、意大利和日本的经济增长要慢于美国，但是爱尔兰却出现了跃进式的增长；与此同时，澳大利亚、西班牙和英国也经历了令人满意的追赶。西欧平均人口的劳动投入普遍低于美国，所以西欧同美国在劳动生产率上的差距要远小于在人均 GDP 上的差距。

我认为有道理预测苏联各个加盟共和国的经济，在某种程度上会出现对过去人均收入下降趋势的逆转。也有理由认为，东欧、拉丁美洲、非洲和多数亚洲国家的增长会出现加速。对中国来说，我已经解释了它的增长速度为什么会放慢。但是，中国仍然是一个非常具有活力的经济体。它的这种活力将会是世界经济的一个主要动力，它会抵消先进资本主义国家在世界经济中相对下降的作用(参见表 4.6)。

对整个世界经济的预测显示，同 1978—2003 年相比，未来人口增长会放慢，但是人均收入增长会显著地加速。我预测世界人均 GDP 将以每年 2.2%的速度增长，超过 1978—2003 年期间的 1.55%年平均增长率，但是还是要慢于世界经济的黄金时代(1952—1978 年)2.6%的年平均增长率。表 4.4 和表 4.5 显示了这些预期中的变化。

102 各国经济实力的变化不可避免地会影响到地缘政治，从而使联合国安理会以及八国首脑高峰会议成员的代表性显得过时了，也削弱了美国推行霸权主义的能力。未来需要在这些方面进行调整，以保证主要势力之间的和平共处。与此同时，也需要削减核武器和核扩散，以及削弱五花八门的宗教原教旨主义的传播。在这些方面的任何严重失误都可能会使我的相对谨慎的预测变得过于乐观。

表 4.4 世界及其主要地区和国家的人均 GDP，1952—2030 年

	人均 GDP(1990 年国际 PPP 元)					平均年增长率	
	1952	1978	1990	2003	2030	1990—2003	2003—2030
西欧	4 963	12 621	15 965	19 912	31 389	1.71	1.7
美国	10 316	18 373	23 201	29 037	45 774	1.74	1.7
其他西方国家	7 688	14 745	17 902	22 853	36 025	1.90	1.7
日本	2 336	12 585	18 789	21 218	30 072	0.94	1.3
“富裕国家总和”	**6 149**	**14 455**	**18 781**	**23 345**	**37 086**	**1.69**	**1.73**
东欧	2 207	5 749	5 440	6 476	11 054	1.35	2.0
俄罗斯	3 120	7 420	7 779	6 323	16 007	−1.58	3.5
其他原苏联国家	2 696	5 607	5 954	4 461	7 614	−2.20	2.0
拉丁美洲	2 588	5 070	5 072	5 786	8 648	1.02	1.5
中国	538	978	1 871	4 803	15 763	7.52	4.5
印度	629	966	1 309	2 160	7 089	3.93	4.5
亚洲其他国家和地区	978	2 441	3 078	4 257	8 292	2.53	2.5
非洲	928	1 488	1 449	1 549	2 027	0.52	1.0
“其他国家总和”	**1 157**	**2 324**	**2 718**	**3 816**	**8 504**	**2.64**	**3.01**
全世界	**2 260**	**4 432**	**5 162**	**6 516**	**11 814**	**1.81**	**2.23**

资料来源：Maddison(2007).

表 4.5 世界及其主要地区和国家的 GDP 增长，1952—2030 年

	GDP(十亿 1990 年 PPP $)					GDP 年平均增长率	
	1952	1978	1990	2003	2030	1990—2003	2003—2030
西欧	1 532	4 609	6 033	7 857	12 556	2.05	1.75
美国	1 625	4 090	5 803	8 431	16 662	2.91	2.56
其他西方国家	196	611	862	1 277	2 414	3.07	2.39
日本	202	1 446	2 321	2 699	3 488	1.17	0.95
“富裕国家总和”	**3 556**	**10 753**	**15 020**	**20 265**	**35 120**	**2.33**	**2.06**
东欧	198	662	663	786	1 269	1.33	1.79
俄罗斯	329	1 018	1 151	914	2 017	−1.76	2.98
其他原苏联国家	217	697	837	638	1 222	−2.17	2.43
拉丁美洲	453	1 749	2 240	3 132	6 074	2.61	2.48
中国	306	935	2 124	6 188	22 983	8.56	4.98
印度	234	625	1 098	2 267	10 074	5.73	5.68
亚洲其他国家和地区	400	1 865	3 099	5 401	14 884	4.36	3.83
非洲	221	664	905	1 322	2 937	2.96	3.00
“其他国家总和”	**2 357**	**8 216**	**12 117**	**20 649**	**61 460**	**4.19**	**4.12**
全世界	**5 913**	**18 969**	**27 136**	**40 913**	**96 580**	**3.21**	**3.23**

资料来源：Maddison(2007).

103 **表4.6 主要国家占世界GDP的比重，1700—2003年**

（世界GDP总额=100）（%）

	1700	1820	1952	1978	2003	2030
中国	22.3	32.9	5.2	4.9	15.1	23.1
印度	24.4	16.0	4.0	3.3	5.5	10.4
日本	4.1	3.0	3.4	7.6	6.6	3.6
西欧	21.9	23.0	25.9	24.2	19.2	13.0
美国	0.1	1.8	27.5	21.6	20.6	17.3
苏联*	4.4	5.4	9.2	9.0	3.8	3.4

* 按苏联疆界范围调整了数据。
资料来源：Maddison(2007).

104 **注 释**

[1] 1998年，中国和日本的人均收入下降了1.3%，与此同时，泰国下降了14.3%，印度尼西亚下降了14.1%，马来西亚下降了9.3%，韩国下降了7.7%，中国香港地区下降了5.7%，新加坡下降了3.5%，菲律宾下降了2.6%。应该提起注意的是，我的GDP估计与中国国家统计局的数字有着相当大的差异，后者公布的1998年的增长率为6.8%。

[2] 对增长表现和增长潜力的分析不应该局限于人均收入。表3.9有关中国、日本、韩国和美国的经济增长核算为此类分析提供了一个基础，因为它解释了经济增长过程的原因，并显示了要素积累和要素生产率对增长的作用。

附录 A

中国种植业、畜牧业、渔业、林业和农村副业的经济表现，1933—1995 年

第一节 对 1949 年后农业经济表现的估计

中国国家统计局(原英文译名为 State Statistical Bureau，简称 SSB，现译名为 National Bureau of Statistics，简称 NBS)原有的统计监测系统在很多方面是苏联物质产品核算体系(MPS)的翻版，其资料收集方法反映了国家无所不在的控制。

中国国家统计局建立于 1952 年，它对各种农业总量指标的年度估计也始于那一年。它的第一本主要统计出版物(SSB，1960)提供了 1949—1958 年 20 种主要农作物和一些家畜的产量以及一些农业投入品的详细情况。但是，对整体农业增长表现，它只提供了用现价表示的总产值指标。从那以后 20 年的时间中，关于农业经济表现的出版物奇缺，而且公布的信息常常由于政治上的原因而受到歪曲，这种情况在"大跃进"和"文化大革命"时期尤其突出。事实上，国家统计局在 1968 年被取消了，工作人员也被遣散了。省级统计机构也似乎被解散了。虽然统计系统在 1972 年得以恢复，但大多数原有工作人员已经不复存在，许多原有记录也已经被毁掉了。在那个大学被关闭的年代里，也没有受过经济统计专业训练的新毕业生。据 1981 年世界银行的报告，国家统计局当时只有 200 名工作人员，而它在 1966 年的规模为 400 名。

在 20 世纪 80 年代，随着中国恢复在联合国中的合法席位、加入世界银行和国际货币基金组织，中国逐步向西方国家使用的标准国民核算体系(system of national accounts)转变。但是 MPS 旧概念所遗留的影响仍然存在，统计报表制度并没有出现多大变化。这种新的杂交制度可以从 1987 年官方的投入产出表中清

楚地看到。表 A.1 显示了整个农业和种植业的主要指标。特别的是,此表非常清楚地表明西方毛增加值(gross value added,简称 GVA)的概念与净物质产值(net material product,简称 NMP,亦译为净物质产品——译者)之间的关系。净物质产值是中国原有的复杂核算制度中反映经济增长表现的一个主要指标。事实上,对农业来说,这两个体系在核算上的差别是非常小的。

表 A.2 列举了中国官方有关全部农业经济表现的三个主要时间序列指标:按“可比价格”(近似不变价格)计算的总产值,净物质产值和毛增加值。总产值数字夸大了增长表现,因为它没有扣除总产值中的投入部分。按世界银行 1992 年报告第 30 页上的计算,净物质产值是从总产值中扣除 13 项投入品得出的,包括种子、动物饲料、种畜与防疫费用、化肥、燃料、杀虫剂和其他农用化学品、生产用电力、小农具成本、折旧、副业投入、设备维修和支持农业的服务业成本以及其他物质性投入。但是,这里没有扣除“非生产性服务”(即与 MPS 的“物质性服务”对应的“非物质性服务”)的投入。农业毛增加值是农业对 GDP 的贡献,这就是西方核算农业增长表现的统计概念,它等于净物质产值减去“非生产性服务”,再加上折旧。

106 在 20 世纪 80 年代,随着包含所有领域经济活动的《中国统计年鉴》的出版,统计信息的可获得性大幅度地提高了。相比之下,《中国农业年鉴》中提供的统计信息并不比《中国统计年鉴》多,但是它的一部特别综合卷回顾了 1949 年至 1986 年整个时期的情况(Ministry of Agriculture, 1989)。这一卷提供了大约 50 种作物和牲畜方面的估计数据,也提供了按“可比价格”(comparable prices)计算的五大农业部门的总产值(第 106—109 页),即种植业、畜牧业、渔业、林业和“农村副业”——副业指农村手工业、狩猎和采集活动。在 20 世纪 90 年代,官方对这一总产值指数作了修改,结果是将增长率略为降低了。书中提供了追溯 1952 年至 1993 年这一时期农业净物质产值官方估计数据。到了 1997 年,官方按可比价格计算的农业增加值的估计可以追溯到 1952 年,同时,所有这三项产出指标都按照现行价格和可比价格进行了估计,但是,并没有提供种植业、畜牧业(原文中种植业和畜牧业往往总称为“农场业”,即 farming,我们在译文中会交叉使用——译者)、渔业、林业和副业的分行业估计。

由于我想核实官方的增长速度和产出规模数据,并对中国和美国农业的增长表现进行比较,因此我按不变价格重新估计了中国农业的增长表现。表 A.3 总结了我对整个农业的估计结果。表 A.4 报告了我对 1933 年至 1994 年期间 6 个基准年度农业总产值和总增加值的估计。我采用了世界粮农组织(FAO)1987 年农产品价格作为权数。我的 1975 年、1987 年和 1994 年的产量数据来自 FAO，1952 年、1957 年和 1978 年的产量数据来自中国国家统计局，1933 年的产量数据采用了刘大中和叶孔嘉的数字(Liu and Yeh，1965)。我的产量数据包括了 136 种作物和牲畜，其中的 103 种具有价格数据。对于其中 24 种不具有价格信息的产品，我认为可以根据类似产品的价格来估计它们的影子价格(shadow price)。这样，我对中国种植业和畜牧业产出的估计总共使用了 125 种产品。正如我在表 A. 4 中所解释的，我利用中国的投入产出表估计了 1987 年的农业投入，并利用官方主要投入品的物量变动外推了其他年度的投入。表 A. 5、表 A. 6 和表 A. 7 提供了关于渔业、林业和“副业”产出的大致估计。

我自始至终使用了 1987 年的权重，原因是可以从当年的投入产出表上获得详细的数据。通常，用较近时期的权数来估计长达 61 年的经济表现往往会低估(基准期以前的)发展速度。但这一点在农业上并不如在工业上那么重要，因为在农业中没有新产品出现，而且产品结构的变化也不如其他经济部门那么大。

我估计的 1952—1978 年的增加值略高于官方估计。我的增加值年平均增长速度为 2.2%，而官方估计为 2.1%。对于 1978—1995 年的增长率，我的估计结果与官方的 5.1%相一致。而对 1952—1995 年来说，我的结果是年均增长 3.4%，而官方的估计是 3.3%。对 1952—1994 年分部门的年均增长速度估计，我的结果是，种植业和畜牧业为 3.0%，渔业为 5.7%，林业为 7.1%，而“副业”为 5.6%。

我对农业增加值规模的估计结果远高于官方的数字。对 1987 年这个基准年来说，我的农业增加值总额为 3 810 亿元，而官方的数字为 3 200 亿元。这个差异完全来自种植业和畜牧业。我的结果是 3 260 亿元，而官方的数字为 2 650 亿元。对于其他 3 个行业，我使用了官方的估计。

我所估计的 1952 年和 1957 年农业产出规模比官方估计高出 14%。对 1978 年以后的农业产出规模，我的估计比官方估计高出 18%以上。解释这种计算上的差异是不容易的，这是因为中国官方所提供的统计信息非常有限。大约只有 50 种产品的统计数字可以从已经发表的国家统计局出版物中得到，而世界粮农组织提供的信息包括了 125 个品种。对于这 50 种产品，中国官方的数字与世界粮农组织的数字没有太大的差别，但是官方的估计很可能并没有把水果、蔬菜和坚果的全部品种都包括在内，因为它们不属于国家统购统销的农产品。官方价格信息极为缺乏，似乎主要提供的是消费者价格而不是生产者价格。我在表A.22a和表
107 A.22b中比较了官方的统计和世界粮农组织提供的数字，发现它们之间的差异并不明显。但是，我们并不清楚官方估计使用什么价格。表A.22c显示了1987年中国农产品市场仍然处于显著的分割状态。粮食的绝大部分被农民自己消费，这部分产品的价格肯定是按照假定来估计的。“市场部分”中的第一部分由政府强制定购的粮食所组成。1987年的收购定额比重相当于大米产量的18%，小麦的33%，玉米的40%，以及大豆的50%。第二部分由政府“议购”的粮食所组成（议购价高于定购价）。自由市场上的价格是最高的。中国官方和世界粮农组织对农业产出的估值都介于定购价和议购价之间，但官方的估值似乎低于世界粮农组织的估值。

看来，我的种植业和畜牧业产出高于官方估计可能是由多种原因造成的，其中一部分可能是由于价格不同，另一部分可能是由于产品覆盖范围上的不同。

盖德保（Albert Keidel）将官方统计低估1987年农业产出的原因归于价格低估和覆盖不足（World Bank，1994：12，15，16）。他认为中国官方统计中对农民自产自销的粮食通常是按照低于市场价格的标准估计的。因此，他建议将粮食产出上调20%以纠正这个偏差（其结果将使农业产出大约上调8%）。他还认为，官方对谷物和蔬菜产量的统计是不完全的，所以应该在官方统计的基础上分别上调10%和30%，其结果可能使1987年种植业和畜牧业的产值再提高6%。

第二节　对1933年农业经济表现的估计

官方所作的有关1949年后农业经济表现的估计，并没有同战前的经济表现数据建立起任何联系。然而，战前的经济情况对于理解战后的经济表现是十分必要的。

我对1933年农业生产的估计是根据1933年和1975年间28种农作物产值的关联得出的（参见表A.21）。我使用了刘大中、叶孔嘉（1965）所提供的1933年资料中所有可以同1975年产品相匹配的数据。这个样本所代表的总产值相当于1975年总产值的73%，我假定1933年的资料有着同样的覆盖面。与刘、叶方法不同的是，我使用了不同的权数。我的估计以1975年为基准年，而不是他们所采用的1957基准年。再有，我用于比较的产品数量略少一些。我的增加值估计结

果表明，1933年的产出相当于1957年的94%，而他们在两个不同估计中所取的平均值是96.2%。

表A.21列出了帕金斯1931—1937年的产量指标中可以同刘大中、叶孔嘉产品相匹配的22种产品（Perkins，1969）。结果表明，根据帕金斯数据得出的战前农场产出，比根据刘大中、叶孔嘉1933年数据得出的结果大约低10%。其主要原因是，刘和叶的估计是以战前单位面积产量为基础的，对其中某些农产品来说，那时的单位面积产量要高于它们在1957年的单位面积产量。但是，帕金斯不能接受农作物单位面积产量可能会下降，他假定各省份20世纪30年代的单位面积产量同1957年一样。帕金斯对耕地面积也做了一些调整。他所使用的20世纪30年代牲畜的存栏数据，大多数低于刘和叶掌握的数据。表A.21将他们之间的可比产品进行了详细报告，差异公布在表A.4中。我更倾向于接受刘和叶的估计，因为他们的工作附有详细的资料来源。帕金斯关于1957年单位面积产量与1933年水平相同的假定似乎有些武断。我认为，经过12年的战争，再加上土地改革和集体化运动所造成的影响，1957年的单位面积产量完全有可能低于1933年的水平。

第三节 中国农业经济表现的国际比较 108

评价中国经济表现的另一个方法是与其他国家进行比较。表A.11利用世界粮农组织的详细资料，就中国和美国1987年的主要农产品，以及饲料和种子的产量、价格进行了比较。在这个比较中我们不考虑投入产出表中的非农业投入（表A.12和表A.13）。

显然，中国农业部门的规模要大于美国的规模，其增加值相当于美国的2.3倍（以1987年美元价格计算）。1987年中国人均农业增加值相当于美国水平的51%，但是当年中国的劳动生产率水平却只相当于美国的1.8%。表A.14将两国基准年水平的估计和时间序列相结合。由此可以看出，与美国相比，中国的农场（种植业、畜牧业）劳动生产率是迅速下降的。1933年时，中国的劳动生产率水平相当于美国的7.1%，1952年时相当于美国的5.1%，1978年时相当于美国的2.2%，而到了1994年只相当于美国的1.6%。

表A.15列出了在我较早的研究中，对13个国家在1975年类似内容的比较。它是根据世界粮农组织提供的农业产出，以及饲料和种子投入数量和价格的详细资料而估计的，其中也考虑了通过其他来源得到的非农业投入资料。如今中国1975 年的数据已经被世界粮农组织修订和下调，我们也可以得到更好的有关中国农业中非农业投入的数据。但是不管怎样，这一早期研究的结果对比较各国农业表现仍然会有很大启发。在这项研究中，中国的农业劳动生产率位于倒数第二位。

表 A.16 也从另一个有意思的角度比较了中国农业经济表现。那就是，中国目前每公顷农作物的化肥投入量高居世界第二位。在投入/产出比上，中国仅低于日本的水平。

109 **表 A.1　中国官方投入产出表估计的农业经济表现，1987 年**

（百万元人民币）

	全部农业	种植业、畜牧业
总产值	467 570	390 371
总投入	147 367	125 712
其中：		
种植业、畜牧业	56 017	52 572
林业、渔业、副业	12 831	3 444
工业	61 450	54 331
其他物质生产	8 887	8 675
“非物质”服务业	8 182	6 690
增加值	320 203	264 660
折旧	9 050	7 180
维修与保养	1 059	888
净增加值	310 094	256 591
总物质产值	328 385	271 349
净物质产值	318 276	263 281
增加值按收入来源划分		
劳动收入	262 213	217 873
福利收入	7 099	5 760
利润与税收	28 368	23 167
折旧、维修、保养	10 109	8 068
其他	12 413	9 791
总增加值	320 203	264 659
总产值	467 570	390 371
总中间投入	217 926	180 735

（续表）

	全部农业	种植业、畜牧业
其中：		
种植业、畜牧业、林业、渔业、副业	68 848	56 017
工业	136 490	118 093
其他物质生产	10 241	5 000
"非物质"服务业	2 347	1 625
最终使用	249 644	209 637
其中：		
私人消费	217 579	192 377
社会消费	710	655
投资	9 590	1 409
存货	11 980	7 027
净出口	7 755	6 682
平衡项	2 031	1 487

资料来源：SSB，*Input-Output Table of China*，1987(in Chinese)，1991.

表 A.2 官方估计的中国农业经济表现，1952—1995 年 110

（种植业、畜牧业、林业、渔业、副业）
（百万元人民币，1987 年价格）

	总产值	净产值	增加值	增加值/总产值(%)
1952	133 173	116 485	112 038	84.1
1953	137 301	118 349	114 167	83.2
1954	141 962	120 329	116 072	81.8
1955	152 749	129 881	125 259	82.0
1956	160 473	135 705	131 085	81.7
1957	166 200	139 898	135 118	81.3
1958	170 195	140 131	135 679	79.7
1959	147 023	117 184	114 167	77.7
1960	128 379	97 381	95 457	74.4
1961	125 316	98 663	96 913	77.3
1962	133 040	103 322	101 283	76.1
1963	148 488	115 203	112 711	75.9
1964	168 730	130 346	127 276	75.4
1965	182 580	143 160	139 600	76.5
1966	198 428	153 643	149 683	75.4
1967	201 491	156 323	152 484	75.7

（续表）

	总产值	净产值	增加值	增加值/总产值(%)
1968	196 563	153 294	150 132	76.4
1969	198 694	153 993	151 364	76.2
1970	210 147	162 846	163 016	77.6
1971	216 939	165 408	166 041	76.5
1972	214 675	163 661	164 585	76.7
1973	232 387	178 338	179 374	77.2
1974	240 643	185 444	186 768	77.6
1975	248 101	189 055	190 577	76.8
1976	247 036	185 327	187 216	75.8
1977	246 103	180 668	183 071	74.4
1978	266 079	187 773	190 577	71.6
1979	286 055	199 791	202 341	70.7
1980	290 184	196 223	199 316	68.7
1981	306 964	210 118	213 209	69.5
1982	341 588	234 905	237 858	69.6
1983	368 223	254 809	257 576	69.9
1984	413 369	287 669	290 852	70.4
1985	427 485	295 553	296 118	69.3
1986	441 868	304 569	305 977	69.2
1987	467 570	318 276	320 430	68.5
1988	485 815	325 411	328 497	67.6
1989	500 863	335 927	338 692	67.6
1990	538 951	361 088	363 453	67.4
1991	558 927	369 350	372 192	66.6
1992	594 617	387 752	389 670	65.5
1993	641 094	403 337	408 044	63.6
1994	696 228	n. a.	424 290	60.9
1995	772 003	n. a.	445 577	57.7

资料来源：按“可比价格”估计的农业总产值（即种植业、畜牧业、渔业、林业和副业合计）的指数可从《年鉴》1993 年第 52 页，《年鉴》1996 年第 356 页得到。五个主要行业的总产值数据可从这两本《年鉴》中得到，也可从农业部的历史统计中得到（Ministry of Agriculture, 1989）。但是，官方统计中没有关于净物质产品或总增加值的行业统计。1952—1992 年按“可比价格”计算的净物质产值（NMP）指数可以从《年鉴》中获得（1993, 31），1993 年前某些年份的指数可从《年鉴》中获得（1994, 28）。这个统计指标现已中断，由按“可比价格”统计的总增加值所代替。1952 年以来的增加值指数可从国家统计局和一桥大学的联合估计中得到（SSB/Hitotsubashi, 1997:70）。1987 年的总增加值和净物质产品是从官方的投入产出表（参见表 A. 1）和国家统计局/一桥大学的估计中（1997, 61）推算出来的。我将这些 1987 年的产值指标与 1952—1995 年的产量指数相结合，推算出上表中按 1987 年不变价格计算的农业产出水平。这是一种杂交的核算方法，一切简单地按照 1987 年价格进行折算，所使用的官方产量指数是将不同年度权数连接起来重新建立的。

表 A.3　麦迪森估计的中国农业经济表现，1933—1994 年若干基准年份 111

	总产出		增加值		年中就业人数		每个劳动力创造的增加值	
	种植业畜牧业	全部农业	种植业畜牧业	全部农业	种植业畜牧业	全部农业	种植业畜牧业	全部农业
	（百万元人民币，1987 年价格）				（千人）		（百万元人民币，1987 年价格）	
1933	151 106	n. a.	131 485	138 497	166 545	175 366	789	789
1952	140 132	149 614	120 440	127 891	161 097	171 070	748	748
1957	168 031	185 191	139 938	153 649	172 301	189 175	812	812
1978	272 424	305 373	200 612	225 079	256 747	288 060	781	781
1987	451 182	528 381	325 470	381 013	268 728	314 585	1 211	1 211
1994	604 939	728 018	417 536	503 098	279 487	336 760	1 494	1 494
	年均复合增长率（%）							
1933—1978	1.3	n. a.	0.9	1.1	1.0	1.1	0.0	0.0
1952—1978	2.6	2.8	2.0	2.2	1.8	2.0	0.2	0.2
1978—1994	5.1	5.6	4.7	5.2	0.5	1.0	4.1	4.1

资料来源：有关农场农业（种植业、畜牧业）的估计参见表 A.4。相当粗略的关于渔业、林业和副业的估计来自表 A.5 和表 A.6。《年鉴》1993 年第 79 页和《年鉴》1996 年第 92 页中关于种植业、畜牧业、林业、渔业和副业的年末从业人员数字已调整为年中估计。有关 1933—1952 年农业就业的变化来自刘大中和叶孔嘉（1965，69）。他们的估计数字比我所使用的官方统计数字高出 1 800 万，但他们包括了所有 7 岁及以上的从业人员（1965，148—186），而国家统计局的数字只包括 16—60 岁的男性劳动者及 16—55 岁的女性劳动者（参见 World Bank，1991：16）。官方没有单独提供种植业、畜牧业从业人员的数字。我假定种植业、畜牧业从业人员的比重与这些行业在增加值中的比重一致（就是说，这些行业的劳动生产率水平是相同的）。

表 A.4　中国种植业、畜牧业的投入、总产值、增加值水平的估计，1933—1994 年若干基准年份

（百万元人民币，1987 年价格）

	总产值	饲料投入	种子投入	其他农业投入	非农业投入	增加值
1931—1937*	135 786	6 081	3 905	4 005	3 781	118 014
1933	151 106	7 045	4 261	4 534	3 781	131 485
1952	140 132	7 705	4 131	4 746	3 110	120 440
1957	168 031	11 094	5 016	6 460	5 523	139 938
1975	247 602	18 210	7 407	9 760	22 455	189 768
1978	272 424	19 096	8 162	10 930	33 624	200 612
1987	451 182	32 558	7 425	16 033	69 696	325 470
1994	604 939	48 496	7 118	22 301	109 488	417 536

* 本表第一行有关战前的估计根据 Dwight Perkins 的假定得出（参见表 A.21，这个结果与 Liu and Yeh 结果的差异；我倾向使用后者）。

资料来源：第 1 栏关于 1975 年、1987 年和 1994 年的估计根据世界粮农组织 127 个产品推算，详细情况参见表 A.17、表 A.18 和表 A.19。1933 年、1952 年、1957 年和 1978 年的总产值是从表 A.20 和表 A.21 的产品样本推算得出的，大约代表总产值的 3/4。我把这些样本总和加以调整以包括基准年 1975 年所有的项目。第 2、3 栏关于 1975 年、1987 年和 1994 年的数字来自表 A.17、表 A.18 和表 A.19。有关其他年份的投入估计，饲料投入按照牲畜存栏变动情况调整，种子投入按照谷物和土豆产量变动调整。第 4、5 栏中 1987 年的数字来自官方投入产出表（表 A.1）。其他年份的数字从 1987 年基准年的数字外推。假定其他农业投入按照饲料和种子综合指数变动。对非农业投入品是按照化肥、不同类型拖拉机的加权存量、电力消耗和灌溉面积的综合指数估计的（参见表 A.8）。1978 年时一台普通大中型拖拉机的权数是小型拖拉机的 3.69 倍（参见《年鉴》1995 年第 33 页）。1987 年基准年的各种非农业品投入的权重取自 1987 年官方的《1987 年度中国投入产出表》。

112 **表 A.5 关于中国渔业总产值和增加值的估计,1933—1994年期间若干基准年份**

	水产品产量（千吨）	总产值（百万元人民币,1987年价格）	增加值（百万元人民币,1987年价格）
1933	n. a.	3 449	2 909
1952	1 670	3 930	3 264
1957	3 120	7 343	5 911
1975	4 410	10 379	7 691
1978	4 655	10 956	7 801
1985	7 052	16 596	11 628
1986	8 236	19 384	13 551
1987	9 554	22 486	15 683
1990	12 370	29 114	19 914
1994	21 431	50 439	33 480

资料来源:1987年的总产量和增加值数据来自官方的投入产出表。产量来自《年鉴》(1993, 347)和《年鉴》(1996, 380)。假定渔业增加值对总产值比率的变动与种植业和畜牧业一致。1993—1952年的总产值和增加值变动来自刘大中和叶孔嘉(Liu and Yeh, 1956:140)。渔业产量中相当一部分来自池塘养殖(1987年的比重为48%)。

表 A.6 关于中国林业总产值和增加值的估计,1933—1994年期间若干基准年份

	官方产量指数（1978=100）	总产值（百万元人民币,1987年价格）	增加值（百万元人民币,1987年价格）
1933	n. a	1 519	1 430
1952	11.2	1 470	1 382
1957	35.9	4 707	4 289
1975	83.6	10 961	9 192
1978	100.0	13 112	10 564
1985	176.1	23 090	18 308
1986	169.8	22 264	17 616
1987	169.3	22 198	17 523
1990	179.3	23 510	18 200
1994	237.8	32 165	24 286

资料来源:1987年总产值和增加值来自官方的投入产出表。1952—1978年的产出指数来自农业部(Ministry of Agriculture, 1989:106—108), 1978—1994年的产出指数来自《年鉴》1993年第301页和《年鉴》1996年第356页。假定增加值对总产值的比率与农业同比例变动。1933—1952年总产值和增加值的变动来自刘和叶(Liu and Yeh, 1965:140)。

表 A.7　中国农村副业总产值和增加值的估计，1933—1994 年期间若干基准年份 113

（百万元人民币，1987 年价格）

	总产值		增加值	
	旧定义	新定义	旧定义	新定义
1933	n. a.	n. a.	(2 673)	1 129
1952	4 082	n. a.	2 805	1 185
1957	5 110	n. a.	3 511	1 483
1971	14 074	5 948	9 669	4 086
1975	24 504	7 205	16 834	4 952
1978	44 505	8 881	30 574	6 102
1985	202 098	23 910	138 836	16 426
1986	267 467	29 106	183 743	19 995
1987	n. a.	32 515	n. a.	22 337
1990	n. a.	40 285	n. a.	27 666
1994	n. a.	(40 475)	n. a.	(27 796)

资料来源：1987 基准年总产值和增加值数据来自官方的投入产出表。我假定 1987 年增加值对总产值的关系可以应用于本表覆盖的整个时期。对副业增长表现的估计特别困难。直到 1971 年，副业包括农村工业、家庭手工业、狩猎和采集。从 1971 年开始，村办工业统计为工业生产。1952—1986 年总产值数据来自农业部(Ministry of Agriculture，1989：107，109)。从两种统计口径的差异我们可以直观地看到 1971 年后村办工业的大发展(观察第三和第四列增加值之间差异)。到了 1978 年，村办工业已经占工业产值的 12%。到了 1986 年，占大约 1/3 以上。从这一年起官方不再发表"旧定义"的数字。为了我们的目的，我只能接受 1971 年出现的这个定义上的变化，因为没有其他令人满意的方法，可以按照一个统一的定义将早期的村办工业划归为工业。国家统计局 1993 年和随后出版的《年鉴》不公布 1991 年以后不变价的副业产出。我假定 1991—1994 年的增长率等于 1987—1991 年的增长率。我还假定官方公布的 1978 年以后不变价的副业产出没有进行充分平减。我因此按照在附录 B 中对工业统计使用的方法进行了调整。刘和叶(Liu and Yeh，1965：66)没有将农村副业生产算作农业活动。这里，我假定副业活动在 1933—1952 年间的变化与他们所给出的手工业的增长变化一致。

表 A.8　中国农业的传统与现代投入，1933—1995 年期间若干基准年份

	传统投入			现代投入			
	人粪肥	畜肥	灌溉面积	化肥	农村电力消费	大中型拖拉机	小型手扶拖拉机
	（百万吨折纯量）		（百万公顷）	（百万吨折纯量）	（十亿千瓦小时）	（年末数量）	（年末千台）
1933	1.32	1.06	26.5	.000	.00	0	0
1952	1.50	1.17	20.0	.078	.05	1 307	0
1957	1.68	1.68	27.3	.373	.14	14 674	0
1975	2.41	2.75	41.9	5.369	18.34	(500 000)	(109)
1978	2.51	2.89	45.0	8.840	25.31	557 358	1 373
1987	2.85	3.22	44.4	19.993	65.88	880 952	5 300
1994	3.13	4.11	48.8	33.179	147.39	693 154	8 237
1995	3.16	4.48	49.3	35.937	165.57	671 846	8 646

资料来源：1933 年的灌溉面积数字来自 Perkins(1969，64)，1952—1994 年的灌溉面积数字来自《年鉴》1984 年第 175 页和《年鉴》1996 年第 361 页。化肥、电力和拖拉机数字来自国家统计局(SSB，1984：175；1996：358，368)，1975 年的数字来自 JEC(1986，455)和 World Bank(1981，162)。人粪肥与畜肥的相关系数来自 Perkins(1969)，分别乘以人口和家畜总数。我对 1952 年和 1957 年人粪便和畜肥的统计与 Chao 的估计相似(1970，310—311)，不过他也统计了其他传统的肥料(堆肥、油菜饼、绿肥、河塘泥)。他对 1952 年这些肥料养分的估计是 62 万吨，1957 年是 84 万吨。Wen(1993，14—17)估计的传统化肥投入要大得多：1952 年的人粪肥和畜肥折纯量为 804 万吨，1957 年为 1 118 万吨，1987 年为 1 870 万吨。他估计的其他传统肥料投入数字也很高：1952 年为 191 万吨，1957 年为 146 万吨，1987 年为 388 万吨。因为化肥的投入在增长，折纯量中人粪肥的比重会下降，因为对人粪肥的搜集既不舒服又费人工。日本在 20 世纪 60 年代就停止了人粪肥的使用。然而，我假定在中国这个比重保持不变。

114　**表 A.9　中国年末牲畜存栏量和肉类产量,1933—1995 年期间若干基准年份**

	牛、水牛	马、驴、骡、骆驼	猪	山羊、绵羊	全部牲畜	猪、牛、羊肉产量
	百万头/匹/只					百万吨
1931—1937	37.90	25.59	68.36	48.10	179.95	n. a.
1933	40.10	26.00	70.20	72.20	208.50	2.08
1952	56.60	19.86	89.77	61.78	228.01	3.39
1957	63.61	20.21	145.90	98.58	328.30	3.99
1975	74.68	23.31	281.17	160.87	538.90	7.97
1978	70.72	23.17	301.29	169.94	565.12	8.56
1987	94.65	27.26	327.73	180.34	629.99	19.86
1994	123.32	26.87	414.62	240.53	805.34	36.93
1995	132.06	26.56	441.69	276.86	877.17	42.65

资料来源:《年鉴》(1984, 159—160),《年鉴》(1996, 356—358, 378)。1933 年牲畜存栏数来自刘大中和叶孔嘉(Liu and Yeh, 1965:308)。1931—1937 年牲畜存栏数来自 Perkins(1969, 287)。1933 年的肉类产量来自表 A.21。

表 A.10　中国农业的土地使用,1933—1995 年期间若干基准年份

(千公顷)

	牧场面积	耕地面积	播种面积	复种指数	耕地灌溉率(%)
1933	n. a.	102 300	135 036	1.32	25.9
1952	194 000[a]	107 900	141 256	1.31	18.5
1957	n. a.	111 800	157 244	1.41	24.4
1975	319 000	99 700	149 545	1.50	42.0
1978	319 000	99 390	150 104	1.51	45.3
1987	385 000	95 889	144 957	1.51	46.3
1994	400 000	94 907	148 241	1.56	51.4
1995	400 000	94 971	149 879	1.58	51.9

a. 1947 年数据。

资料来源:畜牧面积来自 FAO, *Production Yearbook*,各期。1952—1975 年的耕地面积来自 Lardy(1983, 5)。1952—1975 年播种面积来自《年鉴》(1984, 137)(每公顷=15 市亩)。1978—1995 年耕地面积和播种面积来自《年鉴》(1996, 355, 368)。灌溉面积比率由表 A.8 数据被本表第二列数据相除得到。1933 年耕地面积来自(Liu and Yeh, 1965:129), 1933 年的播种面积和复种指数来自 Buck(1937, 268),该数据已做调整,包括了东北三省。

表 A.11 中国与美国 1987 年种植业和畜牧业产出和购买力平价(PPP)的比较 115

	中国	美国
(1) 60 种可比产品的总产值(FAO 数据)		
百万元人民币	403 667	(380 400)
百万美元	(174 538)	126 306
(2) 可比产品的 PPP 值		
元人民币/美元	2.313	3.012
(3) 全部 FAO 样本总产值(中国 125 种,美国 95 种产品)		
百万元人民币	451 182	(402 960)
百万美元	(195 064)	133 785
(4) 总增加值		
(中国数据来自表 A.4,美国数据来自投入产出表)		
百万元人民币	325 470	(186 127)
百万美元	(140 713)	61 795
(5) 人口(千人)	1 084 035	243 942
(6) 农业就业人口(千人)	268 728	2 106
(7) 人均增加值		
元人民币	300	(763)
美元	(130)	253
(8) 平均每个就业人口增加值		
元人民币	1 211	(88 370)
美元	(524)	29 342

资料来源:前两项来自表 A.24,在那里我们计算了国际粮农组织所有可以匹配的中美农产品的单元价格(UV)。结果是,如果采用美国价格权重计算中国产量,平均购买力平价是每美元=2.313 元人民币,如果采用中国价格权重计算美国产量,平均购买力平价是每美元=3.012 元人民币。第一组数字是帕氏(Paasche)购买力平价,第二组数字是拉氏(Laspeyres)购买力平价(使用 ICOP/ICP 术语)。1987 年的官方汇率为 1 美元兑换 3.722 元人民币。我们假定根据样本计算的购买力平价(其覆盖了世界粮农组织报告的中国农业总产值的 89%,美国农业总产值的 94%)可以运用到总产值(第三项)和增加值(第四项)。括号内的数字是按购买力平价折算的,以本币计算的结果不在括号内。在第四项中,中国的 3 254.7 亿元人民币增加值是我的估计(参见表 A.4);美国 617.95 亿美元的数字来自美国投入产出表(参见表 A.13)。中国农业(种植业、畜牧业)从业人员来自表 A.3。美国农业从业人员来自表 A.25。中国人口数来自表 D.1,美国人口数据来自麦迪森(1995a)。

116 **表 A.12 1987年《中国投入产出表》中的种植业、畜牧业、林业、渔业及副业的投入产出指标**

(百万元人民币,1987年价格)

	总产值	增加值	投入	投入/产出比率
	(百万元人民币,1987年价格)			
粮食作物	170 512	113 885	56 627	33.2
其他作物	113 281	92 008	21 273	18.8
畜牧产品	106 578	58 766	47 812	44.9
种植业、畜牧业合计	390 371	264 659	125 712	32.2
林业	22 198	17 523	4 675	21.1
渔业	22 486	15 683	6 803	30.3
副业	32 515	22 337	10 178	31.3
全部农业	467 570	320 203	147 367	31.5

资料来源:SSB(1991), pp. 146—147.

表 A.13 《美国投入产出表》中的种植业、畜牧业、林业、渔业及农业服务业,1987年

(百万美元,1987年价格)

	总产值	农业投入	农业服务业投入	其他投入	增加值	投入/产出比率(%)
种植业	86 742	5 439	6 542	28 040	46 721	46.14
畜牧业(牲畜、畜产品)	87 484	40 596	4 003	27 811	15 074	82.77
农场产出合计(种植、畜牧)	174 226	46 035	10 545	55 851	61 795	64.53
林业、渔业	7 456	195	1 288	2 265	3 708	50.27
农业服务业	22 201	3 372		8 881	9 948	55.19
全部农业	203 883	49 602	11 833	66 997	75 451	62.99

资料来源:"Benchmark Input-Output Accounts for the US Economy", *Survey of Current Business*, April 1994, p. 106.

表 A.14 中国与美国农场农业增加值和劳动生产率比较,1933—1994年期间若干基准年份

(美元,1987年价格)

	农场农业增加值		农场农业就业人数		每个就业人口增加值		
	中国	美国	中国	美国	中国	美国	中国/美国
	百万美元		千人		美元	美元	%
1933	56 846	41 466	166 545	8 722	341	4 754	7.2
1952	52 071	37 522	161 097	5 946	323	6 310	5.1
1957	60 501	38 432	172 301	5 052	351	7 607	4.6
1975	82 044	46 422	262 740	2 931	312	15 838	2.0
1978	86 732	41 972	256 747	2 723	338	15 414	2.2
1987	140 713	61 795	268 728	2 106	524	29 342	1.8
1994	180 517	83 337	279 487	2 114	646	39 421	1.6

资料来源:第一列的1987年数据来自表A.11(其中第四项),其他年份根据表A.4最后一列外推。第二列的1987年数据来自表A.26的最后一列。第三列来自表A.3,第四列来自表A.25,第五列由第一列除以第三列得出,第六列由第二列除以第四列得出。

表 A. 15 13 国种植业、畜牧业的比较经济表现，1975 年 117

	种植业、畜牧业增加值 百万美元（1975 年价格）	人均增加值 美国＝100	每个就业人口增加值 美国＝100	农业净出口 百万美元
阿根廷	8 933	157.7	43.9	4 035
巴西	18 303	80.2	10.0	6 178
中国	95 496	47.9	2.3	175
印度	41 963	31.4	1.9	－88
印度尼西亚	9 631	33.3	2.4	234
韩国	2 524	32.9	3.6	－657
墨西哥	6 024	46.0	6.7	44
法国	12 082	105.4	39.8	791
德国	6 976	51.9	30.1	－7 730
日本	7 569	31.2	8.8	－4 107
荷兰	3 347	112.6	90.0	2 208
英国	5 197	42.5	54.7	－7 133
美国	46 981	100.0	100.0	12 310

资料来源：Maddison(1995b)，pp. 214—216. 这个比较使用了 1975 年帕氏(Paasche)(即 1975 年美国价格权重)PPPs。

表 A. 16 8 国化肥使用集约度，1993/1994 年

	总消费量 （千吨折纯）	耕地面积 （千公顷）	草原面积 （千公顷）	单位面积化肥使用量 （公斤/每公顷耕地）
澳大利亚	1 488	46 486	413 800	32
巴西	4 150	48 955	185 000	85
中国	33 179	94 907	400 000	350
法国	4 611	19 439	10 764	237
印度	12 345	169 650	11 400	73
日本	1 817	4 463	661	407
美国	20 350	187 776	239 172	108
苏联[a]	19 463	231 540	325 200	84

a. 1991 年数字。

资料来源：中国资料(1994)来自表 A. 8 和表 A. 10。其他国家数据(1993/1994)来自 FAO，*Fertiliser Yearbook* 1994，1993。耕地面积来自 FAO，*Production Yearbook*，1994。这些数据并不包括农家肥。与其他国家相比，中国较多使用农家肥。如表 A. 8 所示，1994 年中国使用了 700 万吨农家肥(折纯量)。

118

表 A. 17 中国 1994 年:农产品产值、产量、价格的详细情况

	1994 年产量 千吨	1987 年生产者价格 元/吨	总产值 (1987 年价格)千元	其中:用于饲料 千吨	其中:用于饲料 千元	其中:用于种子 千吨	其中:用于种子 千元	饲料和种子价值 千元	最终产值 千元
谷物	390 738		175 017 995	77 952	29 320 845	10 562	4 885 009	34 205 855	140 812 140
小麦	99 299	474	47 067 726	2 000	948 000	4 618	2 188 742	3 136 742	43 930 984
稻谷	175 933	480	84 447 840	2 000	960 000	4 304	2 065 997	3 025 997	81 421 843
大麦	3 200	505	1 616 000	190	95 859	147	74 235	170 094	1 445 906
玉米	99 277	366	36 335 382	70 000	25 620 000	1 139	416 801	26 036 801	10 298 581
裸麦	600	362	217 200	12	4 344	53	19 005	23 349	193 851
燕麦	600	320	192 000	150	48 042	34	10 880	58 922	133 078
小米	3 696	382	1 411 872	500	191 000	56	21 392	212 392	1 199 480
高粱	6 333	475	3 008 175	2 800	1 330 000	43	20 199	1 350 199	1 657 976
荞麦	900	412	370 800	300	123 600	84	34 608	158 208	212 592
黑小麦	900	390	351 000			85	33 150	33 150	317 850
其他未标明谷物									
根茎和块茎	156 363		27 425 075	70 625	12 291 801	2 802	504 361	12 796 162	14 628 913
马铃薯	48 766	180	8 777 950	25 200	4 536 000	2 802	504 276	5 040 276	3 737 675
甘薯	102 722	170	17 462 655	45 000	7 650 000	1	85	7 650 085	9 812 570
木薯	3 501	260	910 369	350	91 000			91 000	819 369
芋头	1 343	200	268 603	65	13 001			13 001	255 602
其他未标明根茎和块茎	31	**180**	5 498	10	1 800			1 800	3 698
豆类	4 966		2 481 197	668	362 574	300	147 140	509 714	1 971 483
干豆	1 511	600	906 872	45	27 080	112	67 500	94 580	812 292
蚕豆	2 000	**420**	840 000			179	74 970	74 970	765 030
干豌豆	1 275	543	692 325	600	325 800	9	4 670	330 470	361 855
扁豆	100	420	42 000	23	9 694			9 694	32 306
其他未标明豆子	80								
坚果/含油种子	60 950		79 695 362	6 136	4 560 172	1 811	1 581 079	6 141 251	73 554 111
腰果	12	**2 092**	25 104						25 104
栗子	110	2 216	243 760						243 760
杏仁	18	**2 092**	37 656						37 656

119

（续表）

	1994 年产量	1987 年生产者价格	总产值	其中:用于饲料		其中:用于种子		饲料和种子价值	最终产值
	千吨	元/吨	(1987 年价格)千元	千吨	千元	千吨	千元	千元	千元
核桃	210	2 092	439 314						439 314
开心果	25	**2 092**	52 300						52 300
榛子	9	**2 092**	18 828						18 828
槟榔子									
其他未标明坚果	26	**2 092**	54 392						54 392
大豆	16 011	808	12 936 888	2 000	1 616 000	854	689 899	2 305 899	10 630 989
落花生(带壳)	9 763	1 137	11 100 284			346	393 754	393 754	10 706 530
椰子	75	300	22 500						22 500
油棕果实	450	**360**	162 000						
棕榈仁	37	360	13 320						13 320
棕榈油	150	670	100 500						100 500
蓖麻子	260	3 051	793 260			2	7 322	7 322	785 938
向日葵籽	1 367	866	1 184 170			20	17 601	17 601	1 166 569
油菜籽	7 492	980	7 342 276	800	784 000	242	236 910	1 020 910	6 321 366
油桐籽	435	735	319 386						319 386
芝麻	548	1 695	929 326			9	15 323	15 323	914 003
西瓜仁	40	**390**	15 600	37	14 274	1	546	14 820	780
木油树籽	795	**390**	310 050						
植物脂	119	390	46 508						46 508
乌桕油(皇后根)	119	390	46 508						46 508
籽棉	13 023	2 842	37 011 366						
棉籽	8 682	650	5 643 301	3 277	2 129 738	325	211 458	2 341 196	3 302 105
亚麻籽	511	750	383 550			10	7 800	7 800	375 750
大麻籽	25	**700**	17 500	23	16 160	1	466	16 625	875
其他未标明含油种子	637	700	445 716						445 716
蔬菜	170 626		56 374 813	2 207	270 501			270 501	56 104 312
卷心菜	12 887	200	2 577 330	625	125 000			125 000	2 452 330
芦笋	2 307	**240**	553 782						553 782

（续表）

	1994年产量 千吨	1987年生产者价格 元/吨	总产值（1987年价格）千元	其中：用于饲料 千吨	其中：用于饲料 千元	其中：用于种子 千吨	其中：用于种子 千元	饲料和种子价值 千元	最终产值 千元	
生菜	4 200	**240**	1 008 000						1 008 000	
菠菜	4 200	**240**	1 008 000						1 008 000	
番茄	12 028	300	3 608 388						3 608 388	
花椰菜	3 459	200	691 878	102	20 400			20 400	671 478	
南瓜类（西葫芦、倭瓜）	2 253	300	675 767	66	19 800			19 800	655 967	
黄瓜	10 542	240	2 530 123	315	75 600			75 600	2 454 523	
茄子	7 323	300	2 196 832						2 196 832	
辣椒、胡椒	5 021	300	1 506 181						1 506 181	
洋葱、青葱	270	400	108 100						108 100	
干洋葱	7 629	500	3 814 571						3 814 571	
大蒜	6 969	1 800	12 544 470						12 544 470	
韭葱	6	**240**	14 809						14 809	
青豆	840	450	378 000						378 000	
鲜豌豆	719	450	323 471						323 471	120
蚕豆	91	450	40 988						40 988	
菜豆	22	**450**	9 744							
胡萝卜	3 427	300	1 028 115	99	29 701			29 701	998 414	
蘑菇	490	3 800	1 861 776						1 861 776	
其他未标明新鲜蔬菜	82 894	240	19 894 488						19 894 488	
水果	55 923		48 680 388	1 090	308 398			308 398	48 371 991	
香蕉	2 898	911	2 639 923						2 639 923	
柑橘	1 680	1 080	1 814 400						1 814 400	
其他柑橘类	4 500	**980**	4 410 000						4 410 000	
柠檬、青柠檬	155	1 100	170 500						170 500	
葡萄柚、柚子	120	728	87 360						87 360	
其他未标明柑橘类	351	**980**	343 490						343 490	
苹果	11 129	1 757	19 553 653						19 553 653	
梨	4 043	1 362	5 506 471						5 506 471	

（续表）

	1994年产量 千吨	1987年生产者价格 元/吨	总产值 （1987年价格）千元	其中：用于饲料 千吨	 千元	其中：用于种子 千吨	 千元	饲料和种子价值 千元	最终产值 千元
杏子	5								
榅桲	20	**980**	19 600						19 600
桃子	2 000	984	1 968 000						1 968 000
李子	1 800	700	1 260 000						1 260 000
葡萄	1 522	800	1 217 664						1 217 664
西瓜	17 396	259	4 505 691	855	221 448			221 448	4 284 243
其他未标明甜瓜类	4 842	370	1 791 417	235	86 950			86 950	1 704 467
芒果	950	980	931 000						931 000
菠萝	600	984	590 400						590 400
枣	30	**980**	29 400						29 400
柿子	820	**980**	803 600						803 600
木瓜	4								
其他未标明热带水果	650	980	637 000						637 000
其他未标明新鲜水果	409	980	400 820						400 820
其他作物	77 219		15 689 877	16 527	1 320 568			1 320 568	14 369 309
鲜咖啡豆	44	3 600	158 400						158 400
茶叶	588	3 500	2 059 638						2 059 638
啤酒花	12								
多香果（香料）	10								
甜椒（香料）	172	2 850	490 200						490 200
香草									
肉桂	23	5 323	122 429						122 429
丁香									
茴香	21	2 850	59 850						59 850
姜	65								
其他未标明香料作物	49	2 850	139 650						139 650
秸秆、谷壳	40			20					
未标明饲料作物	130								

121

（续表）

	1994 年产量 千吨	1987 年生产者价格 元/吨	总产值 （1987 年价格）千元	其中：用于饲料 千吨	千元	其中：用于种子 千吨	千元	饲料和种子价值 千元	最终产值 千元	
烟叶	2 238	2 000	4 476 000						4 476 000	
天然橡胶	374	6 176	2 309 836						2 309 836	
甘蔗	60 927	74	4 508 583	13 677	1 012 098			1 012 098	3 496 485	
甜菜	12 526	109	1 365 290	2 830	308 470			308 470	1 056 820	
纤维	6 138		22 854 865					0	22 854 865	
皮棉	4 341	3 558	15 445 278						15 445 278	
亚麻	250	3 500	875 000						875 000	
大麻	20	1 448	28 960						28 960	
黄麻	210	500	105 000						105 000	
黄麻纤维类	170	500	85 000						85 000	
苎麻	60	12 800	768 000						768 000	
剑麻	16									
其他未标明纤维作物	3									
羊毛	255	6 200	1 581 000							
蚕茧	813	4 879	3 966 627							
奶类、蛋类	23 423		52 674 100	113	59 598			59 598	52 614 502	
全脂牛奶	5 288	536	2 834 368						2 834 368	
水牛奶	2 100	530	1 113 000	105	55 650			55 650	1 057 350	
绵羊奶	801	468	374 868						374 868	
山羊奶	168	470	78 960	8	3 948			3 948	75 012	
骆驼奶	16	470	7 426						7 426	
鸡蛋	12 092	3 207	38 779 172						38 779 172	
其他禽蛋（鸡蛋除外）	2 958	**3 207**	9 486 306						9 486 306	
肉类	46 799		123 692 734	1	1 164			1 164	123 691 570	122
牛肉	3 004	4 300	12 916 405						12 916 405	
水牛肉	271	3 800	1 031 221						1 031 221	
绵羊肉	840	3 164	2 657 760						2 657 760	
山羊肉	771	3 259	2 513 973						2 513 973	

（续表）

	1994年产量	1987年生产者价格	总产值	其中:用于饲料		其中:用于种子		饲料和种子价值	最终产值
	千吨	元/吨	（1987年价格）千元	千吨	千元	千吨	千元	千元	千元
猪肉	33 250	2 150	71 487 801						71 487 801
鸭肉	1 280	3 209	4 108 483						4 108 483
鹅肉	1 166	**3 209**	3 741 373						3 741 373
鸡肉	5 719	4 188	23 949 916						23 949 916
马肉	116	3 400	393 638						393 638
驴肉	28	3 100	85 808						85 808
骡肉	30	3 100	93 930						93 930
骆驼肉	10	2 300	23 276	1	1 164			1 164	22 112
兔肉	229	2 100	480 900						480 900
其他未标明肉类	85	2 450	208 250						208 250
蜂蜜、蜂蜡	191		352 230					0	352 230
蜂蜜	177	1 990	352 230						352 230
蜂蜡	14								
总产值			604 938 636		48 495 622		7 117 589	55 613 211	549 325 425

资料来源：see Table A. 18. 粗体字价格为估计的影子价格。

123

表 A. 18　中国 1987 年：农产品产值、产量、价格的详细情况

	1987 年产量	1987 年生产者价格	总产值	其中：用于饲料		其中：用于种子		饲料和种子价值	最终产值
	千吨	元/吨	千元	千吨	千元	千吨	千元	千元	千元
谷物	356 366		160 699 261		19 378 184		4 919 398	24 297 582	136 401 679
小麦	85 900	474	40 716 602	2 796	1 325 162	4 606	2 183 015	3 508 176	37 208 426
稻谷	174 260	480	83 644 802	3 783	1 815 840	4 448	2 135 158	3 950 998	79 693 804
大麦	2 800	505	1 414 000	148	74 598	103	51 964	126 562	1 287 438
玉米	79 240	366	29 001 841	40 700	14 896 201	985	360 360	15 256 561	13 745 280
裸麦	1 000	362	362 000	20	7 240	68	24 706	31 946	330 054
燕麦	500	320	160 000	113	36 289	42	13 600	49 888	110 112
小米	4 538	382	1 733 516	772	294 904	88	33 595	328 499	1 405 017
高粱	5 428	475	2 578 300	1 650	783 750	62	29 564	813 314	1 764 986
荞麦	1 600	412	659 200	350	144 200	136	56 238	200 438	458 762
黑小麦	1 100	390	429 000			80	31 200	31 200	397 800
其他未标明谷物									
根茎和块茎	145 655		25 361 503		9 497 144		444 715	9 941 859	15 419 644
马铃薯	26 675	180	4 801 502	9 000	1 620 000	2 470	444 630	2 064 630	2 736 872
甘薯	114 440	170	19 454 801	45 783	7 783 111	1	85	7 783 196	11 671 605
木薯	3 300	260	858 000	312	81 198			81 198	776 802
芋头	1 200	200	240 000	60	12 000			12 000	228 000
其他未标明根茎和块茎	40	**180**	7 200	5	835			835	6 365
豆类	5 354		2 713 596		587 866		193 494	781 360	1 932 236
干豆	1 454	600	872 400	45	26 825	104	62 400	89 225	783 175
蚕豆	2 200	420	924 000	615	258 300	168	70 560	328 860	595 140
干豌豆	1 652	543	897 036	525	285 075	108	58 644	343 719	553 317
扁豆	48	**420**	20 160	42	17 665	5	1 890	19 555	605
其他未标明豆子				159					
坚果/含油种子	51 701		70 419 688		1 583 805		1 423 739	3 007 544	67 412 144
腰果	8	**2 092**	16 318		0		0	0	16 318
栗子	115	2 216	253 818		0		0	0	253 818
杏仁	15	**2 092**	31 380		0		0	0	31 380

124

（续表）

	1987 年产量 千吨	1987 年生产者价格 元/吨	总产值 千元	其中:用于饲料 千吨	其中:用于饲料 千元	其中:用于种子 千吨	其中:用于种子 千元	饲料和种子价值 千元	最终产值 千元
核桃	147	2 092	307 524		0		0	0	307 524
开心果	22	**2 092**	46 024		0		0	0	46 024
榛子	7	**2 092**	15 062		0		0	0	15 062
槟榔子			0		0		0	0	0
其他未标明坚果	19	**2 092**	39 748		0		0	0	39 748
大豆	12 184	808	9 844 672	700	565 600	852	688 496	1 254 096	8 590 576
落花生(带壳)	6 171	1 137	7 016 427		0	262	297 813	297 813	6 718 614
椰子	80	300	24 000		0		0		24 000
油棕果实	500	**360**	180 000		0		0		180 000
棕榈仁	42	360	14 976	0	1		0	1	14 975
棕榈油	167	670	111 622		0		0	0	111 622
蓖麻子	330	3 051	1 006 830		0	3	8 238	8 238	998 592
向日葵籽	1 241	866	1 074 706		0	21	17 970	17 970	1 056 737
油菜籽	6 605	980	6 472 900	446	437 494	173	169 304	606 797	5 866 103
油桐籽	342	735	251 180		0		0	0	251 180
芝麻	526	1 695	891 570		0	10	17 794	17 794	873 776
西瓜仁	30	**390**	11 700	2	692	1	273	965	10 735
木油树籽	680	**390**	265 200		0		0	0	265 200
植物脂	102	390	39 780		0		0	0	39 780
乌桕油(皇后根)	102	390	39 780		0		0	0	39 780
籽棉	12 735	2 842	36 192 870		0		0	0	36 192 870
棉籽	8 490	650	5 518 500	841	546 751	332	215 630	762 381	4 756 119
亚麻籽	460	750	345 000		0	9	6 923	6 923	338 078
大麻籽	64	**700**	44 800	48	33 268	2	1 299	34 567	10 233
其他未标明含油种子	519	700	363 300		0		0	0	363 300
蔬菜	63 185		23 001 601		138 092			138 092	22 863 509
卷心菜	6 500	200	1 300 000	325	65 000			65 000	1 235 000
芦笋	1 260	**240**	302 400		0			0	302 400

（续表）

	1987年产量 千吨	1987年生产者价格 元/吨	总产值 千元	其中:用于饲料 千吨	其中:用于饲料 千元	其中:用于种子 千吨	其中:用于种子 千元	饲料和种子价值 千元	最终产值 千元
生菜	2 100	**240**	504 000		0			0	504 000
菠菜	2 145	**240**	514 800		0			0	514 800
番茄	6 250	300	1 875 000		0			0	1 875 000
花椰菜	1 400	200	280 000	42	8 400			8 400	271 600
南瓜类(西葫芦、倭瓜)	1 000	300	300 000	30	9 000			9 000	291 000
黄瓜	5 760	240	1 382 400	173	41 472			41 472	1 340 928
茄子	3 850	300	1 155 000		0			0	1 155 000
辣椒、胡椒	2 200	300	660 000		0			0	660 000
洋葱、青葱	100	400	40 000		0			0	40 000
干洋葱	3 700	500	1 850 000		0			0	1 850 000
大蒜	3 300	1 800	5 940 000		0			0	5 940 000
韭葱	25	**240**	6 000		0			0	6 000
青豆	420	450	189 000		0			0	189 000
鲜豌豆	320	450	144 000		0			0	144 000
蚕豆			0						
菜豆			0						
胡萝卜	1 580	300	474 000	47	14 220			14 220	459 780
蘑菇	275	3 800	1 045 000		0			0	1 045 000
其他未标明新鲜蔬菜	21 000	240	5 040 001		0			0	5 040 001
水果	24 104		22 464 630		110 636			110 636	22 353 994
香蕉	2 029	911	1 848 419		0			0	1 848 419
柑橘	2 902	1 080	3 134 160		0			0	3 134 160
其他柑橘类	322	**980**	315 560		0			0	315 560
柠檬、青柠檬	135	1 100	148 500		0			0	148 500
葡萄柚、柚子	215	728	156 520		0			0	156 520
其他未标明柑橘类	8	**980**	7 840		0			0	7 840
苹果	4 265	1 757	7 493 605		0			0	7 493 605
梨	2 489	1 362	3 390 018		0			0	3 390 018

125

（续表）

	1987 年产量	1987 年生产者价格	总产值	其中:用于饲料		其中:用于种子		饲料和种子价值	最终产值	
	千吨	元/吨	千元	千吨	千元	千吨	千元	千元	千元	
杏子			0		0			0	0	
榅桲	3	**980**	2 940		0			0	2 940	
桃子	630	984	619 920		0			0	619 920	
李子	670	700	469 000		0			0	469 000	
葡萄	641	800	512 800		0			0	512 800	
西瓜	5 400	259	1 398 600	270	69 936			69 936	1 328 664	
其他未标明甜瓜类	2 200	370	814 000	110	40 700			40 700	773 300	
芒果	315	980	308 700		0			0	308 700	
菠萝	412	984	405 408		0			0	405 408	
枣	20	**980**	19 600		0			0	19 600	
柿子	820	**980**	803 600		0			0	803 600	
木瓜			0							
其他未标明热带水果	580	980	568 400		0			0	568 400	
其他未标明新鲜水果	48	980	47 040		0			0	47 040	
其他作物	58 536		12 316 671		752 050			752 050	11 564 621	126
鲜咖啡豆	26	3 600	93 600		0			0	93 600	
茶叶	509	3 500	1 781 500		0			0	1 781 500	
啤酒花	5		0		0			0	0	
多香果(香料)	4		0		0			0	0	
甜椒(香料)	150	2 850	427 500		0			0	427 500	
香草	0		0		0			0	0	
肉桂	20	5 323	106 460		0			0	106 460	
丁香	1		0		0			0	0	
茴香	16	2 850	45 600		0			0	45 600	
姜	20		0		0			0	0	
其他未标明香料作物	40	2 850	114 000		0			0	114 000	
秸秆、谷壳	12		0	9	0			0	0	
未标明饲料作物	50		0	14	0			0	0	

（续表）

	1987 年产量 千吨	1987 年生产者价格 元/吨	总产值 千元	其中:用于饲料 千吨	其中:用于饲料 千元	其中:用于种子 千吨	其中:用于种子 千元	饲料和种子价值 千元	最终产值 千元	
烟叶	1 943	2 000	3 886 000		0			0	3 886 000	
天然橡胶	238	6 176	1 469 888		0			0	1 469 888	
甘蔗	47 363	74	3 504 863		0			703 000	2 801 863	
甜菜	8 140	109	887 260	9 500	703 000			49 050	838 210	
纤维	6 105		25 707 807	450	49 050				25 707 807	
皮棉	4 240	3 558	15 085 920						15 085 920	
亚麻	320	3 500	1 120 000						1 120 000	
大麻	65	1 448	94 120						94 120	
黄麻	300	500	150 000						150 000	
黄麻纤维类	269	500	134 500						134 500	
苎麻	567	12 800	7 257 600						7 257 600	
剑麻	16		0						0	
其他未标明纤维作物	2		0						0	
羊毛	209	6 200	1 295 800						1 295 800	
蚕茧	117	4 879	569 867						569 867	
奶类、蛋类	11 643		21 951 064		509 900		443 849	953 749	20 997 315	
全脂牛奶	3 301	536	1 769 336		0		0	0	1 769 336	
水牛奶	1 800	530	954 000	900	477 000		0	477 000	477 000	
绵羊奶	487	468	227 916		0		0	0	227 916	
山羊奶	140	470	65 800	70	32 900		0	32 900	32 900	
骆驼奶	13	470	6 298		0		0	0	6 298	
鸡蛋	4 722	3 207	15 143 454		0	103	330 321	330 321	14 813 133	
其他禽蛋（鸡蛋除外）	1 180	**3 207**	3 784 260		0	35	113 528	113 528	3 670 732	
肉类	30 004		86 139 784						86 139 784	127
牛肉	6 714	4 300	28 871 920						28 871 920	
水牛肉	1 440	3 800	5 472 000						5 472 000	
绵羊肉	351	3 164	1 109 827						1 109 827	
山羊肉	371	3 259	1 207 792						1 207 792	

（续表）

	1987 年产量	1987 年生产者价格	总产值	其中:用于饲料		其中:用于种子		饲料和种子价值	最终产值
	千吨	元/吨	千元	千吨	千元	千吨	千元	千元	千元
猪肉	18 562	2 150	39 907 724						39 907 724
鸭肉	387	3 209	1 241 658						1 241 658
鹅肉	284	**3 209**	912 178						912 178
鸡肉	1 573	4 188	6 586 179						6 586 179
马肉	50	3 400	169 323						169 323
驴肉	24	3 100	74 409						74 409
骡肉	23	3 100	69 750						69 750
骆驼肉	15	2 300	35 420						35 420
兔肉	101	2 100	212 104						212 104
其他未标明肉类	110	2 450	269 500						269 500
蜂蜜、蜂蜡	217		405 960		0				405 960
蜂蜜	204	1 990	405 960		0				405 960
蜂蜡	13		0		0				0
总产值			451 181 565		32 557 677		7 425 194	39 982 872	411 198 693

资料来源：农产品、饲料、种子的产量和价格由 FAO 的数据库慷慨提供。对于缺失的价格数据，我们有根据假定它们与其他相关价格平行，由此估计了它们的影子价格，并且使用粗体标明。我们的 134 种商品有产量数据，其中 103 种有价格数据，对 22 种我们估计了影子价格，最后一共采用了 125 种商品。有 9 种商品我们无法估计它们的影子价格，但是它们的影响很小。

表 A.19　中国 1975 年：农产品产值、产量、价格的详细情况

	1975 年产量 千吨	1987 年生产者价格 元/吨	总产值 千元	其中：用于饲料 千吨	其中：用于饲料 千元	其中：用于种子 千吨	其中：用于种子 千元	饲料和种子价值 千元	最终产值 千元
谷物	241 250		109 036 960		11 467 927		5 772 798	17 240 725	91 796 235
小麦	45 310	474	21 476 940	1 500	711 000	4 541	2 152 434	2 863 434	18 613 506
稻谷	125 560	480	60 268 800	1 700	816 000	6 065	2 911 200	3 727 200	56 541 600
大麦	3 000	505	1 515 000	601	303 505	156	78 780	382 285	1 132 715
玉米	47 220	366	17 282 520	22 600	8 271 600	960	351 360	8 622 960	8 659 560
裸麦	1 300	362	470 600	26	9 412	95	34 390	43 802	426 798
燕麦	700	320	224 000	175	56 000	43	13 760	69 760	154 240
小米	6 500	382	2 483 000	830	317 060	158	60 356	377 416	2 105 584
高粱	8 500	475	4 037 500	1 810	859 750	152	72 200	931 950	3 105 550
荞麦	2 100	412	865 200	300	123 600	179	73 748	197 348	667 852
黑小麦	1 060	390	413 400	0	0	63	24 570	24 570	388 830
其他未标明谷物			0						
根茎和块茎	145 917		25 267 660		5 375 520		324 000	5 699 520	19 568 140
马铃薯	24 300	180	4 374 000	7 300	1 314 000	1 800	324 000	1 638 000	2 736 000
甘薯	118 500	170	20 145 000	23 000	3 910 000	0	0	3 910 000	16 235 000
木薯	2 100	260	546 000	542	140 920	0		140 920	405 080
芋头	980	200	196 000	53	10 600	0		10 600	185 400
其他未标明根茎和块茎	37	**180**	6 660	0	0	0		0	6 660
豆类	6 200		3 168 300		419 340		271 206	690 546	2 477 754
干豆	1 700	600	1 020 000	61	36 600	136	81 600	118 200	901 800
蚕豆	2 400	420	1 008 000	420	176 400	242	101 640	278 040	729 960
干豌豆	2 100	543	1 140 300	380	206 340	162	87 966	294 306	845 994
扁豆	0	**420**	0	0	0	0	0	0	0
其他未标明豆子				0		0			
坚果/含油种子	25 019		35 494 075		521 568		872 668	1 394 236	34 099 839
腰果	5	**2 092**	10 460		0		0	0	10 460
栗子	142	2 216	314 672		0		0	0	314 672
杏仁	11	**2 092**	23 012		0		0	0	23 012

（续表）

	1975年产量 千吨	1987年生产者价格 元/吨	总产值 千元	其中:用于饲料 千吨	 千元	其中:用于种子 千吨	 千元	饲料和种子价值 千元	最终产值 千元
核桃	65	2 092	135 980		0		0	0	135 980
开心果	16	**2 092**	33 472		0		0	0	33 472
榛子	4	**2 092**	8 368		0		0	0	8 368
槟榔子			0		0		0	0	0
其他未标明坚果	12	**2 092**	25 104		0		0	0	25 104
大豆	7 240	808	5 849 920	221	178 568	702	567 216	745 784	5 104 136
落花生（带壳）	2 270	1 137	2 580 990	0	0	16	18 192	18 192	2 562 798
椰子	54	300	16 200		0		0	0	16 200
油棕果实		**360**	0		0		0	0	0
棕榈仁	39	360	14 040		0		0	0	14 040
棕榈油	156	670	104 520		0		0	0	104 520
蓖麻子	67	3 051	204 417		0	2	6 102	6 102	198 315
向日葵籽	80	866	69 280	0	0	3	2 598	2 598	66 682
油菜籽	1 635	980	1 602 300	0	0	82	80 360	80 360	1 521 940
油桐籽	370	735	271 950		0		0	0	271 950
芝麻	208	1 695	352 560		0		0	0	352 560
西瓜仁		**390**	0		0		0	0	0
木油树籽		**390**	0		0		0	0	0
植物脂	104	390	40 560		0		0	0	40 560
乌桕油（皇后根）	104	390	40 560		0		0	0	40 560
籽棉	**7 155**	2 842	20 334 510		0		0	0	20 334 510
棉籽	4 762	650	3 095 300	476	309 400	295	191 750	501 150	2 594 150
亚麻籽	38	750	28 500	0	0	3	2 250	2 250	26 250
大麻籽	57	**700**	39 900	48	33 600	6	4 200	37 800	2 100
其他未标明含油种子	425	700	297 500		0		0	0	297 500
蔬菜	60 623		20 132 690		85 680		0	85 680	20 047 010
卷心菜	3 800	200	760 000	190	38 000			38 000	722 000
芦笋	850	**240**	204 000		0			0	204 000

129

（续表）

	1975 年产量 千吨	1987 年生产者价格 元/吨	总产值 千元	其中：用于饲料 千吨	其中：用于饲料 千元	其中：用于种子 千吨	其中：用于种子 千元	饲料和种子价值 千元	最终产值 千元
生菜	1 000	**240**	240 000		0			0	240 000
菠菜	1 710	**240**	410 400		0			0	410 400
番茄	4 000	300	1 200 000		0			0	1 200 000
花椰菜	572	200	114 400	17	3 400			3 400	111 000
南瓜类(西葫芦、倭瓜)	565	300	169 500	18	5 400			5 400	164 100
黄瓜	4 226	240	1 014 240	127	30 480			30 480	983 760
茄子	2 580	300	774 000		0			0	774 000
辣椒、胡椒	1 113	300	333 900		0			0	333 900
洋葱、青葱	30	400	12 000		0			0	12 000
干洋葱	2 330	500	1 165 000		0			0	1 165 000
大蒜	2 450	1 800	4 410 000		0			0	4 410 000
韭葱		**240**	0		0			0	0
鲜豆角	275	450	123 750		0			0	123 750
鲜豌豆	186	450	83 700		0			0	83 700
蚕豆			0						
菜豆			0						
胡萝卜	946	300	283 800	28	8 400			8 400	275 400
蘑菇	190	3 800	722 000		0			0	722 000
其他未标明新鲜蔬菜	33 800	240	8 112 000		0			0	8 112 000
水果	9 565		7 791 546		46 250			46 250	7 745 296
香蕉	165	911	150 315		0			0	150 315
柑橘	302	1 080	326 160		0			0	326 160
其他柑橘类	34	**980**	33 320		0			0	33 320
柠檬、青柠檬	35	1 100	38 500		0			0	38 500
葡萄柚、柚子	50	728	36 400		0			0	36 400
其他未标明柑橘类	6	**980**	5 880		0			0	5 880
苹果	1 583	1 757	2 781 331		0			0	2 781 331
梨	1 087	1 362	1 480 494		0			0	1 480 494

130

（续表）

	1975 年产量	1987 年生产者价格	总产值	其中:用于饲料		其中:用于种子		饲料和种子价值	最终产值
	千吨	元/吨	千元	千吨	千元	千吨	千元	千元	千元
杏子			0		0			0	0
榅桲		**980**	0		0			0	0
桃子	331	984	325 704		0			0	325 704
李子	331	700	231 700		0			0	231 700
葡萄	123	800	98 400		0			0	98 400
西瓜	3 392	259	878 528	170	44 030			44 030	834 498
其他未标明甜瓜类	1 113	370	411 810	6	2 220			2 220	409 590
芒果	168	980	164 640		0			0	164 640
菠萝	66	984	64 944		0			0	64 944
枣	5	**980**	4 900		0			0	4 900
柿子	450	**980**	441 000		0			0	441 000
木瓜			0						
其他未标明热带水果	310	980	303 800		0			0	303 800
其他未标明新鲜水果	14	980	13 720		0			0	13 720
其他作物	20 527		5 015 151		262 206			262 206	4 752 945
鲜咖啡豆	6	3 600	21 600		0			0	21 600
茶叶	211	3 500	738 500		0			0	738 500
啤酒花			0		0			0	0
多香果(香料)			0		0			0	0
甜椒(香料)	105	2 850	299 250		0			0	299 250
香草			0		0			0	0
肉桂	5	5 323	26 615		0			0	26 615
丁香			0		0			0	0
茴香	6	2 850	17 100		0			0	17 100
姜			0		0			0	0
其他未标明香料作物	22	2 850	62 700		0			0	62 700
秸秆、谷壳			0	0	0	0		0	0
未标明饲料作物			0	0	0	0		0	0

（续表）

	1975 年产量 千吨	1987 年生产者价格 元/吨	总产值 千元	其中：用于饲料 千吨	其中：用于饲料 千元	其中：用于种子 千吨	其中：用于种子 千元	饲料和种子价值 千元	最终产值 千元
烟叶	960	2 000	1 920 000		0			0	1 920 000
天然橡胶	69	6 176	426 144		0			0	426 144
甘蔗	16 667	74	1 233 358	3 343	247 382			247 382	985 976
甜菜	2 476	109	269 884	136	14 824			14 824	255 060
纤维	3 152		10 569 203						10 569 203
皮棉	2 381	3 558	8 471 598						8 471 598
亚麻	90	3 500	315 000						315 000
大麻	94	1 448	136 112						136 112
黄麻	161	500	80 500						80 500
黄麻纤维类	189	500	94 500						94 500
苎麻	25	12 800	320 000						320 000
剑麻	12		0						0
其他未标明纤维作物			0						0
羊毛	133	6 200	824 600						824 600
蚕茧	67	4 879	326 893						326 893
奶类、蛋类	4 545		8 363 900		31 620		166 764	198 384	8 165 516
全脂牛奶	840	536	450 240		0		0	0	450 240
水牛奶	1 155	530	612 150	57	30 210		0	30 210	581 940
绵羊奶	250	468	117 000		0		0	0	117 000
山羊奶	58	470	27 260	3	1 410		0	1 410	25 850
骆驼奶	12	470	5 640		0		0	0	5 640
鸡蛋	1 780	3 207	5 708 460		0	39	125 073	125 073	5 583 387
其他禽蛋（鸡蛋除外）	450	**3 207**	1 443 150		0	13	41 691	41 691	1 401 459
肉类	9 237		22 603 803						22 603 803
牛肉	181	4 300	778 300						778 300
水牛肉	54	3 800	205 200						205 200
绵羊肉	159	3 164	503 076						503 076
山羊肉	150	3 259	488 850						488 850

132

（续表）

	1975 年产量	1987 年生产者价格	总产值	其中：用于饲料		其中：用于种子		饲料和种子价值	最终产值
	千吨	元/吨	千元	千吨	千元	千吨	千元	千元	千元
猪肉	7 460	2 150	16 039 000						16 039 000
鸭肉	200	3 209	641 800						641 800
鹅肉	143	**3 209**	458 887						458 887
鸡肉	730	4 188	3 057 240						3 057 240
马肉	40	3 400	136 000						136 000
驴肉	20	3 100	62 000						62 000
骡肉	9	3 100	27 900						27 900
骆驼肉	11	2 300	25 300						25 300
兔肉	45	2 100	94 500						94 500
其他未标明肉类	35	2 450	85 750						85 750
蜂蜜、蜂蜡	88		159 200		0			0	159 200
蜂蜜	80	1 990	159 200		0			0	159 200
蜂蜡	8		0		0			0	0
总产值			247 602 488		18 210 111		7 407 436	25 617 547	221 984 941

资料来源：see Table A. 18. 籽棉因为采用 FAO 的估计推出，所以用粗体字标出。

表 A. 20 对中国种植业和畜牧业总产值的详细推算，1952—1978 年

	1987 年价格	总产量（千吨）				总产值（千元人民币，1987 年价格）			
	吨/元人民币	1952	1957	1975	1978	1952	1957	1975	1978
稻谷	480	68 450	86 800	125 550	136 950	32 856 000	41 664 000	60 264 000	65 736 000
小麦	474	18 150	23 650	45 300	53 850	8 603 100	11 210 100	21 472 200	25 524 900
玉米	366	16 850	21 450	47 200	55 950	6 167 100	7 850 700	17 275 200	20 477 700
高粱	472	11 100	7 650	10 750	8 050	5 239 200	3 610 800	5 074 000	3 799 600
小米	382	11 550	8 550	7 150	6 550	4 412 100	3 266 100	2 731 300	2 502 100
七种粗粮	432	12 050	15 050	13 600	13 600	5 205 600	6 501 600	5 875 200	5 875 200
块茎[a]	172	81 750	109 500	142 800	158 750	14 061 000	18 834 000	24 561 600	27 305 000
大豆	808	9 500	10 050	7 250	7 550	7 676 000	8 120 400	5 858 000	6 100 400
花生	1 137	2 316	2 571	2 270	2 377	2 633 292	2 923 227	2 580 990	2 702 649
油菜籽	980	932	888	1 535	1 868	913 360	870 240	1 504 300	1 830 640
芝麻	1 695	481	312	208	322	815 295	528 840	352 560	545 790
水果（全部）	932	2 443	3 247	5 381	6 570	2 276 876	3 026 204	5 015 092	6 123 240
甘蔗	74	7 116	10 392	16 667	21 116	526 584	769 008	1 233 358	1 562 584
甜菜	109	479	1 501	2 477	2 702	52 211	163 609	269 993	294 518
茶叶	3 500	82	112	211	268	287 000	392 000	738 500	938 000
烟叶	2 000	222	256	701	1 053	444 000	512 000	1 402 000	2 106 000
棉花	3 558	1 304	1 640	2 381	2 207	4 639 632	5 835 120	8 471 598	7 852 506
亚麻	3 500	40	53	29	26	140 000	185 500	101 500	91 000
大麻	1 442	36	301	700	1 088	51 912	434 042	1 009 400	1 568 896
蚕丝	4 879	123	112	195	228	600 117	546 448	951 405	1 112 412
肉类	2 871	3 385	3 985	7 970	8 563	9 718 335	11 440 935	22 881 870	24 584 373
全部样本产品		248 359	308 070	440 325	489 638	107 318 714	128 684 873	189 624 066	208 633 508
种植业、畜牧业总产值						140 131 847	168 030 796	247 602 395	272 424 051
样本/总产值比率						0. 765 841	0. 765 841	0. 765 841	0. 765 841

a. 中国统计中将块茎/根茎作物(如马铃薯、甘薯)的产量除以 5 折算为谷物。因此,在这里,我乘以 5 将这些作物还原。在价格上,我使用了 FAO 马铃薯和甘薯的加权平均价格。

资料来源:1987 年 FAO 价格来自表 A. 18。农产品产量来自中国农业部(Ministry of Agriculture, 1989:150—241)。总产值由产量乘以价格得出。

表 A. 21　对中国 1933—1975 年种植业和畜牧业总产值的详细推算

	1987 年价格 元人民币/吨	刘、叶估计的 1933 年产量 千吨	1933 年产值 (1987 年价格 百万元)	1975 年产量 千吨	1975 年产值 (1987 年价格) 百万元	Perkins 估计的 1931—1937 年产量 千吨	按 Perkins 估计的 1931— 1937 年产值(1987 年价格) 百万元
小麦	474	26 700	12 655. 8	45 310	21 476. 9	23 100	10 949. 4
大米	480	81 740	39 235. 2	125 560	60 268. 8	69 555	33 386. 4
大麦	505	7 580	3 827. 9	3 000	1 515. 0	9 720	4 908. 6
玉米	366	9 295	3 402. 0	47 220	17 282. 5	10 220	3 740. 5
燕麦	320	665	212. 8	700	224. 0	n. a.	
小米	382	14 645	5 594. 4	6 500	2 483. 0	13 840	5 286. 9
高粱	475	12 565	5 968. 4	8 500	4 037. 5	12 340	5 861. 5
荞麦	412	450	185. 4	2 100	865. 2	n. a.	
马铃薯	180	4 115	740. 7	24 300	4 374. 0	4 115	740. 7
甘薯	170	26 445	4 495. 7	118 500	20 145. 0	26 445	4 495. 7
蚕豆	420	3 015	1 266. 3	2 400	1 008. 0	n. a.	
豌豆	543	3 265	1 772. 9	2 100	1 140. 3	n. a.	
裸麦	n. a.	1 010					
绿豆	n. a.	1 365					
大豆	808	11 815	9 546. 5	7 240	5 849. 9	8 430	6 811. 4
花生	1 137	3 345	3 803. 3	2 270	2 581. 0	2 625	2 984. 6
油菜籽	980	2 100	2 058. 0	1 635	1 602. 3	2 540	2 489. 2
芝麻	1 695	965	1 635. 7	208	352. 6	905	1 534. 0
烟草	2 000	990	1 980. 0	960	1 920. 0	915	1 830. 0
皮棉	3 558	950	3 380. 1	2 381	8 471. 6	944	3 358. 8
大麻	1 448	340	492. 3	94	136. 1	675	977. 4
甘蔗	74	3 930	290. 8	16 667	1 233. 4	2 434	180. 1
鸡蛋	3 207	826	2 649. 0	1 780	5 708. 5	n. a.	

（续表）

	1987 年价格 元人民币/吨	刘、叶估计的 1933 年产量 千吨	1933 年产值（1987 年价格 百万元）	1975 年产量 千吨	1975 年产值（1987 年价格） 百万元	Perkins 估计的 1931—1937 年产量 千吨	Perkins 估计的 1931—1937 年产值（1987 年价格） 百万元
牛/水牛肉	4 185	128	535.7	235	983.5	101	422.7
绵羊肉	3 164	86	272.1	159	503.1	57	180.3
山羊肉	3 259	46	149.9	150	488.9	31	101.0
猪肉	2 150	1 863	4 005.5	7 460	16 039.0	1 814	3 900.1
马肉	3 400	35	119.0	40	136.0	28	95.2
骡肉	3 100	12	37.2	9	27.9	13	40.3
驴肉	3 100	31	96.1	20	62.0	n. a.	
全部刘-叶样本产品			110 408.5		180 915.9		
刘-叶总产值			151 105.7		247 602.5		
刘-叶样本/产值比率			(73.07)		73.07		
全部帕金斯样本产品					171 907.9		94 274.8
帕金斯总产值					247 602.4		135 785.8
帕金斯样本/产值比率					69.43		(69.43)

资料来源：价格来自联合国粮农组织（参见表 A. 18）。1975 年产量来自联合国粮农组织（参见表 A. 19）。1933 年产量来自刘、叶（1965，290，300，308）。我对他们的小米和黍子、大米和糯米的数据分别进行了合并。他们关于鸡蛋产量的数据是以百万只来衡量的。我假定每 14630 只鸡蛋为一公吨，从而折合为吨。他们只给出了牲畜存栏数的数据，我假定在 1933 年肉类产量和牲畜存栏数之间存在着与 1975 年相同的关系，从而根据牲畜存栏数推算出 1933 年的肉类产量。第 6 列的数据来自帕金斯（Perkins，1969，276—287）。帕金斯提供了马铃薯和甘薯的加总数据，与刘、叶的加总数据是一致的。我因此用刘、叶的分项数据将它们分开。

表 A.22a 中国主要农产品 1987 年价格 135

（元人民币/吨）

	国家统计局 1987		FAO 1987
	(a) 国家统计局市场价格（所有销售点平均价格）	(b) 国家统计局国家价格	(c) FAO 生产者价格
小麦	470	470	474
大米	594	554	480
大豆	830	791	808
玉米	301	291	366
猪肉	3 656	3 535	2 150
牛肉	4 296	4 166	4 300
羊肉	4 578	4 277	3 164
白鸡肉	4 840	4 723	4 188
鸡腿	3 628	3 461	3 207
苹果	2 239	2 207	1 757
梨	1 902	1 951	1 362

资料来源：SSB(1988，p.123).

表 A.22b 中国主要农产品 1987 年价格

(a) 国家统计局"零售混合平均价"(b) FAO 生产者价格
（元人民币/吨）

	(a) 国家统计局 1987 年价格	(b) FAO 1987 年价格		(a) 国家统计局 1987 年价格	(b) FAO 1987 年价格
肥猪肉	2 073	2 150	水果	867	932
牛肉	3 498	4 300	桔类	1 114	1 080
绵羊/山羊肉	2 918	3 164	皮棉	3 563	3 558
家禽肉	4 329	4 188	烤烟	2 485	2 000
鲜鸡蛋	3 042	3 207	大麻	1 675	1 448
茶叶	5 454	3 500	苎麻	5 609	12 800
甘蔗	78	74	桑蚕茧	4 617	4 879
甜菜	108	109	羊毛	6 285	9 200
蜂蜜	2 144	1 990			

资料来源：SSB(1988，pp.121—122).

表 A.22c 1987 年中国不同市场主要农产品价格

	订购价格	超购价格（元人民币/吨）	自由市场价格	订购价格销售量	超购价格销售量（千吨）	总产量
籼稻	349	484	553			
籼米	490	680	777			
粳稻	414	535	612	19 783	11 654	174 260
粳米	582	752	860			
小麦	442	545	620	17 691	10 654	85 900
玉米	332	445	503	17 202	14 842	79 240
大豆	738	933	1 102	2 194	3 903	12 184
棉花	3 534	3 563	3 681	4 071	0	4 240

资料来源：前五列由美国农业部提供(March，1996)。最后一列来自表 A.18。关于国家收购比重：大米占 18%，小麦占 33%，玉米占 40%，大豆占 50%，棉花占 96%。我将余下的定义为农户消费和自由市场销售。国家购买了茶叶产量的 96%，烟叶产量的 85%，甘蔗产量的 74%，以及甜菜产量的 94%。

表 A.23 美国 1987 年:农产品产值、产量、价格的详细情况

	1987 年产量 千吨	1987 年生产者价格 美元/吨	总产值 千美元	其中:用于饲料 千吨	其中:用于饲料 千美元	其中:用于种子 千吨	其中:用于种子 千美元	饲料或种子价值 千美元(1987 年价格)	最终产值 千美元
谷物	280 447		21 624 070					11 479 717	10 144 353
小麦	57 362	94	5 392 010	7 898	742 412	2 313	217 422	959 834	4 432 176
稻谷	5 879	160	940 640			163	26 128	26 128	914 512
大麦	11 354	83	942 407	5 511	457 372	342	28 369	485 741	456 666
玉米	181 142	69	12 498 798	121 874	8 409 306	432	29 808	8 439 114	4 059 684
黑麦	496	63	31 247	269	16 963	97	6 080	23 042	8 204
燕麦	5 424	107	580 411	5 199	556 293	459	49 113	605 406	—24 995
小米	180	61	10 980	113	6 870			6 870	4 110
高粱	18 563	66	1 225 185	14 105	930 930	33	2 178	933 108	292 077
荞麦	46	52	2 392	5	250	4	224	473	1 919
鸟食谷物				13					
根茎和块茎	18 189		1 811 312					145 088	1 666 224
马铃薯	17 659	96	1 695 284	224	21 504	1 159	111 264	132 768	1 562 516
甘薯	527	220	116 028	16	3 520	40	8 800	12 320	103 708
芋头	3								
豆类植物	1 479		479 498					18 551	460 947
干豆	1 181	364	429 793	0.5	165	45	16 345	16 511	413 282
干蚕豆									
干豌豆	208	154	32 032			13	2 033	2 033	29 999
干豇豆	13	154	2 042	0.05	7			7	2 035
扁豆	77	203	15 631						15 631
坚果/油料种子	70 562		19 979 506					593 327	19 386 180
杏仁	500	2 315	1 157 500						1 157 500
核桃	224	1 085	243 040						243 040
开心果	15	2 954	44 310						44 310
榛子	20	1 069	21 145						21 145
其他未标明坚果	138	1 246	172 197						172 197
大豆	52 737	216	11 391 195	52	11 146	1 500	323 935	335 081	11 056 114

（续表）

	1987 年产量	1987 年生产者价格	总产值	其中:用于饲料		其中:用于种子		饲料或种子价值	最终产值
	千吨	美元/吨	千美元	千吨	千美元	千吨	千美元	千美元(1987 年价格)	千美元
落花生(带壳)	1 640	617	1 011 880			91	56 252	56 252	955 628
油橄榄	61	670	41 027						41 027
向日葵籽	1 183	183	216 489	30	5 435	10	1 811	7 246	209 243
红花籽	147	190	27 930			1	198	198	27 732
芥菜籽	26	165	4 282			0	50	50	4 233
籽棉	8 448	610	5 153 097						5 153 097
棉籽	5 234	90	471 033	2 033	182 970	120	10 800	193 770	277 263
亚麻籽	189	129	24 381			6	731	731	23 650
蔬菜	26 433		6 110 593						6 110 593
卷心菜	1 400	136	190 400						190 400
朝鲜蓟	55	716	39 511						39 511
芦笋	106	1 274	135 630						135 630
生菜	3 079	326	1 003 689						1 003 689
菠菜	176	348	61 248						61 248
番茄	8 372	151	1 264 145						1 264 145
花菜	335	549	183 641						183 641
黄瓜、小黄瓜	576	190	109 529						109 529
茄子	35	390	13 455						13 455
鲜辣椒、鲜胡椒	490	520	254 800						254 800
洋葱	2 046	251	513 619						513 619
蒜	135	490	66 150						66 150
鲜蚕豆	116	400	46 400						46 400
鲜豌豆	997	247	246 259						246 259
菜豆	622	403	250 735						250 735
胡萝卜	1 303	185	241 003						241 003
鲜嫩玉米	3 311	110	364 210						364 210
蘑菇	279	1 931	538 170						538 170
其他未标明的新鲜蔬菜	3 000	196	588 000						588 000

137

（续表）

	1987年产量 千吨	1987年生产者价格 美元/吨	总产值 千美元	其中：用于饲料 千吨	其中：用于饲料 千美元	其中：用于种子 千吨	其中：用于种子 千美元	饲料或种子价值 千美元(1987年价格)	最终产值 千美元
水果	27 680		7 700 053					21 871	7 678 181
香蕉	5	653	3 376						3 376
柑橘	6 983	221	1 543 155						1 543 155
其他柑橘类	509	727	369 970						369 970
柠檬、青柠檬	1 043	449	468 424						468 424
葡萄柚、柚子	2 346	193	452 778						452 778
苹果	4 873	209	1 018 373						1 018 373
梨	851	214	182 200						182 200
杏	104	385	39 963						39 963
酸樱桃	163	172	28 088						28 088
樱桃	195	819	159 705						159 705
桃、蜜桃	1 254	300	376 110						376 110
李子	886	340	301 240						301 240
草莓	507	1 089	551 905						551 905
覆盆子	22	1 270	28 227						28 227
无核小葡萄	0	1 650	74						74
蓝莓	67	1 440	96 270						96 270
红梅(越橘)	154	980	150 822						150 822
其他未标明浆果	20	1 140	22 954						22 954
葡萄	4 478	274	1 226 999						1 226 999
西瓜	1 130	100	113 000	63	6 348			6 348	106 652
其他甜瓜	1 138	230	261 694	67	15 524			15 524	246 170
芒果	14								
无花果	47	331	15 689						15 689
牛油果	190	827	156 799						156 799
菠萝	628	158	99 192						99 192
枣	17	855	14 706						14 706
木瓜	31	362	11 150						11 150

138

(续表)

	1987年产量 千吨	1987年生产者价格 美元/吨	总产值 千美元	其中:用于饲料 千吨	千美元	其中:用于种子 千吨	千美元	饲料或种子价值 千美元(1987年价格)	最终产值 千美元
其他未标明的新鲜水果	26	280	7 190						7 190
其他作物	52 542		3 691 262					31 349	3 659 913
新鲜咖啡	1	6 388	4 056						4 056
啤酒花	23	3 329	75 568						75 568
甜椒香料	8	750	5 641						5 641
烟叶	539	3 467	1 869 614						1 869 614
甘蔗	26 506	29	768 674			1 081	31 349	31 349	737 325
甜菜	25 466	38	967 708						967 708
纤维	3 252		4 589 899						4 589 899
皮棉	3 214	1 404	4 512 456						4 512 456
羊毛	38	2 022	77 443						77 443
牛奶和鸡蛋	68 901		21 080 829					527 004	20 553 825
新鲜全脂牛奶	64 731	276	17 865 759	725	200 100			200 100	17 665 659
鸡蛋	4 170	771	3 215 070			424	326 904	326 904	2 888 166
肉类	26 508		46 543 049						46 543 049
牛肉	10 734	2 435	26 137 290						26 137 290
绵羊肉	144	2 808	402 948						402 948
猪肉	6 487	1 822	11 818 950						11 818 950
鸭肉	48	970	46 856						46 856
火鸡肉	1 679	983	1 650 654						1 650 654
鸡肉	7 145	864	6 173 280						6 173 280
马肉	72	2 000	143 072						143 072
野鸡肉	200	850	170 000						170 000
蜂蜜	103		174 928						174 928
蜂蜜	103	1 700	174 928						174 928
总产值			133 784 999		11 567 114		1 249 793	2 816 907	20 968 092

资料来源:FAO data base.

表 A. 24 中美两国农业购买力平价估计中的产品匹配，1987 年，联合国粮农组织数据

	美国产品	美国产量（千吨）	美国产值（千美元）	美国单位产品价值（UV）（美元）	以中国单位产品价值计算的美国产值（千元人民币）	购买力平价 PPP（美国权重）（人民币元/美元）	中国产品	中国产量（千吨）	中国产值（千元人民币）	中国单位产品价值（UV）（人民币元）	以美国单位产品价值计算的中国产值（千美元）	购买力平价 PPP（中国权重）（人民币元/美元）
	谷物											
1	小麦	57 362	5 392 010	94	27 189 499	5.04	小麦	85 900	40 716 602	474	8 074 600	5.04
2	稻谷	5 879	940 640	160	2 821 920	3.00	稻谷	174 260	83 644 802	480	27 881 601	3.00
3	大麦	11 354	942 407	83	5 733 922	6.08	大麦	2 800	1 414 000	505	232 400	6.08
4	玉米	181 142	12 498 798	69	66 297 973	5.30	玉米	79 240	29 001 841	366	5 467 560	5.30
5	黑麦	496	31 247	63	179 545	5.75	黑麦	1 000	362 000	362	63 000	5.75
6	燕麦	5 424	580 411	107	1 735 808	2.99	燕麦	500	160 000	320	53 500	2.99
7	小米	180	10 980	61	68 760	6.26	小米	4 538	1 733 516	382	276 818	6.26
8	高粱	18 563	1 225 185	66	8 817 621	7.20	高粱	5 428	2 578 300	475	358 248	7.20
9	荞麦	46	2 392	52	18 952	7.92	荞麦	1 600	659 200	412	83 200	7.92
	合计		21 624 070		112 86 999	5.22			160 270 261		42 490 927	3.77
	根茎和块茎											
10	马铃薯	17 659	1 695 284	96	3 178 657	1.88	马铃薯	26 675	4 801 502	180	2 560 801	1.88
11	甘薯	527	116 028	220	89 658	0.77	甘薯	114 440	19 454 801	170	25 176 801	0.77
	合计		1 811 312		3 268 315	1.80			24 256 303		27 737 602	0.87
	豆类											
12	干豆	1 181	429 793	364	708 45	1.65	干豆	1 454	872 400	600	529 256	1.65
13	干豌豆	208	32 032	154	112 94	3.53	干豌豆	1 652	897 036	543	254 408	3.53
	合计		461 825		821 39	1.78			1 769 436		783 664	2.26
	坚果/含油种子											
14	核桃	224	243 040	1 085	468 608	1.93	核桃	147	307 524	2 092	159 495	1.93
15	大豆	52 737	11 391 195	216	42 611 506	3.74	大豆	12 184	9 844 672	808	2 631 744	3.74
16	落花生	1 640	1 011 880	617	1 864 680	1.84	落花生	6 171	7 016 427	1 137	3 807 507	1.84
17	向日葵籽	1 183	216 489	183	1 024 478	4.73	向日葵籽	1 241	1 074 706	866	227 103	4.73
18	籽棉	8 448	5 153 097	610	24 008 363	4.66	籽棉	12 735	36 192 870	2 842	7 768 350	4.66
19	棉籽	5 234	471 033	90	3 401 905	7.22	棉籽	8 490	5 518 500	650	764 100	7.22
20	亚麻籽	189	24 381	129	141 750	5.81	亚麻籽	460	345 000	750	59 340	5.81
	合计		18 511 115		73 521 290	3.97			60 299 699		15 417 639	3.91

（续表）

	美国产品	美国产量（千吨）	美国产值（千美元）	美国单位产品价值(UV)(美元)	以中国单位产品价值计算的美国产值(千元人民币)	购买力平价PPP(美国权重)(人民币元/美元)	中国产品	中国产量（千吨）	中国产值（千元人民币）	中国单位产品价值(UV)(人民币元)	以美国单位产品价值计算的中国产值(千美元)	购买力平价PPP(中国权重)(人民币元/美元)
	蔬菜											
21	卷心菜	1 400	190 400	136	280 000	1.47	卷心菜	6 500	1 300 000	200	884 000	1.47
22	番茄	8 372	1 264 145	151	2 511 546	1.99	番茄	6 250	1 875 000	300	943 750	1.99
23	花椰菜	335	183 641	549	66 900	0.36	花椰菜	1 400	280 000	200	768 600	0.36
24	黄瓜、小黄瓜	576	109 529	190	138 353	1.26	黄瓜、小黄瓜	5 760	1 382 400	240	1 094 40	1.26
25	茄子	35	13 455	390	10 350	0.77	茄子	3 850	1 155 000	300	1 501 50	0.77
26	辣椒、胡椒	490	254 800	520	147 000	0.58	辣椒、胡椒	2 200	660 000	300	1 144 00	0.58
27	洋葱	2 046	513 619	251	1 023 145	1.99	洋葱	3 700	1 850 000	500	928 700	1.99
28	蒜	135	66 150	490	243 000	3.67	蒜	3 300	5 940 000	1 800	1 617 00	3.67
29	鲜蚕豆	116	46 400	400	52 200	1.13	鲜蚕豆	420	189 000	450	168 000	1.13
30	鲜豌豆	997	246 259	247	448 650	1.82	鲜豌豆	320	144 000	450	79 040	1.82
31	胡萝卜	1 303	241 003	185	390 816	1.62	胡萝卜	1 580	474 000	300	292 300	1.62
32	蘑菇	279	538 170	1 931	1 059 060	1.97	蘑菇	275	1 045 000	3 800	531 025	1.97
	合计		3 667 570		6 371 020	1.74			16 294 400		9 952 315	1.64
	水果											
33	香蕉	5	3 376	653	4 710	1.40	香蕉	2 029	1 848 419	911	1 324 937	1.40
34	柑橘	6 983	1 543 155	221	7 541 208	4.89	柑橘	2 902	3 134 160	1 080	641 342	4.89
35	柠檬、青柠檬	1 043	468 424	449	1 147 586	2.45	柠檬、青柠檬	135	148 500	1 100	60 615	2.45
36	葡萄柚、柚子	2 346	452 778	193	1 707 888	3.77	葡萄柚、柚子	215	156 520	728	41 495	3.77
37	苹果	4 873	1 018 373	209	8 561 158	8.41	苹果	4 265	7 493 605	1 757	891 385	8.41
38	梨	851	182 200	214	1 159 607	6.36	梨	2 489	3 390 018	1 362	532 646	6.36
39	桃、蜜桃	1 254	376 110	300	1 233 641	3.28	桃、蜜桃	630	619 920	984	189 000	3.28
40	李子	886	301 240	340	620 200	2.06	李子	670	469 000	700	227 800	2.06
41	葡萄	4 478	1 226 999	274	3 582 480	2.92	葡萄	641	512 800	800	175 634	2.92
42	西瓜	1 130	113 000	100	292 670	2.59	西瓜	5 400	1 398 600	259	540 000	2.59
43	甜瓜	1 138	261 694	230	420 986	1.61	甜瓜	2 200	814 000	370	506 000	1.61
44	菠萝	628	99 192	158	617 755	6.23	菠萝	412	405 408	984	65 096	6.23
	合计		6 046 541		26 889 889	4.45			20 390 950		5 195 950	3.92

（续表）

	美国产品	美国产量（千吨）	美国产值（千美元）	美国单位产品价值（UV）（美元）	以中国单位产品价值计算的美国产值（千元人民币）	购买力平价PPP（美国权重）（人民币元/美元）	中国产品	中国产量（千吨）	中国产值（千元人民币）	中国单位产品价值（UV）（人民币元）	以美国单位产品价值计算的中国产值（千美元）	购买力平价PPP（中国权重）（人民币元/美元）
	其他作物											
45	鲜咖啡豆	1	4 056	6 388	2 286	0.56	鲜咖啡豆	26	93 600	3 600	166 088	0.56
46	甜椒（香料）	8	5 641	750	21 435	3.80	甜椒（香料）	150	427 500	2 850	112 500	3.80
47	烟叶	539	1 869 614	3 467	1 078 520	0.58	烟叶	1 943	3 886 000	2 000	6 736 381	0.58
	合计		1 879 312		1 102 241	0.59			4 407 100		7 014 969	0.63
	纤维											
48	皮棉	3 214	4 512 456	1 404	11 435 412	2.53	皮棉	4 240	15 085 920	3 558	5 952 960	2.53
49	羊毛	38	77 443	2 022	237 460	3.07	羊毛	209	1 295 800	6 200	422 600	3.07
	合计		4 589 899		11 672 872	2.54			16 381 720		6 375 560	2.57
	牛奶和鸡蛋											
50	全脂鲜牛奶	64 731	17 865 759	276	34 695 822	1.94	全脂鲜牛奶	3 301	1 769 336	536	911 076	1.94
51	鸡蛋	4 170	3 215 070	771	13 373 190	4.16	鸡蛋	4 722	15 143 454	3 207	3 640 662	4.16
	合计		21 080 829		48 069 012	2.28			16 912 790		4 551 738	3.72
	肉											
52	牛肉	10 734	26 137 290	2 435	46 156 200	1.77	牛肉	6 714	28 871 920	4 300	16 349 564	1.77
53	绵羊肉	144	402 948	2 808	454 034	1.13	绵羊肉	351	1 109 827	3 164	984 954	1.13
54	猪肉	6 487	11 818 950	1 822	13 946 620	1.18	猪肉	18 562	39 907 724	2 150	33 819 476	1.18
55	鸡肉	7 145	6 173 280	864	29 923 260	4.85	鸡肉	1 573	6 586 179	4 188	1 358 753	4.85
56	鸭肉	48	46 856	970	155 011	3.31	鸭肉	387	1 241 658	3 209	375 322	3.31
57	马肉	72	143 072	2 000	243 222	1.70	马肉	50	169 323	3 400	99 602	1.70
	合计		44 722 395		90 878 347	2.03			77 886 631		52 987 671	1.47
	糖、蜂蜜											
58	甘蔗	26 506	768 674	29	1 961 444	2.55	甘蔗	47 363	3 504 863	74	1 373 527	2.55
59	甜菜	25 466	967 708	38	2 775 79	2.87	甜菜	8 140	887 260	109	309 320	2.87
60	蜂蜜	103	174 928	1 700	4 204 769	1.17	蜂蜜	204	405 960	1 990	346 800	1.17
	合计		1 911 311		4 942 008	2.59			4 798 083		2 029 647	2.36
	全部产品总计		126 306 179		380 400 387	3.01			403 667 373		174 537 683	2.31
	以上产品占农业总产值的比重（%）		94.4%						89.5%			

141

表 A. 25 美国种植业、畜牧业、林业、渔业、农业服务业就业人数，1933—1994 年若干基准年份 142

（千人）

	个体劳动者		全职及兼职雇员		总　计	
	种植、畜牧	林、渔、农业服务	种植、畜牧	林、渔、农业服务	种植、畜牧	林、渔、农业服务
1933	5 857	95	2 865	130	8 722	225
1952	3 794	152	2 152	186	5 946	338
1957	3 120	143	1 932	182	5 052	325
1975	1 571	180	1 360	351	2 931	531
1978	1 455	207	1 268	495	2 723	702
1987	1 142	335	964	842	2 106	1 177
1994	1 272	407	842	1 101	2 114	1 508

资料来源：1933—1957 年和 1975—1987 年资料分别来自 *National Income and Product Accounts of the United States*，N. I. P. A.，vols.，US Dept. of Commerce，1992 and 1993. vol. 1，第 112—114 页和第 121 页，以及 vol. 2，第 212—213 页和第 218 页。1994 年资料来自 *Survey of Current Business*，Jan-Feb 1996，第 75—76 页。

表 A. 26 美国农业总增加值，1933—1992 年若干基准年份

（百万美元，1987 年价格）

	农业	农业（居民物业服务除外）	调整后农业产出
1933	47 400	41 000	41 466
1952	44 800	37 100	37 522
1957	46 300	38 000	38 432
1975	53 100	45 900	46 422
1978	48 200	41 500	41 972
1987	66 000	61 100	61 795
1994	86 900	82 400	83 337

资料来源：前两列 1933—1987 年数据与表 A. 25 相同，来自 *N. I. P. A.*，vol. 1，第 195 页；vol. 2，第 342 页。1987—1994 年的数据是根据 *Survey of Current Business*，August 1996，第 154 页的资料，采用物量变动法估计的。这个物量变动法估计以美国商务部新的链式指数为基础，我将它与较早年份的以 1987 年价格为基础的指数相连接。第三列数据以 1987 年投入产出表的总增加值为基础（参见表 A. 13）。

143 # 附录 B

中国工业经济表现：1913—2003 年

第一节　官方工业经济统计中的价格问题

官方对工业经济的核算(参见表 C.5 第二列)来自对企业报表的汇总，几乎不对企业上报的数据做独立的检查。为了计算不变价格产值，给企业分发列有基期年份价格的手册。该手册包括大约 2 000 种产品的 1990 年价格。原则上，当企业在 1990 年以后要报告按 1990 年价格计算的产值时，它们应该用产量乘以列出的 1990 年价格。但是，价格手册并不能包括所有的产品或为每个产品提供足够的细节。某些国有企业乐于通过低估通货膨胀来夸大其业绩。虽然弄虚作假会受到惩罚，但当新产品被纳入以所谓“可比价格”计算的产值上报时，就会出现极大地夸大产值的可能。1978 年中国有 34.8 万家工业企业，到了 1996 年，工业企业的数目上升到 800 万家。许多新的小型非国有企业不会区分或不屑于区分现行价格和“可比价格”，所以低估通货膨胀的趋势增大了。

第二节　伍晓鹰对工业实际增加值的估计

伍晓鹰(Wu，1997，2002)采用与官方统计不同的方法，对 1949 年以后的工业增加值按 1987 年不变价格做了估计。最近他将他的估计修改并更新到 2003 年(参见表 B.1 和表 B.2)。由于下列的原因，他的估计要优于官方估计。他使用了官方《中国工业经济统计年鉴》提供的主要产品(产品组)的产量数据时间序列(目前共有 117 种产品/产品组，覆盖 1949—2005 年)和官方 1987 年价格调查数据，以国家统计局的《1987 年中国投入产出表》的增加值(1991，147—162，参见表 B.4)为权重作出他的估计。他的计算过程完全是透明的，遵循了西方国家所使用的原则。除了他无法调整不同时间的投入产出比率变化以外，他的步骤很像我在附录 A 中估计农业产出时所使用的方法。他的统计分类标准也与西方采用的定义一致（他排除了官方工业统计中的林业产品、修理和保养方面的服务）。按标准的工业分类法，他把制造业分成 15 个行业，加上采矿业和公用业（煤气、自来水、电力）。他的估计结果可以让我们非常清楚地了解中国工业结构的变化（参见表 B. 1）。

伍晓鹰估计的工业增长速度大大低于官方所估计的增长速度。他的结果显示，在 1952—1978 年期间全部工业年平均增长率为 10. 1%，而官方估计为 11. 5%；对 1978—2003 年他估计的增长率为 9. 75%，而官方估计为 11. 46%。此外，对 20 世纪 90 年代工业增长的表现，伍晓鹰的研究结果和官方估计也表现出完全不同的年度波动特征。他的估计表明，工业生产在 1996 年至 1998 年期间出现了官方统计所没有显示的大幅度下降，而在此之后的一段时期，增长速度又明显超过了官方所估计的增长速度。看来官方统计平滑了 20 世纪 90 年代的工业生产波动。

第三节　关于战前工业经济表现的估计 144

对 1933—1952 年最好的增长估计来自刘大中和叶孔嘉的工作（1965）。他们的工作是在西蒙 · 库兹涅茨（Simon Kuznets）挑剔的眼光下完成的。他们详细地解释了计算过程、资料来源以及填补空缺时所使用的理论。

其中记载最完善的年份是作为基准年的 1933 年。在充分考察中国和外资企业以及东北三省日本企业调查材料的基础上，他们计算了总产值结构，估计了增加值和折旧。他们一共掌握了 1933 年 61 种工厂产品的价格和产量（工厂指使用电力的工厂，第 426—428 页）；45 种手工业品的总产值、增加值和折旧（第 512—513 页）；29 种采矿业产品（第 569 页）和 3 种公用业产品（第 578 页）。

他们对 1933 年至 1952 年之间的生产变化所掌握的资料不如他们对基准年所掌握的情况详细。对这段时间他们只掌握了有关工厂生产变化的 16 项指标，以及所有矿业产品和公用业的数据。至于手工业，他们没有直接数据，但是假定其产出与农业和采矿业产出之和的变动相一致，因为这两个部门提供了手工业产品所使用的大多数原材料（第 155 页）。

表 B. 3 报告了刘大中和叶孔嘉分别按 1933 年和 1952 年价格计算的 1933—

1957 年的工业产出结果。我使用了他们以 1933 年的权数所做的估计，因为它比采用 1952 年权数所做的估计有着更翔实的资料。对于 1952 年至 1957 年的估计，我采用了伍晓鹰(1997)的估计，因为他的指标数量大大超过了刘大中和叶孔嘉所使用的指标数量。

至于 1913 年至 1933 年的情况，我们有章长基(Chang, 1969)和罗斯基(Rawski, 1989)的估计。罗斯基对制造业的估计比章长基有更多的资料和更详细的记录。他掌握了 14 种制造业产品(第 354 页)，而章长基只有 5 种产品(第 117—119 页)。但是，章对采矿业的覆盖面比较大，所以在表 C.1 中我使用了他的采矿业估计数字。

145 **表 B.1　伍晓鹰估计的工业分行业增加值增长率和产出结构，1952—2003 年**

	年均复合增长率		增加值行业结构 (%)		
	1952—1978	1978—2003	1952	1978	2003
食品	6.4	9.5	6.3	2.6	2.4
饮料	9.1	7.4	1.6	1.3	0.7
烟草制品	5.9	4.5	10.0	3.6	1.1
纺织品	5.9	6.3	27.5	9.8	4.5
服装	3.8	16.9	5.7	1.2	5.9
皮革与鞋类	8.4	10.6	1.2	0.8	1.0
木材制品及家具什物	6.3	5.3	6.2	2.4	0.9
造纸、印刷出版	10.0	10.1	2.5	2.5	2.7
化工产品及相关制造品	13.7	8.6	6.7	15.5	11.8
橡胶与塑料制品	11.5	11.7	1.8	2.4	3.7
非金属矿物制品	9.5	9.9	7.0	6.0	6.2
金属制品	15.7	5.7	2.5	9.0	3.5
机械及交通运输设备	16.4	9.7	3.2	13.4	13.2
电气机械及设备	16.5	18.0	1.0	4.4	27.1
其他	9.2	13.6	4.2	3.3	7.9
全部制造业	9.7	10.5	87.4	78.3	92.6
矿业	11.9	3.0	10.6	16.0	3.3
公用业	14.7	8.4	2.0	5.8	4.2
全部工业	10.1	9.8	100.0	100.0	100.0

资料来源：Wu H. X. (2002). "How Fast has Chinese Industry Grown? Measuring the Real Output of Chinese Industry, 1949—1997", *Review of Income and Wealth* (48), No. 2, pp. 179—204, updated.

表 B.2　伍晓鹰对中国工业增加值的新估计，1952—2003 年 146

	工业 GDP(百万元人民币，1987 年价格)			
	制造业	矿业	公用业	全部工业
1952	15 548	1 889	359	17 796
1953	20 246	1 916	452	22 615
1954	23 427	2 405	541	26 373
1955	23 912	3 099	605	27 616
1956	29 920	3 190	816	33 926
1957	33 116	4 155	949	38 220
1958	49 262	7 955	1 352	58 569
1959	66 796	10 717	2 080	79 592
1960	71 770	12 465	2 920	87 155
1961	36 504	8 409	2 360	47 272
1962	31 978	6 760	2 252	40 990
1963	38 100	6 930	2 409	47 439
1964	46 841	6 725	2 753	56 319
1965	57 992	8 587	3 324	69 902
1966	69 882	9 612	4 056	83 550
1967	57 385	8 433	3 805	69 624
1968	54 205	8 979	3 520	66 705
1969	71 884	10 730	4 622	87 236
1970	94 673	14 742	5 698	115 113
1971	104 960	17 672	6 804	129 437
1972	112 177	19 469	7 493	139 139
1973	123 493	20 494	8 201	152 188
1974	118 354	22 704	8 299	149 357
1975	134 009	26 670	9 627	170 306
1976	129 346	28 053	9 985	167 385
1977	147 732	31 252	10 984	189 968
1978	171 695	35 003	12 616	219 314
1979	188 271	34 803	13 865	236 940
1980	199 233	34 825	14 779	248 837
1981	204 491	33 860	15 207	253 557
1982	219 478	34 653	16 111	270 242
1983	237 326	36 455	17 277	291 058
1984	265 054	39 649	18 535	323 239
1985	302 008	41 842	20 192	364 042
1986	328 943	43 931	22 100	394 974
1987	390 072	46 420	24 450	460 943
1988	425 387	48 852	26 805	501 043
1989	437 587	51 552	28 752	517 891
1990	446 245	51 622	30 542	528 408
1991	498 600	53 056	33 310	584 966
1992	569 410	54 979	37 066	661 456
1993	655 098	56 253	41 274	752 626
1994	744 676	59 452	45 630	849 759
1995	956 156	65 472	49 510	1 071 138
1996	916 307	66 963	53 162	1 036 432
1997	965 662	68 257	55 832	1 089 751
1998	893 110	62 284	57 376	1 012 770
1999	990 267	58 789	60 931	1 109 987
2000	1 146 735	57 324	66 649	1 270 707
2001	1 356 913	61 043	72 804	1 490 760
2002	1 651 151	66 513	81 319	1 798 983
2003	2 079 632	73 222	93 935	2 246 790

147 **表 B.3 刘大中和叶孔嘉关于中国工业增加值的估计,1933—1957 年**

(十亿元人民币)

	1933	1952	1957	1933	1952	1957
	以 1933 年价格计算			以 1952 年价格计算		
工厂工业	0.74	1.35	3.12	3.71	7.46	18.31
手工业	2.22	2.33	2.66	4.81	5.14	5.86
采矿业	0.23	0.68	1.40	0.54	1.58	3.29
公用业	0.16	0.39	0.89	0.19	0.41	0.94
全部工业	3.35	4.75	8.07	9.25	14.59	28.40

资料来源:Liu and Yeh (1965), pp. 141, 153 and 157.

表 B.4 中国工业的投入产出特征,1987 年

(百万元人民币)

总产值 (Gross Value of Output)	1 381 300
总投入	908 698
其中:	
农业	136 490
工业	651 950
其他物质生产	86 678
“非物质”服务业	33 581
总增加值 (Gross Value Added)	472 602
基本折旧值	42 462
维修与保养	20 695
净增加值 (Net Value Added)	409 445
总物质产值 (Gross Material Product)	506 183
净物质产值 (Net Material Product)	443 026
净增加值的分配	
劳动者工资收入	103 502
劳动者福利收入	9 706
利润及税金	233 781
折旧、维修与保养	63 156
其他	62 457
总增加值	472 602
总产值	1 381 300
中间投入	984 713
其中:	
农业	61 450
工业	651 950
其他物质生产	206 072
“非物质”服务业	65 240
最终使用	396 587
其中:	
私人消费	260 269
社会(政府)消费	11 523
投资	119 792
存货	39 416
净出口	−31 915
平衡项	−2 398

资料来源:本表数据来自国家统计局:《中国 1987 年投入产出表》。根据中国官方统计的定义,工业包括某些林业产品,以及对机械设备的保养和维修。1987 年时,这两项合计的增加值为 120 亿元。

149

附录 C

中国国内生产总值的增长与规模

第一节 对 1952 年以前中国 GDP 的估计

对 1890 年以前中国 GDP 进行估计只能依靠一种非常粗略的判断。看来清楚的是，1890 年的 GDP 要低于 1820 年的规模。在整个 19 世纪，中国发生了若干次大的造反、一次大规模内战以及与国外列强的一系列严重军事冲突，特别是与企图获得治外法权和战争赔款的英国、日本、俄罗斯以及法国之间的冲突。太平天国运动使国家行政体系的运转受到了严重的挑战，主要水上运输干线受到了严重的破坏。在这期间，大运河已无法使用，黄河数次决口并改道。在 1820 年至 1890 年之间的人口净增长为零，相比之下，在 1750 年至 1820 年之间的人口几乎增加了一半。

在表 C. 1 中，我给出了对 13 个经济部门在 1890 年、1913 年、1933 年和 1952 年这几个基准年以 1933 年不变价估计的 GDP。在表 C. 2 中，我给出了从公元元年至 1952 年期间 24 个关键年份以 1990 G-K 货币单位(Geary-Khamis dollars，又称"国际元"或"国际货币单位"，是采用购买力平价法进行多边国际比较时采用的货币单位——中译者)估计的 GDP。资料来源已在该表的注解中说明。

我们选择这些年份或者是因为它们代表着经济政策的重要转折点，或者是由于它们有利于国际比较，或者因为可利用数据的连续性和相关性。1890 年是可以让我们估计分部门 GDP 的最早年份。1913 年是世界进入武装冲突前最后一个正常年份，因此它是国际比较中一个至关重要的时间点。1933 年是中国战前资料最丰富的一年，巫宝三(Ou，1947)，刘大中、叶孔嘉(Liu and Yeh，1965)，章长基(Chang，1969)以及罗斯基(Rawski，1989)都对这一年做过详细的研究。这一年同时是世界大萧条最严重的一年，但是对于中国来说，它并不是萧条年份。该年的人均收入要高于 1952 年。1952 年是中国统计当局迄今所公布的大部分长期序列统计的初始年。

第二节 中国官方对 1952—2003 年 GDP 的测度

中国国家统计局公布的有关中国经济表现的各种总量估计可以追溯到 1952 年。直到 20 世纪 80 年代后期，它一直沿用苏联物质产品体系(MPS)的国民经济核算方法。这种方法不但高估了增长，还将很大一部分服务业经济活动排斥在外。它的统计报表制度也存在着严重的漏洞和问题。在“文化大革命”极为混乱的 1968 年，统计部门被关闭，人员被遣散。虽然它在 1972 年恢复工作，但是，原有的工作人员已不复存在，原有的统计记录已被毁掉。在大学被关闭的那些年代里，也没有新的具有统计专业训练的大学毕业生。

中国统计部门过去通常公布两个有关经济表现的总量指标。其中“社会总产值”指标表明 1952 年至 1978 年以“可比价”计算的年均增长率为 7.9%(Year-
150 book, 1988:28)。这个指标包括了五大物质部门的总产值，它包含严重的重复计算，因为每个部门都有相当大的投入来自其他部门。在中国被称为“国民收入”的另一指标“净物质产值”表明，同期同样以“可比价”计算的年均增长率为 6%(Yearbook, 1988:42)。这是一个相对较好的指标，因为它减去了除“非物质服务”以外所有的中间投入。

在 20 世纪 90 年代初期，中国统计部门放弃了苏联式的核算方法。采用取而代之的西方核算方法得出了较低的增长率。同时，他们停止了对毛泽东时代即 1952 年至 1978 年的经济表现进行估计。从 1995 年开始，《中国统计年鉴》只公布有关 1978 年以后经济表现的估计。1997 年，在国家统计局和日本一桥大学(Hitotsubashi University)进行的一项合作研究中，按照西方概念对中国 1952 年至 1995 年 GDP 进行了估计。

1978 年后的官方统计是对原先 MPS 的重大改进。它对 GDP 的生产和支出分别独立地进行了估计，其中生产法估计被认为更加可靠(参见许宪春、叶燕斐的评论，Xu and Ye, 2000:12)。这些估计基本上遵循了 SNA 原则，但是仍然有改进的余地。国家统计局下属的国民经济核算司是个高质量的专业部门，只是规模较小。在 2000 年，它只有 26 名职员。用于核算的基础报表，要自下而上经过不同行政等级的几次加总，最后才能到达国家统计局。这个过程给各级政府官员提供了修改统计数字，以更好地反映地方政绩的机会。国家统计局对上报的数据进行核查，但程度必定有限。许宪春、叶燕斐提供了建立官方核算账户的详细步骤。然而，除了农业和交通以外，其他部门的增长核算都不是以物量指标变动为基础的，多数在现价基础上进行核算，再使用价格指数平减。因为价格数据的质量很差，直到2002年，国家统计局在核算中一直采用现价和"可比价"进行估计，而不像其他国家那样采用现价和"不变价"进行估计。国有企业使用一本包括了约2 000种产品的价格手册，目的是区分现价和不变价的产出。很多私营企业不可能也不去做那样的区分。这是官方统计高估产出的一个重要因素。

表C.5给出了官方采用生产法得出的GDP增长估计。这个估计被分解为5个经济部门。事实上，这其中也包括了官方对非物质服务业的估计，尽管这不是直观地给出的。我们所能看到的是对全部第三产业，以及对其中的交通和商业部门所做的估计。但是，读者可以从中将作为余额的非物质服务业GDP推出。这就是我在该表中所给出的第六个部门。至于对1978年至2003年个别部门时间序列的估计，我是根据《年鉴》2006年提供的物量指数做出的。对1952年至1978年时间序列，我采用了国家统计局和日本一桥大学的估计结果(SSB/Hitotsubashi, 1997:70—71)。官方的GDP规模估计所采用的是现价，而官方不变价估计只用指数来表示。为了和我在表C.3中的估计进行比较，我使用《中国投入产出表・1987》上的权重，得出了1987年不变价GDP规模的时间序列。将这样得到的6个部门的结果加总就是全国GDP。从中我们可以计算出1978年至2003年年均复合增长率为9.59%，这和同期官方GDP增长率完全一致。按照同样的方法，我得出1952年至1978年年均复合增长率为4.7%，大大低于国家统计局和日本一桥大学所估计的6.1%。因为后者并没有给出他们所使用的权重，所以不是很清楚为什么我们之间的差异会有如此之大。看来，他们的GDP估计有可能直接来自原有的物质核算体系的估计。

第三节 麦迪森对1952—2003年官方GDP估计的修正 151

由于上面所讨论的问题，我采用了与官方不同的GDP增长估计方法，其结果明显地修改了官方的估计。在表C.3，我给出了1952年至2003年度估计，同样也分解为6个部门。显然，我的GDP增长率要低于表C.5中的官方估计。我尽可能地遵循SNA的传统，主要在以下几个方面对官方估计进行了调整：

（1）在本书的第一版中(Maddison，1998)我对种植业和畜牧业的增加值进行了详细的估计，这在附录A中有详细的讨论。我使用了125种作物和牲畜的价格和产量数据，并对整个期间农场和非农场投入比率的变化进行了调整。对于渔业、林业和副业，我接受了官方的估计。对于整个农业增加值来说，我所估计的1952年至1990年年均增长速度(3.25%)略快于官方估计(3.15%)。由于如此接近的结果，我决定对1990年至2003年这个时期直接接受官方估计的增长速度。但是，在GDP规模上，我的估计显著高于官方估计(对1990年来说，将近高出1/5)。

（2）同样在本书的第一版中(Maddison，1998)，我采用了伍晓鹰的工业增加值估计(Wu，1997)，他估计的工业增长速度显著地低于官方估计。他所建立的物量指数基于《中国工业经济统计年鉴》上详细的工业产品产量、国家统计局的价格信息以及《中国投入产出表》上分行业的工业增加值。在随后的工作中(Wu，2002)，他增加了样本数量(117产品/产品组)，同时详细地讨论了为什么官方估计高估了实际增长率。他的结果包括了15个制造业行业，以及采矿业和公用业的时间序列。这里我使用了他最近修改和更新的结果(参见附录B)。他的结果显示，在1952年至1978年期间全部工业的年增长率为10.1%，而官方估计为11.5%；在1978年至2003年期间，他估计的年增长率为9.75%，而官方估计为11.46%。此外，对20世纪90年代工业增长的表现，伍晓鹰的结果和官方估计也显示出完全不同的年度波动特征。他的结果表明，工业生产在1996—1998年期间出现了官方统计没有显示的大幅度下降，而在此之后的一段时期，增长速度又明显超过了官方所估计的增长速度。看来官方统计平滑了20世纪90年代的工业生产波动。

（3）对于建筑业的增加值，我完全采用了官方数字。

（4）对于交通运输和通信业、商业和餐饮业，我采用了刘大中、叶孔嘉(Liu and Yeh，1965)对1952年至1957年的估计，并把它和官方1957年至2003年的估计值相衔接。这里应该提到的是，官方在《年鉴》2006年中大幅度地上调了这两个部门的增加值估计。

（5）在传统苏联式的国民经济核算中，所谓“非物质服务活动”被排除在“物质生产”之外。它们包括银行、保险、住房服务、物业管理、社会服务、医疗保障、教育、娱乐、居民服务、科学研究与技术开发活动、武装力量、警察以及政府及政党组织。所有这些活动现在已经被计算在中国国内生产总值之中，但是并没有直接公布。国家统计局目前只公布对“第三产业”GDP总额的估计，同时给出其中交通业和商业两个部门的GDP估计。至于对非物质服务业产出的估计，使用者可以从上述估计的余额中得出。因为“非物质服务业”现在在规模上已经超过了交通业或商业，这种将其作为余额处理的方式，说明了统计当局持怀疑态度或无法确定对该部门合适的估计方法。国际通行的SNA(1993:134)否定了任何以劳动生产率变化推算这个部门产出增长的建议。因此，我采用就业人数作为增加值变动的代表指标(参见表C.6中我的估计结果)。然而，国家统计局的估计的确假定劳动生产率出现大幅度增长(按就业人员1952年至1978年每人年均增长率为1.5%，1978年至2003年每人年均增长率为5.1%)。所以，在我的表C.6和官方的表C.5 152
之间存在很大的差异。此外，在GDP规模上也存在差异。我认为，官方的覆盖是不充分的，可能在相当大的程度上低估了住宅服务和军队服务，也可能没有包括以实物支付给国有企业员工的福利。因此，我把该部门增加值的官方估计上调了1/3。

(6) 我采用1987年增加值作为整个估计期间的权数。在过去的51年中价格结构出现了巨大变动。在1952年，农产品定价过低，同时工业品价格过高。到1987年(即我的基准年或权重年)，农产品价格被提高了3倍以上，与此同时，官方的价格平减指数表明工业品价格实际上在下降。与使用1952年价格相比，使用1987年价格给缓慢增长的农业部门一个较大的权重。我选择1987年作为权重年基于两点考虑:①与早期国家对经济的严格控制和干预相比，此时的中国经济更多地受到市场力量的影响;②1987年的《中国投入产出表》为部门增加值提供了丰富的信息;与早期相比，它的增加值定义也更加清楚。

我所估计的GDP增长速度要慢于国家统计局所估计的增长速度。对1952—1978年来说，我的GDP年均复合增长率为4.4%，而官方的估计则是4.7%;对1978—1995年来说，我的估计和官方的估计结果分别为7.85%和9.59%。对第二个时期来说，如果用伍晓鹰估计的工业增加值对官方的增长率进行调整，年均GDP增长率会下降到8.80%;如果再结合我对“非物质服务业”的估计，年均GDP增长率会进一步再下调至7.98%;最后，再用我的农业GDP估计，年均GDP增长率变成7.85%(这个调整效果不是由于增长估计方法上的不同，而是由于我给相对缓慢增长的农业部门一个较大的权重)。

在图C.1中，我将我的估计与国家统计局的估计进行了比较。我的1952年GDP规模高于官方估计38%，1978年的规模高于官方估计27%，1987年高于官方10.3%,而我估计的2003年的规模要低于官方估计19%。

在表C.4,我列出了1952—2003年中国内地和香港地区的人口、GDP、人均GDP的年均复合增长率。

第四节 中国国家统计局对支出法GDP的估计

除了从生产角度估计部门GDP之外,国家统计局还从支出角度估计GDP。

153

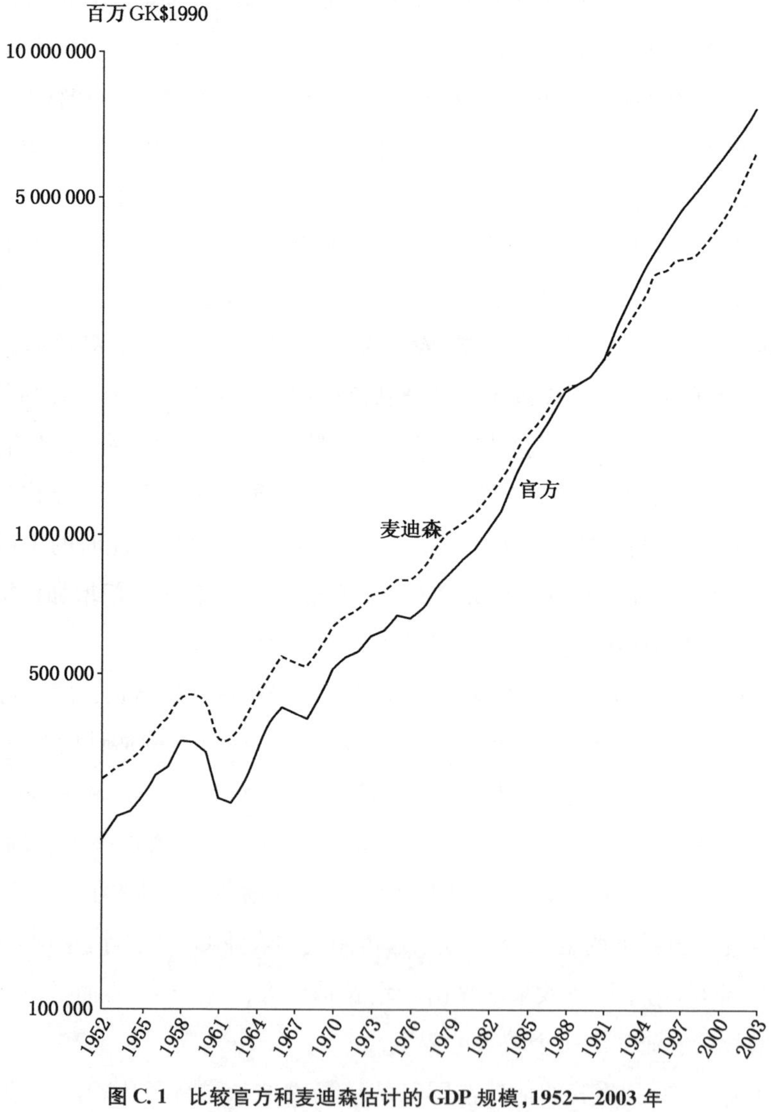

图C.1 比较官方和麦迪森估计的GDP规模,1952—2003年

资料来源:Last columns of Table C. 3 and C. 5.

官方权威统计学家许宪春、叶燕雯(Xu and Ye，2000：12)指出："采用生产法的官方估计更加可靠。"对1978年至2003年这个时期，以现行价格计算的生产法和支出法GDP估计相差4%(参见《年鉴》，2006：57，68)，这与1952年至1978年的差异类似(参见SSB/Hitotsubashi，1997：59)。支出法估计的主要问题是没有直接可以利用的物量变化指标，以及缺乏对投资(按主体或行为)的合理细分。目前的官方统计中已包括对固定资产投资和存货的分解(《年鉴》，2006：69)，但是并没有1981年以前对居民和非居民建筑投资的估计。官方的投资估计似乎包括了设备维修和军事装备，而根据OECD的标准，这些应当从投资中排除。

我在表C.7中报告了1952年至2003年以现价计算的总投资额及其分解。我的估计在一定程度上依靠我在注释中给出的假定。表C.8显示了我是如何计算资本形成以及非居民固定资本增长的。在该表注释中，我解释了推算过程。这些结果被用在表3.9的中国经济增长核算中。

第五节　将以元人民币表示的GDP估计转换成"国际元" 154

为了国际比较，有必要把用元人民币表示的GDP估计转换成一种也适用其他国家的计价单位。汇率在进行国际间实际GDP比较上是一个误导的指标。目前最合适的、同时也是最方便的度量是采用以美元为标准的购买力平价(purchasing power parity，简称PPP)进行比较。1990年价格PPP是迄今覆盖最大，最方便使用的PPP，因为它包括了154个国家，其中有70个是联合国主持的国际比较项目(International Comparison Programme，简称ICP)参加国，另外84个国家被包括在萨默斯(Robert Summers)和海斯顿(Alan Heston)所建立的《宾州世界表》(Penn World Tables，简称PWT)(参见Maddison，2003：230)。中国并没有参加ICP，但是，任若恩(1997)按照ICP原则估计了1986年中国/美国支出法PPP。

我需要对任若恩的估计进行若干调整，以便使他的结果与1990年多边(Geary-Khamis)PPP可比。任(1997，37)提供了1986年基准年三个支出法PPP的估计值：使用美国数量权数得出的拉氏指数、使用中国数量权数得出的帕氏指数，以及根据两者几何平均得出的费氏指数(Fisher)。拉氏指数是对人民币估值最低的指数(1美元＝1.509 1元人民币)。相反，帕氏指数是对人民币估值最高的指数(1美元＝0.589 5元人民币)。任若恩本人更倾向1美元＝0.943 2元人民币的几何平均值。这些指数都是双边的，而在多国比较上，最好使用满足传递性

(transitivity)的多边PPP。作为ICP的创始人,并对中国进行了第一次ICP购买力平价估计的克莱维斯把他估计的中国/美国几何平均PPP上调了19%(Kravis, 1981),得出更为可取的多边转换或Geary-Khamis系数。这个结果实际上是ICP 1980年回合中5个亚洲国家的费氏指数与G-K之间差异的平均数(参见Maddison, 1995:176)。我对任若恩的费氏指数进行了相同比率的调整,从而推导出1美元=0.792 6元人民币的1986年G-K PPP的近似值,当年的官方汇率为1美元=3.45元人民币(关于这些问题的讨论,以及不同种类PPP之间变动幅度的例子,参见Maddison, 1995:162—178)。

任若恩采用了官方对1986年中国GDP的估计,而我的估计(调整为1986年价格)要比官方高13%,这是由于我前面所提到的覆盖面调整所致。将我的估计用G-K系数转换成1986年美元,得到1986年中国GDP为$14 589.96亿。再根据我对中国1986年至1990年GDP实际增长率的估计(24.66%),以及这个期间16.77%的美国价格上升(来自美国GDP缩减指数)进行调整,即可以得出以1990年国际元计算的中国1990年GDP为$21 238.52亿。比较表C.3的第七列和第八列可以得出这个应用到所有年份的1990年转换系数。因为这里以美元表示的中国GDP估计不是通过汇率折算得出的,我将其称之为"国际元"或G-K$,G-K以创造多边比较方法的吉尔瑞(Geary)和开米斯(Khamis)命名。

为了有效地进行国际GDP比较,使用同一PPP转换系数是最基本的要求。依据汇率进行的国际比较将对中国的地缘政治地位做出错误的理解。下面,我举出几个例子来说明这一点:

(1) 最后一位香港总督彭定康先生在1997年1月4日发表在《经济学家》上的一篇文章中说:"目前英国的GDP几乎是中国的两倍。中国的GDP大致等于比利时、荷兰和卢森堡的合计。"如果他使用了我的PPP转换系数的话,他也许会说:"目前英国的GDP大约是中国的1/3。中国的GDP超过比利时、荷兰和卢森堡GDP总和的6.5倍。"

155 (2) 同样,彭定康爵士(Lord Patten)在*International Herald Tribune* 2007年6月22日的一篇文章中说,1997年香港地区的GDP是中国大陆的22%。但是,根据我的PPP换算,同年香港地区的GDP还不到中国内地的4%(参见表C.4)。

(3) 人们通常说,由于中国大量的废气排放,它已成为世界温室效应的原因之一。如果使用官方汇率换算,中国每千元的碳排放量为0.63吨。这大大超过美国每千元的碳排放量0.19吨的水平。然而,如果采用PPP估计,中国每千元的碳排放量仅为0.17吨,低于美国的水平。

表C.1 中国分部门国内生产总值,1890—1952年若干基准年份 156

(1933年价格,百万元人民币)

	1890	1913	1933	1952
种植业、渔业及林业	14 576	16 769	19 180	17 664
手工业	1 646	1 932	2 220	2 330
现代制造业	26	156	740	1 350
矿业	45	87	230	680
电力业	0	5	160	390
建筑业	364	420	480	960
现代运输及通信业	84	208	460	880
传统运输及通信业	1 085	1 150	1 210	1 210
商业	1 747	2 257	2 820	2 950
政府	602	692	850	
金融	64	124	220	{3 281*
个人服务业	239	293	350	
居民服务业	805	926	1 060	
GDP	21 283	25 019	29 980	31 695

资料来源:最开始8个部门1933年增加值总值来源于Liu and Yeh (1965, 140, 141, 153, 157 and 161)。对于其余5个部门,他们仅仅给出了增加值净值(1965, 66),同时给出了全体部门折旧的合计。根据残差计算的5个部门折旧占它们增加值净值的4.2%。我假定这一平均比率适用于5个部门的每一个部门。对于1933年的建筑业,Yeh (1979)把Liu and Yeh (1965)的原始数字从380提高到480,我吸收了他的这一调整。1933—1952年期间各个部门的变动,大部分来自Liu and Yeh,并把他们对1952年生产队(work brigade)产出的估计解释为建筑业活动的一部分。1933—1952年期间种植业、林业和渔业来自表A.3。至于其他行业(包括政府、金融、个人服务和居民服务),Liu and Yeh估计值显示的72%的增长是不大现实的,并且没有足够的解释。为此,我假定这些服务业增加值的增长与从业人数的变化(参见表D.5)相同,增长32%。1913—1933年期间的增长率来自Yeh (1979, 126)对手工艺、现代和传统交通运输、商业、政府、金融和个人服务的估计。除了政府部门之外,我假定这些部门在1913—1933年间的增长率同时适用于1890—1913年。我假定1890—1933年期间农业和建筑业的增加值增长速度与同期人口的增长速度相等。对同期政府部门的产出,我也做了相同的假定。1913—1933年期间现代制造业的增长速度来自Rawski (1989,354)。同样的增长速度假定适用于1890—1913年。矿业和公共业取自Chang (1969),其中个别指标来自第117—119页,而权数和分部门指数则来自第76—79页。同时,我假设他对1913—1933年增长速度的估计值同样适用于1890—1913年之间原煤、黑色金属、其他矿产品和电力等部门。

* 该数字为政府、金融、个人服务业、居民服务业的合计数。——中译者

157 **表C.2 中国的GDP、人口以及人均GDP的长期表现和预测，1—2030年**

	GDP总量 (百万1990 G-K元)	人口 (千人)	人均 (1990 G-K元)
1	26 820	59 600	450
960	24 750	55 000	450
1300	60 000	100 000	600
1500	61 800	130 000	600
1600	96 000	160 000	600
1700	82 800	138 000	600
1820	228 600	381 000	600
1850	247 200	412 000	600
1870	189 740	358 000	530
1890	205 379	380 000	540
1990*	218 154	400 000	545
1913	241 431	437 140	552
1929	274 090	487 273	562
1930	277 567	489 000	568
1931	280 393	492 640	569
1932	289 304	496 307	583
1933	289 304	500 000	579
1934	264 091	502 639	525
1935	285 403	505 292	565
1936	303 433	507 959	597
1937	296 043	510 640	580
1938	288 653	513 336	562
1950	244 985	546 815	448
1951	273 733	557 480	491
1952	305 854	568 910	538
2003	6 187 983	1 288 400	4 803
2030	22 982 784	1 458 024	15 763

* 原文如此，疑为1900年之误。——校者

资料来源：1—1870年的估计来自Maddison(1998，2001 and 2003)；1890、1913、1933、1952年的物量变化来自(Liu and Yeh，1965)(参见表C.1)。1929—1938年的物量变化来自Maddison (1985，85；1995，145 & 158)。1950—1952年数据来自T. G. Rawski (1989) *Economic Growth in Prewar China*，p. 336。1952—2003年数据来自表C.3。

表C.3　麦迪森—伍晓鹰对中国主要经济部门GDP的估计，1952—2003年 158

	GDP（百万元人民币，1987年价格）							PPP GDP（百万G-K元1990）
	农业	工业	建筑业	交通与通讯业	商业	“非物质”服务业	GDP	
1952	127 891	17 796	3 658	5 183	14 272	45 486	214 286	305 854
1953	130 139	22 615	4 990	5 406	14 730	47 038	224 918	321 030
1954	132 229	26 373	4 821	5 679	15 173	48 014	232 289	331 550
1955	142 595	27 616	5 487	5 852	15 498	48 803	245 851	350 908
1956	149 135	33 926	9 238	6 447	16 472	53 042	268 260	382 892
1957	153 649	38 220	8 662	6 695	16 916	59 877	284 019	405 386
1958	154 538	58 569	12 993	9 827	17 522	62 512	315 961	450 977
1959	130 265	79 592	13 728	12 874	18 555	65 264	320 278	457 139
1960	109 107	87 155	13 919	14 213	16 927	68 136	309 457	441 694
1961	110 965	47 272	4 821	9 237	12 359	71 135	255 789	365 092
1962	116 172	40 990	5 970	7 488	11 865	74 266	256 751	366 465
1963	129 505	47 439	7 514	7 368	12 830	77 535	282 191	402 776
1964	146 495	56 319	9 434	7 761	14 525	80 961	315 495	450 312
1965	161 098	69 902	10 433	10 441	14 446	85 227	351 547	501 769
1966	173 034	83 550	11 413	11 521	17 398	87 610	384 526	548 841
1967	176 576	69 624	10 846	9 907	18 106	88 654	373 713	533 407
1968	174 153	66 705	8 794	9 677	16 433	90 469	366 231	522 728
1969	175 885	87 236	11 826	11 878	19 587	91 218	397 630	567 545
1970	189 751	115 113	15 422	13 871	21 417	90 673	446 247	636 937
1971	193 604	129 437	17 295	15 027	21 406	91 694	468 463	668 646
1972	192 235	139 139	16 929	16 471	23 280	94 099	482 153	688 186
1973	209 868	152 188	17 500	17 500	25 391	95 597	518 044	739 414
1974	218 892	149 357	18 583	17 555	24 874	97 548	526 809	751 924
1975	223 928	170 306	21 151	19 562	24 841	99 545	559 333	798 346
1976	220 352	167 385	22 053	19 246	23 909	103 040	555 985	793 568
1977	215 841	189 968	22 420	21 679	27 119	113 659	590 686	843 097
1978	225 079	219 314	22 292	23 617	33 383	131 448	655 133	935 083
1979	238 994	236 940	22 731	25 432	36 312	145 245	705 654	1 007 193
1980	235 798	248 837	28 810	26 876	35 841	153 277	729 439	1 041 142
1981	252 451	253 557	29 722	27 389	46 594	163 330	773 043	1 103 378
1982	281 773	270 242	30 739	30 589	48 424	169 433	831 200	1 186 387
1983	305 265	291 058	35 984	33 648	59 020	176 740	901 715	1 287 034
1984	345 075	323 239	39 891	38 695	71 704	195 369	1 013 973	1 447 262
1985	351 680	364 042	48 747	43 903	92 392	217 901	1 118 665	1 596 691
1986	363 504	394 974	56 484	49 519	102 180	226 955	1 193 616	1 703 670
1987	381 013	460 943	66 580	54 490	115 930	240 320	1 319 276	1 883 027
1988	390 373	501 043	71 899	61 756	132 475	254 910	1 412 456	2 016 024
1989	402 216	517 891	65 826	64 669	121 453	265 620	1 437 675	2 051 813
1990	431 708	528 408	66 609	70 205	115 672	275 400	1 488 002	2 123 852
1991	441 895	584 966	72 984	78 054	120 880	287 268	1 586 047	2 263 794
1992	462 722	661 456	88 321	86 249	136 670	304 853	1 740 271	2 483 921
1993	484 455	752 626	104 215	98 790	148 187	320 442	1 908 715	2 724 344
1994	503 923	849 759	118 482	110 244	162 308	355 068	2 099 784	2 997 060
1995	529 052	1 071 138	133 172	125 808	174 827	383 182	2 417 179	3 450 084
1996	555 991	1 036 432	144 497	142 883	187 345	399 815	2 466 963	3 521 141
1997	575 460	1 089 751	148 286	161 257	206 774	415 403	2 596 931	3 706 647
1998	595 608	1 012 770	161 662	178 332	222 798	433 261	2 604 431	3 717 352
1999	612 360	1 109 987	168 572	202 209	242 995	439 320	2 775 443	3 961 441
2000	627 075	1 270 707	178 135	229 793	267 498	452 984	3 026 192	4 319 339
2001	644 732	1 490 760	190 218	256 433	292 635	474 718	3 349 496	4 780 797
2002	663 522	1 798 983	206 937	281 821	321 645	492 212	3 765 120	5 374 025
2003	679 821	2 246 790	231 926	305 202	356 931	514 495	4 335 165	6 187 983

资料来源：www. ggdc. net/Maddison.

159 **表 C.4 中国内地和香港地区的 GDP 以及人均 GDP，1952—2003 年**

（国际元 1990）

	中国内地	香港地区	中国内地	香港地区
	GDP（百万国际元 1990）		人均 GDP（国际元 1990）	
1952	305 854	5 054	538	2 377
1953	321 030	5 515	552	2 460
1954	331 550	6 021	557	2 546
1955	350 908	6 564	577	2 636
1956	382 892	7 136	616	2 729
1957	405 386	7 729	636	2 825
1958	450 977	8 345	690	2 924
1959	457 139	8 981	686	3 027
1960	441 694	9 637	662	3 134
1961	365 092	10 276	553	3 244
1962	366 465	12 072	550	3 652
1963	402 776	13 968	590	4 083
1964	450 312	15 165	645	4 327
1965	501 769	17 360	702	4 825
1966	548 841	17 659	746	4 865
1967	533 407	17 959	707	4 824
1968	522 728	18 557	675	4 880
1969	567 545	20 652	713	5 345
1970	636 937	22 548	778	5 695
1971	668 646	24 144	795	5 968
1972	688 186	26 639	798	6 473
1973	739 414	29 931	838	7 105
1974	751 724	30 629	835	7 091
1975	798 346	30 729	871	6 991
1976	793 568	35 716	853	7 906
1977	843 097	39 908	894	8 707
1978	935 083	43 300	978	9 277
1979	1 007 193	48 289	1 039	9 796
1980	1 041 142	53 177	1 061	10 503
1981	1 103 378	58 066	1 110	11 202
1982	1 186 387	59 662	1 186	11 333
1983	1 287 034	63 055	1 258	11 797
1984	1 447 262	69 340	1 396	12 846
1985	1 596 691	69 639	1 519	12 763
1986	1 703 670	77 122	1 597	13 960
1987	1 883 027	87 099	1 737	15 597
1988	2 016 024	94 083	1 834	16 716
1989	2 051 813	96 478	1 842	17 043
1990	2 123 852	99 770	1 871	17 541
1991	2 263 754	105 395	1 967	18 323
1992	2 483 921	112 336	2 132	19 270
1993	2 724 344	119 466	2 312	20 131
1994	2 997 060	126 016	2 515	20 770
1995	3 450 084	130 912	2 863	21 029
1996	3 521 141	136 550	2 892	21 364
1997	3 706 647	143 476	3 013	22 087
1998	3 717 352	136 347	2 993	20 834
1999	3 961 441	141 006	3 162	21 367
2000	4 319 339	155 337	3 421	22 328
2001	4 780 797	156 057	3 759	23 246
2002	5 374 025	159 003	4 197	23 513
2003	6 187 984	164 103	4 803	24 098

资料来源：www.ggdc.net/Maddison.

表 C.5 官方估计的中国主要经济部门 GDP，1952—2003 年 160

	GDP（百万元人民币，1987 年价格）							PPP GDP（百万 G-K 元 1990）
	农业	工业	建筑业	交通与通讯业	商业	非物质服务业	GDP	
1952	112 038	11 111	3 658	3 637	11 225	13 879	155 548	231 550
1953	114 167	15 077	4 990	4 513	15 490	16 597	170 834	254 305
1954	116 072	17 988	4 821	5 004	15 771	15 336	174 992	260 495
1955	125 259	19 177	5 487	5 128	15 749	16 877	187 677	279 378
1956	131 085	24 666	9 238	6 244	17 096	19 923	208 252	310 006
1957	135 118	27 465	8 662	6 695	16 916	21 883	216 739	322 640
1958	135 679	42 131	12 993	9 827	17 522	26 564	244 716	364 287
1959	114 167	54 409	13 728	12 874	18 555	30 870	244 603	364 119
1960	95 457	57 753	13 919	14 213	16 927	34 693	232 962	346 790
1961	96 913	35 198	4 821	9 237	12 359	27 459	185 987	276 862
1962	101 283	30 521	5 970	7 488	11 865	25 178	182 305	271 381
1963	112 711	34 587	7 514	7 368	12 830	26 294	201 304	299 663
1964	127 276	43 443	9 434	7 761	14 525	31 658	234 097	348 479
1965	139 600	54 664	10 433	10 441	14 446	37 820	267 404	398 061
1966	149 683	67 653	11 413	11 521	17 398	31 731	289 399	430 803
1967	152 484	57 409	10 846	9 907	18 106	32 983	281 735	419 394
1968	150 132	52 675	8 794	9 677	16 433	35 721	273 432	407 034
1969	151 364	70 053	11 826	11 878	19 587	38 233	302 941	450 961
1970	163 016	94 718	15 422	13 871	21 417	39 062	347 506	517 301
1971	166 041	106 384	17 295	15 027	21 406	42 481	368 634	548 753
1972	164 585	114 484	16 929	16 471	23 280	42 926	378 675	563 700
1973	179 374	124 539	17 500	17 500	25 391	44 204	408 508	608 110
1974	186 768	125 761	18 583	17 555	24 874	46 220	419 761	624 861
1975	190 577	145 871	21 151	19 562	24 841	48 770	450 772	671 024
1976	187 216	141 338	22 053	19 246	23 909	50 583	444 345	661 457
1977	183 071	161 715	22 420	21 679	27 119	53 572	469 576	699 016
1978	190 577	188 214	22 292	23 617	33 383	58 972	517 055	769 694
1979	202 341	204 513	22 731	25 432	36 312	62 290	553 619	824 123
1980	199 316	230 401	28 810	26 876	35 841	70 293	591 537	880 569
1981	213 209	234 401	29 722	27 389	46 594	74 330	625 645	931 342
1982	237 858	247 934	30 739	30 589	48 424	87 767	683 311	1 017 184
1983	247 476	272 033	35 984	33 648	59 020	100 188	748 349	1 114 001
1984	290 852	312 442	39 891	38 695	71 704	120 073	873 657	1 300 535
1985	296 118	369 339	48 747	43 903	93 392	137 697	989 196	1 472 528
1986	305 977	404 949	56 484	49 519	102 180	155 122	1 074 231	1 599 112
1987	320 430	458 580	66 580	54 490	115 930	180 240	1 196 250	1 780 751
1988	328 497	528 521	71 899	61 756	132 475	203 045	1 326 193	1 974 186
1989	338 692	555 242	65 826	64 669	121 453	228 880	1 374 762	2 046 486
1990	363 453	573 852	66 609	70 205	115 672	236 943	1 426 734	2 123 852
1991	372 006	656 490	72 984	78 054	120 880	246 481	1 546 895	2 302 725
1992	389 539	795 392	88 321	86 249	136 670	293 388	1 789 559	2 663 957
1993	407 835	955 186	104 215	98 790	148 187	330 870	2 045 083	3 044 333
1994	424 224	1 135 871	118 482	110 244	162 308	368 507	2 319 636	3 453 036
1995	445 378	1 295 289	133 172	125 808	174 827	402 118	2 576 592	3 835 543
1996	468 057	1 457 341	144 497	142 883	187 345	437 784	2 837 907	4 224 540
1997	484 447	1 622 286	148 286	161 257	206 774	480 552	3 103 602	4 620 056
1998	501 408	1 766 577	161 662	178 332	222 798	517 330	3 348 107	4 984 029
1999	515 511	1 917 148	168 572	202 209	242 995	557 416	3 603 851	5 364 732
2000	527 898	2 104 797	178 135	229 793	267 498	601 564	3 909 685	5 820 000
2001	542 763	2 287 177	190 218	256 433	292 435	661 303	4 230 329	6 297 315
2002	558 391	2 515 292	206 937	281 822	321 645	732 572	4 616 659	6 872 410
2003	572 302	2 836 009	231 926	305 202	356 901	801 926	5 104 266	7 598 267

161 **表 C.6 麦迪森对"非物质服务业"的就业和产出估计，1952—2003 年**

	平民就业人数（年中千人）	假定的军人人数（年中千人）	总就业人数（年中千人）	麦迪森估计的该行业 GDP(百万元人民币，1987 年价格）	官方估计的该行业 GDP(百万元人民币，1987 年价格）
1952	7 023	3 000	10 023	45 486	13 879
1953	7 365	3 000	10 365	47 038	16 597
1954	7 580	3 000	10 580	48 014	15 336
1955	7 754	3 000	10 754	48 803	16 877
1956	8 688	3 000	11 688	53 042	19 923
1957	10 194	3 000	13 194	59 877	21 883
1958	17 905	3 000	20 905	62 512	26 564
1959	27 615	3 000	30 615	65 264	30 870
1960	31 515	3 000	34 515	68 136	34 693
1961	24 900	3 000	27 900	71 135	27 459
1962	15 450	3 000	18 450	74 266	25 178
1963	14 085	3 000	17 085	77 535	26 294
1964	14 840	3 000	17 840	80 961	31 658
1965	15 780	3 000	18 780	85 227	37 820
1966	16 305	3 000	19 305	87 610	31 731
1967	16 535	3 000	19 535	88 654	32 983
1968	16 935	3 000	19 935	90 469	35 721
1969	17 100	3 000	20 100	91 218	38 233
1970	16 980	3 000	19 980	90 673	39 062
1971	17 205	3 000	20 205	91 694	42 481
1972	17 735	3 000	20 735	94 099	42 926
1973	18 065	3 000	21 065	95 597	44 204
1974	18 495	3 000	21 495	97 548	46 220
1975	18 935	3 000	21 935	99 545	48 770
1976	19 705	3 000	22 705	103 040	50 583
1977	22 045	3 000	25 045	113 659	53 572
1978	25 965	3 000	28 965	131 448	58 972
1979	29 005	3 000	32 005	145 245	62 290
1980	30 775	3 000	33 775	153 277	70 293
1981	32 990	3 000	35 990	163 330	74 330
1982	34 335	3 000	37 335	169 433	87 767
1983	35 945	3 000	38 945	176 740	100 188
1984	40 845	3 000	43 845	195 369	120 073
1985	45 015	3 000	48 015	217 901	137 697
1986	47 010	3 000	50 010	226 955	155 122
1987	49 955	3 000	52 955	240 320	180 240
1988	53 170	3 000	56 170	254 910	203 045
1989	55 530	3 000	58 530	265 620	228 880
1990	57 685	3 000	60 685	275 400	236 943
1991	60 300	3 000	63 300	287 268	246 481
1992	64 175	3 000	67 175	304 853	293 388
1993	67 610	3 000	70 610	320 442	330 870
1994	75 240	3 000	78 240	355 068	368 507
1995	81 435	3 000	84 435	383 182	402 118
1996	85 100	3 000	88 100	399 815	437 784
1997	88 535	3 000	91 535	415 403	480 552
1998	92 558	2 912	95 470	433 261	517 330
1999	94 065	2 740	96 805	439 320	557 416
2000	97 237	2 578	99 815	452 984	601 564
2001	102 105	2 500	104 605	474 718	661 303
2002	105 960	2 500	108 460	492 212	732 572
2003	110 870	2 500	113 370	514 495	801 926

注释：本书的第一版关于 1981 年和 1985 年的就业数据有问题(Maddison，1998：171)。截至 1992 年，官方就业数据并不包括军事人员。我假定从 1993 年起军事人员已经包括在官方统计之中。参见表 D.3 关于就业的注释。

表 C.7 中国的投资和 GDP,官方估计数和调整后的估计数,1952—2003 年 162

（十亿元人民币,现价）

	固定资产总投资	调整后的固定资产总投资	住宅投资	非住宅投资	存货增加	官方估计的 GDP
1952	8.07	7.26	2.38	4.88	7.30	69.22
1953	11.53	10.38	2.88	7.50	8.30	83.43
1954	14.09	12.68	3.01	9.67	8.60	87.83
1955	14.55	13.10	3.19	9.91	7.60	93.49
1956	21.96	19.76	3.60	16.16	3.80	103.42
1957	18.70	16.83	3.74	13.09	9.30	110.19
1958	33.30	29.97	3.63	26.34	9.90	129.12
1959	43.57	39.21	5.04	34.17	18.60	145.13
1960	47.30	42.57	5.10	37.47	10.20	150.80
1961	22.76	20.28	4.27	16.21	4.70	127.52
1962	17.51	15.76	4.02	11.74	0.30	117.64
1963	21.53	19.38	4.32	15.06	5.00	129.31
1964	29.03	26.12	5.09	21.03	6.00	144.18
1965	35.01	31.51	6.01	25.50	11.20	162.92
1966	40.68	36.61	6.54	30.07	16.30	182.73
1967	32.37	29.13	6.21	22.92	10.20	170.77
1968	30.02	27.02	6.03	20.99	13.20	170.87
1969	40.69	36.62	6.78	29.84	7.90	185.77
1970	54.59	49.13	7.88	41.25	19.90	220.70
1971	60.30	54.27	8.49	45.78	21.60	239.25
1972	62.21	55.99	8.81	47.18	16.90	245.38
1973	66.45	59.81	9.52	50.29	23.90	266.96
1974	74.81	67.33	9.76	57.57	18.80	273.87
1975	88.03	79.33	10.49	68.74	18.20	295.04
1976	86.51	77.86	10.30	67.56	12.50	296.83
1977	91.11	82.00	11.21	70.79	18.70	316.60
1978	107.39	96.65	23.56	73.09	30.40	360.56
1979	115.31	103.78	26.25	77.55	32.58	409.26
1980	132.24	119.02	29.59	93.43	27.73	459.29
1981	133.93	120.54	29.58	90.96	29.09	500.88
1982	150.32	135.29	35.71	99.58	28.10	559.00
1983	172.23	155.01	41.61	113.40	31.57	621.62
1984	214.70	193.23	46.56	146.67	36.81	736.27
1985	267.20	240.48	64.16	176.32	78.55	907.67
1986	313.97	282.57	72.94	209.63	80.22	1 050.85
1987	379.87	341.88	87.21	254.67	66.33	1 227.74
1988	471.19	424.07	106.70	317.37	99.83	1 538.86
1989	441.94	397.75	106.80	290.95	191.33	1 731.13
1990	482.78	434.50	116.40	318.10	191.82	1 934.78
1991	607.03	546.33	141.70	404.63	179.77	2 257.74
1992	851.37	766.23	171.70	594.63	157.26	2 756.52
1993	1 330.92	1 197.83	132.31	1 065.52	240.85	3 693.81
1994	1 731.27	1 558.14	255.40	1 302.74	302.84	5 021.74
1995	2 088.50	1 879.65	314.90	1 564.75	458.51	6 321.69
1996	2 404.81	2 164.33	321.64	1 842.69	473.68	7 416.36
1997	2 596.50	2 336.85	317.84	2 019.01	400.30	8 165.85
1998	2 856.90	2 571.21	361.42	2 209.79	274.52	8 653.16
1999	3 052.73	2 747.46	410.32	2 337.14	242.42	9 096.41
2000	3 384.44	3 046.00	498.41	2 547.59	99.84	9 874.90
2001	3 775.45	3 397.91	634.41	2 763.50	201.49	10 897.24
2002	4 363.21	3 926.89	779.09	3 147.89	193.29	12 035.03
2003	5 349.07	4 814.16	1 015.38	3 798.78	247.23	13 639.88

资料来源:第一列 1952—1978 年数据来自 Hitotsubashi (1997, 84),1979—2003 年数据来自 NBS (*China Statistical Yearbook*, 2006:69;注意其中 1995—2003 年数据与同一《年鉴》第 188 页有出入。在第二列,官方固定资产投资数据下调了 10%以排除军事投资和维修(因为它们并不符合西方的国民核算原则)。关于住宅投资数据,1981—1994 年来自《年鉴》(1998, 493; 1993, 117; 1995, 147; 1996, 139); 1995—2003 年数据来自《年鉴》(2006, 188)。对 1952—1980 年时期,有必要进行一个粗略的估计。根据《年鉴》(1984, 304—333)和 Chao (1974, 105—111)的信息,我估计住宅投资由 1952—1977 年占 GDP 的 3.5%上升到 1978—1980 年的 6.5% (与 20 世纪 80 年代的情况类似)。第四列关于非住宅固定资产投资的估计来自第二和第三列之差。关于 1952—1978 年存货的估计来自 Hitotsubashi (1974, 84), 1978—2003 年存货来自《年鉴》(2006, 69)。本表的官方 GDP 估计为支出法估计,1952—1977 年数据来自 Hitotsubashi (1974, 59),1978—2003 年数据来自《年鉴》(2006, 68)。

163 **表 C.8 中国非住宅固定资产投资、资本形成以及非住宅固定资本存量,1952—2003 年**

	投资率（占 GDP%）	年度资本存量增加额（百万元人民币,1987 年价格）	年末资本存量（百万元人民币,1987 年价格）		投资率（占 GDP%）	年度资本存量增加额（百万元人民币,1987 年价格）	年末资本存量（百万元人民币,1987 年价格）
1952	7.05	15 107	254 000	1978	20.27	132 795	1 756 133
1953	8.99	20 220		1979	18.95	133 721	1 864 277
1954	11.01	25 575		1980	20.34	148 368	1 986 645
1955	10.60	26 000		1981	18.16	140 385	2 085 100
1956	15.63	41 929		1982	17.81	148 037	2 199 397
1957	11.88	33 741		1983	18.24	164 473	2 299 414
1958	20.40	64 456		1984	19.92	201 983	2 425 961
1959	23.54	75 436		1985	19.43	217 357	2 566 418
1960	24.85	76 900		1986	19.95	238 126	2 772 033
1961	12.71	32 511		1987	20.74	273 618	3 020 027
1962	9.98	25 624		1988	20.62	291 187	3 278 339
1963	11.65	32 875		1989	16.81	241 673	3 473 981
1964	14.59	46 031		1990	16.44	244 628	3 663 592
1965	15.65	55 017		1991	17.92	284 220	3 884 519
1966	16.46	63 293		1992	21.57	410 182	4 244 549
1967	13.42	50 152		1993	28.85	550 664	4 750 240
1968	12.28	44 973		1994	25.94	544 684	5 231 065
1969	16.06	63 859		1995	24.75	598 252	5 743 913
1970	18.69	85 404		1996	24.85	613 040	6 267 336
1971	19.13	89 617		1997	24.73	642 221	6 816 839
1972	19.23	92 718		1998	25.53	664 911	7 384 202
1973	18.83	97 548		1999	25.93	719 672	7 993 139
1974	21.02	110 735		2000	25.80	780 758	8 643 592
1975	23.30	130 325		2001	25.36	849 432	9 366 462
1976	22.76	126 542		2002	26.16	984 955	1 021 934
1977	22.36	132 077	1 643 558	2003	27.85	1 207 343	1 129 388

资料来源:现价非住宅投资率来自表 C.7 的第四和第六列。年资本形成表现为非住宅资本存量的增加,它由非住宅投资率和表 C.3 倒数第二列的 GDP(1987 年价格)得出。年末资本存量用永续盘存法估计,假定 25 年的服务期、相同的退役模式,以及零残值废弃(参见 Maddison, 1995:137—166,关于这种方法的细节)。1952 年 2 540 亿元初始值来自我的假设。原则上,我只能依靠 1928—1952 年总资本积累,其中 13 年的 GDP 规模估计(即 1929—1938 年和 1950—1952 年),加上有限的投资信息。我假定 1939—1949 年平均 GDP 规模是 1938 年的 70%,1928—1938 年和 1950—1951 年的投资率为 GDP 的 7.5%,1939—1949 年的投资率为 3%(考虑战争破坏)。这个 7.5%的投资率是 Rawski 估计(1989, 260)和刘、叶估计(Liu-Yeh, 1965: 66, 228)的平均值。1977 年的资本存量是 1953—1977 年期间投资的积累,1978 年的存量是 1954—1978 年期间的积累,2003 年的存量为 1979—2003 年期间的积累。

165

附录 D

中国的人口与就业

第一节　人口

中国有关人口的记录远比世界上其他国家丰富，时间跨度也比较长。这主要和它特有的行政管制模式及其所依靠的各种土地和人头税有关。后者需要对土地和人口进行登记。

人口记录的方式根据行政管理和财政的需要不同而变化，有时按家庭计算，有时按人头计算，有时又按成年男性计算。拜伦斯坦(Bielenstein, 1987)对过去2 000 年的资料提供了一个权威性的考察。何炳棣(Ho, 1959)对明清两代的人口记录进行了比较，对其中的问题作了出色的讨论。

为了便于同欧洲进行比较，有必要从公元 1 世纪开始，因为当时正是罗马帝国最兴盛的时期。在这方面我们有贝洛克(Beloch, 1886)所做的估计。对公元 1 世纪时四个时间点，拜伦斯坦(Bielenstein, 1987:12)得出了非常不同的数字，我接受了他对公元 2 年的估计。宋初 960 年的人口数字来自杜兰德(Durand, 1974, 15)。根据何炳棣的工作(Ho, 1959:265)，我接受了他 1280 年(宋朝末年)的人口估计，规模为 1 亿。

在帕金斯(Perkins, 1969:192—216)工作的基础上，刘克智、黄国枢(Liu and Hwang, 1979)得出了 1380—1930 年期间每间隔 10 年的人口估计。不过，他们并没有说明其中的空缺年份是如何填补的，因为帕金斯只对 11 个基准年的人口数字给出了大致的范围(1969, 216)。刘、黄的某些 10 年间隔的估计难以接受，例如，他们的结果中人口在 1730—1740 年的 10 年间增长了 45%就不可信。我将他们估计中的那些令人难以置信的，超过 20%的 10 年人口增长进行了平滑调整。表 D. 1 加星号处指明了我的这些调整。对于 1933 年，我采用了帕金斯的估计(1969,

216)。此后的估计来自麦迪森(Maddison, 1995a)和国家统计局《年鉴》中的官方数字(官方数字已被调整为年中数字)。对 2030 年的人口预测来自美国普查局。

在传统上中国并没有可靠的出生和死亡数字,也没有预期寿命的估计。刘克智、黄国枢(1979)推测 1380—1950 年间的出生率“相当稳定”,在 37‰—42‰之间,而死亡率波动很大,在 26‰—41‰之间。国家统计局的数字表明,出生率从 1952 年的 37‰降低到 1978 年的 18.3‰,然后,进一步下降到 2003 年的 12.4‰。出生率的显著下降始于 20 世纪 70 年代。死亡率从 1952 年的 17‰下降到 1978 年的 6.3‰。
166 2003 年的死亡率为6.4‰。在 2003 年,人口中的 23%为 0—14 岁,69.6%为15—64 岁,7.4%为 65 岁或以上年龄的人口。劳动年龄人口(指 15—64 岁人口)比例要高于西欧和美国。1952 年,男性占总人口的比重为 51.9%,到 1978 年和 2003 年时为 51.5%。这是不同寻常的,因为大多数国家的男性人口少于女性,因为女性有较长的预期寿命。这样的人口性别比例意味着中国存在针对女性的杀婴或选择性流产的情况。

香港已于 1997 年 7 月 1 日回归中国,澳门也已经在 1999 年回归。而台湾可能也会在将来的某一时刻回归,对这些地区的人口估计参见表 D.2。

第二节　就业

表 D.3 的数据是我对我的 1952—2003 年就业的估计。在 1992 年之前,官方统计排除了军队,所以我在 1952—1992 年官方的“非生产性”部门的就业统计上,每年加上了 300 万人(参见表C.6)。我也将年末数字调整为年中数字。1978 年以前的官方就业资料非常笼统,只分为 4 个部门:①第一产业,包括种植业、畜牧业、林业、渔业和副业(狩猎、捕获和家庭手工业)中的就业;②第二产业,包括采矿业、制造业、公用业和建筑业中的就业;③第三产业的就业,第三产业进一步分解为“物质生产”和“非物质生产”部门的就业。就业上的这种分类是以往中国国民核算中使用的苏联物质产品概念的反映。其中“物质生产”部门包括了运输和通讯(但不包括旅客运输服务)、商业和旅馆餐饮业、地质勘探和水资源保护管理。“非物质生产”部门包括其他服务活动。按苏联/中国行业分类,维修和保养活动是工业生产而不是服务业活动,伐木业也被算作工业生产。表 D.3 提供了 1952—2003 年按这种传统方法分类的时间序列。自 1978 年以后,我们可以得到更为详细的分行业就业人数,其中包括分行业的国有企业就业人数。这些更为详细的行业数字在表 D.4a 和表 D.4b 中列出。

如果需要观察整个时期前后一致的情况,我们最多可以得到表 D.3 所列的 4 个部门的就业数字。其中 1952—1978 年的数字来自国家统计局《年鉴》1993(中文版，第 100—101 页)。对 1978—2002 年来说，我们可以得到 16 个部门的更详细的数字，而且总就业数字同以前发表的估计是一致的。表 D. 3 将整个时期的就业数字都按照 4 个部门进行了归类。

16 个部门的数字包括农业(种植业、畜牧业、林业和渔业之总和)，第二产业的 4 个部分，即采矿业、制造业、建筑业和公用业(煤气、自来水、电力)，“物质服务业”的 3 个部分，即交通与通讯、批发与零售、地质勘探，以及“非物质服务业”的 8 个部分。1978—1985 年的估计来自《年鉴》1994 年第 68 页；1985—1989 年的数据来自《年鉴》2000 年第 120—121 页；1989—2002 年的数据来自《年鉴》2006 年第 130 页。

第三节　官方就业统计中一个严重不协调的现象 167

在 1997 年之前，除了每年公布 16 个部门的就业统计，国家统计局还同时公布分解为三大产业部门的就业统计。这两个统计表中各项加总后的全部就业数字是一致的。

然而，从 1997 年起，《年鉴》中这两个就业统计表的加总数字不再一致了。三大产业部门就业的总和远远超过了 16 部门就业的总和。在《年鉴》2006 年(第 128、130 页)中，1990 年三大产业就业年末总数为 64 750 万，而 16 部门的就业总数为 56 740 万，结果出现了 8 010 万的差额。到了 2002 年，这个差额上升到 9 960 万。《年鉴》不但没有解释这个差额，反而掩盖了它，在 16 部门就业表的总数一栏使用了三大产业就业表的总数。

虽然这 16 部门就业表直到现在每年还在《年鉴》上公布，但是数字却停止在 2002 年。根据岳希明的观点，看来三大产业就业数字来自人口普查结果(参见 Yue, 2005)，16 部门就业数字来自劳动统计报表。然而，统计当局应该让使用者知道问题的真实原因，以及这两种就业统计之间的关系。也应该让使用者知道为什么 16 部门就业统计被终止了。在目前这种情况下，不可能计算出有意义的劳动生产率。

表 D. 5 给出了刘大中、叶孔嘉(1965)对 1933—1957 年就业人数的估计。在分行业就业方面，他们有详细而全面的资料来源，这有助于核实官方较为笼统的部门总数。他们也非常详细地报告了如何协调他们的估计与官方数字(1965, 209)。对于 20 世纪 50 年代官方数字中未包括的项目，他们提出了三点意见(1965, 208)，这些观点今天看来仍然是有效的：“首先，大量的手工业者、旧式运输工人、小商贩、从事个体服务的人员以及小工程队并没有计入官方的统计之中。第二，官方的统计中既不包括私立金融企业的雇员，也不包括建筑业的临时工。

第三，官方的就业统计中完全排除了军事人员。”刘、叶的就业估计超过官方数字的另外一个原因是，他们的最低就业年龄界限低于国家统计局的标准。他们的农业就业最低年龄为 7 岁，非农业为 12 岁(1965，86—87)。如果在 20 世纪 50 年代的确使用国家统计局的年龄标准，并且设定当时的预期寿命是 45 岁，这样就可以用一个大致的系数(0.86)对刘、叶的就业估计进行调整，从而推算出官方低估就业的程度和范围。表 D.6 提供的情况看来可以清楚地说明，官方就业统计在相当大的程度上低估了 1952—1957 年期间传统运输和商业活动中的就业人数。

168 **表 D.1 中国人口，公元 1—2030 年**

(年中千人)

年代	人口	年代	人口	年代/年份	人口	年份	人口
1	59 595	1690	144 000	1940	518 770	1982	1 000 281
960	55 000	1700	138 000	1945	532 607	1983	1 023 288
1280	100 000	1710	156 600*	1950	546 815	1984	1 036 825
1380	68 000	1720	177 800*	1952	568 910	1985	1 051 040
1390	69 000	1730	201 800*	1953	581 390	1986	1 066 790
1400	72 000	1740	229 050*	1954	595 310	1987	1 084 035
1410	71 000	1750	260 000	1955	608 655	1988	1 101 630
1420	73 000	1760	274 600*	1956	621 465	1989	1 118 650
1430	77 000	1770	290 000*	1957	637 408	1990	1 135 185
1440	82 000	1780	306 250*	1958	653 235	1991	1 150 780
1450	88 000	1790	323 450*	1959	666 005	1992	1 164 970
1460	93 000	1800	341 600*	1960	667 070	1993	1 178 440
1470	104 000*	1810	360 750*	1961	660 330	1994	1 191 835
1480	116 000	1820	381 000	1962	665 770	1995	1 204 855
1490	98 000	1830	409 000	1963	682 335	1996	1 217 550
1500	103 000	1840	412 000	1964	698 355	1997	1 230 075
1510	117 000*	1850	412 000	1965	715 185	1998	1 241 935
1520	133 000	1860	377 000	1966	735 400	1999	1 252 735
1530	139 000	1870	358 000	1967	754 550	2000	1 262 645
1540	144 000	1880	368 000	1968	774 510	2001	1 271 850
1550	146 000	1890	380 000	1969	796 025	2002	1 280 400
1560	151 000	1895	390 000	1970	818 315	2003	1 288 400
1570	155 000	1900	400 000	1971	841 105	2004	1 295 734
1580	162 000	1910	423 000	1972	862 030	2005	1 303 182
1590	162 000	1913	437 140	1973	881 940	2006	1 310 824
1600	160 000	1915	446 829	1974	900 350	2007	1 318 683
1610	153 000	1920	472 000	1975	916 395	2008	1 326 856
1620	145 000	1925	480 425	1976	930 685		
1630	138 000	1929	487 273	1977	943 455		
1640	130 000	1930	489 000	1978	956 165	2030	1 458 024
1650	123 000	1933	500 000	1979	969 005		
1660	135 000*	1935	505 292	1980	981 235		
1670	148 000	1936	507 959	1981	993 861		
1680	126 000						

*标明我对 Liu-Huang 估计做了修改，以消除他们的估计中缺乏可信度的数字跳跃(即每十年的年增长率超过 20%，参见正文中的讨论)。他们的估计为 1470 年为 112 000；1510 年为 124 000；1660 年为 152 000；1710 年为149 000；1720 年为 154 000；1730 年为 151 000；1740 年为 219 000；1760 年为 268 000；1770 年为 272 000；1780 年为342 000；1790 年为 359 000；1800 年为 340 000；1810 年为 385 000。

资料来源：see text abore.

表 D.2　中国澳门、香港、台湾地区的人口，1850—2030 年

169

（年中千人）

	澳门	香港	台湾
1850		33	2 000
1870		123	2 000
1890		214	2 500
1900		306	2 864
1913		487	3 469
1920		606	3 736
1929		785	4 493
1936		988	5 384
1938		1 479	5 678
1950	160	2 237	7 882
1952	157	2 126	8 541
1960	143	3 075	11 155
1965	238	3 598	12 928
1970	208	3 959	14 565
1978	246	4 670	17 112
1980	256	5 063	17 848
1990	352	5 688	20 279
1992	375	5 830	20 687
1994	393	6 067	21 088
1995	401	6 225	21 283
1996	411	6 392	21 449
1997	417	6 496	21 629
1998	422	6 545	21 823
1999	428	6 599	21 993
2000	431	6 659	22 151
2001	434	6 713	22 304
2002	438	6 762	22 454
2003	441	6 810	22 603
2004	445	6 855	22 750
2005	449	6 899	22 894
2006	453	6 940	23 036
2007	457	6 980	23 174
2008	461	7 019	23 308
2030	524	7 294	24 678

资料来源：香港 1850—1920 年数据来自 Mitchell (1982，43)，1929—1938 年数据来自 UN(*Demographic Yearbook* 1960，New York，1960)，1950—1978 年数据来自 OECD Development Centre and Hong Kong Monetary Authority。台湾 1850—1895 年数据来自 Ho (1978)，1900—1978 年数据来自 Maddison (1995a)，采用 Asian Development Bank (1997)数据更新。澳门数据来自 OECD Development Centre，和 SSB(*China Statistical Yearbook*，1997)。这三者 1980 年以后的数据均来自 US Bureau of the Census (参见 www. ggdc. net/Maddison)。

170 **表 D.3 按照旧分类标准的中国分经济部门就业人数,1952—2003 年**

(年中千人)

	农业	工业、建筑业	“物质服务业”	“非物质服务业”	总就业人数
1952	171 070	14 479	11 684	10 023	207 256
1953	175 300	16 175	11 630	10 365	213 470
1954	179 455	17 895	11 055	10 580	218 985
1955	183 660	18 815	10 571	10 754	223 800
1956	185 600	21 675	10 767	11 688	229 730
1957	189 175	22 795	11 776	13 194	236 940
1958	173 900	45 745	14 305	20 905	254 855
1959	158 685	61 970	15 595	30 615	266 865
1960	166 265	47 095	15 390	34 515	263 265
1961	183 625	34 385	14 445	27 900	260 355
1962	204 940	24 255	12 860	18 450	260 505
1963	216 035	20 215	12 415	17 085	265 750
1964	223 630	20 820	12 590	17 840	274 880
1965	230 750	22 650	12 850	18 780	285 030
1966	238 225	24 715	13 130	19 305	295 375
1967	247 070	25 965	13 525	19 535	306 095
1968	255 895	26 665	14 150	19 935	316 645
1969	265 650	28 495	14 455	20 100	328 700
1970	274 390	32 355	14 560	19 980	341 285
1971	280 755	37 100	15 205	20 205	353 265
1972	283 065	40 830	15 745	20 735	360 375
1973	285 340	43 305	15 820	21 065	365 530
1974	290 000	45 410	16 200	21 495	373 105
1975	292 975	48 605	17 170	21 935	380 685
1976	294 065	53 020	18 220	22 705	388 010
1977	293 460	56 325	19 255	25 045	394 085
1978	288 060	63 405	20 220	28 965	400 650
1979	284 760	70 795	21 330	32 005	408 890
1980	288 780	74 605	22 770	33 775	419 930
1981	294 495	78 550	24 395	35 990	433 430
1982	303 180	81 745	25 840	37 335	448 100
1983	310 050	85 125	27 530	38 945	461 650
1984	310 095	91 345	30 870	43 845	476 155
1985	309 990	99 870	35 475	48 015	493 350
1986	311 920	108 000	38 840	50 010	508 770
1987	314 585	114 710	41 075	52 955	523 325
1988	319 560	119 390	43 485	56 170	538 605
1989	327 370	120 640	44 795	59 835	552 640
1990	336 710	120 490	45 120	60 685	563 005
1991	345 365	122 755	46 735	63 300	578 155
1992	348 755	126 540	49 495	67 175	591 965
1993	343 805	131 980	51 880	70 610	598 275
1994	336 760	137 395	55 825	78 240	608 220
1995	332 020	141 385	61 215	84 435	619 055
1996	329 640	143 305	65 110	88 100	626 155
1997	330 025	142 790	68 195	91 535	632 545
1998	331 635	134 310	68 735	95 470	630 150
1999	333 625	125 615	68 225	96 805	624 270
2000	334 240	124 745	68 545	99 816	627 346
2001	331 645	125 385	68 520	104 605	630 155
2002	327 305	128 245	70 150	108 460	634 160
2003	327 421	127 417	72 074	113 370	640 282

资料来源:1952—1977 年末估计来自《年鉴》(1993, 100—101); 1978—1984 年数据来自《年鉴》(1994, 68); 1985—1989 年数据来自《年鉴》(2000, 120—121), 1989—2002 年数据来自《年鉴》(2006, 130)。1952—1977 年的估计只可以得到表中 4 个部门的分解。1978—2002 年数据可以分解为 16 个部门,但是只到 2002 年。对 2003 年的粗略估计来自当年三个部门的分解。所有数据由年末调整为年中。没有 1951 年数据,为了估计 1952 年的年中数,我假定 1951—1952 年末数变化同各部门在 1952—1953 年的变化相等。1993 年以前军人并不包括在官方统计之中,我因此在 1952—1992 每年“非物质服务业”中增加了 300 万。

171

表 D.4a 中国按照新行业分类的部门就业人数,1978—2002 年

(年中千人)

	1978	1995	2002
农业	283 180	330 180	324 870
采掘业	6 520	9 320	5 580
制造业	53 320	98 030	83 070
公用业	1 070	2 580	2 900
地质勘探	1 780	1 350	980
建筑业	8 540	33 220	38 930
交通通讯业	7 500	19 420	20 840
商业、餐饮业	11 400	42 920	49 690
其他服务业	31 220	86 870	110 930
全部就业	404 520	625 870	637 790

资料来源:*China Statistical Yearbook*, 2006, p. 130. 军人并不包括在 1978 年官方“其他服务业”中,因此我加了 300 万人。不幸的是,以上分部门数据仅到 2002 年为止。

表 D.4b 中国国有部门按照新行业分类的部门就业人数,1978—2005 年

(年中千人)

	1978	1995	2005*
农业	7 740	6 340	3 927
采掘业	5 888	8 340	2 357
制造业	24 490	33 260	5 990
公用业	1 020	2 370	2 057
地质勘探	1 770	1 320	1 797*
建筑业	4 470	6 050	2 503
交通通讯业	4 650	6 770	4 218
商业、餐饮业	9 070	10 610	2 044
其他服务业	18 420	34 510	37 427
全部就业	77 510	109 550	62 320

* 包括从事科学研究人数。

资料来源:1978 年和 1995 年数据来自《年鉴》(1997, 108—109)2005 年数据来自《年鉴》(2006, 140—141)。军人并不包括在 1978 年官方“其他服务业”中,我加了 300 万人。

172 **表 D.5 刘大中—叶孔嘉估计的部门就业人数，1933—1957 年**

（千人）

	1933	1952	1953	1954	1955	1956	1957
农业	204 910	199 890	203 590	208 260	210 760	214 890	215 760
工业、建筑业	19 230	18 330	19 970	21 290	20 950	21 030	22 410
其中：							
工厂、矿山、公用业	1 940	3 540	4 120	4 200	4 400	4 810	5 500
手工业	15 750	13 500	14 030	15 190	14 560	13 780	14 510
建筑业	1 550	1 290	1 820	1 900	1 950	2 440	2 400
交通、商业	26 180	25 220	24 650	22 480	21 710	22 420	22 830
其中：							
现代交通、通讯	440	730	790	960	1 130	1 320	1 430
传统交通	10 860	10 900	10 080	9 670	9 630	10 200	10 000
贸易	7 490	5 140	5 040	4 390	4 160	4 510	5 010
餐饮业		1 450	1 400	1 400	1 400	1 350	1 350
流动小贩	7 390	7 000	7 340	6 060	5 390	5 040	5 040
其他服务业	8 890	11 760	12 420	12 740	12 830	13 070	13 390
其中：							
政府（民事）	5 120	3 960	4 160	4 360	4 550	4 900	5 070
军事	n. a.	3 000	3 000	3 000	3 000	3 000	3 000
党团	n. a.	630	1 070	1 180	1 070	1 120	1 240
金融	140	540	590	620	660	700	750
个人服务	3 630	3 630	3 600	3 580	3 550	3 350	3 330
工作队	0	4 080	2 520	2 880	4 920	5 310	5 560
就业总数	259 210	259 280	263 160	267 650	271 170	276 720	279 950

资料来源：全部资料来自刘、叶（Liu and Yeh，1965）。全部结果来自第 69 页，详细数据和资料来源见第 181—212 页。商业的分解来自第 200 页，其他服务业来自第 204 页和 206 页。

表 D.6 比较国家统计局和调整后的刘大中—叶孔嘉就业估计，1952—1957 年

（千人）

	1952	1953	1954	1955	1956	1957
农业						
国家统计局	171 070	175 300	179 455	183 660	185 600	189 175
调整后的刘-叶	175 905	179 159	179 104	181 254	184 805	185 554
工业、建筑业						
国家统计局	14 479	16 175	17 895	18 815	21 675	22 795
调整后的刘-叶	16 130	17 574	18 735	18 436	18 506	19 721
交通和通讯业						
国家统计局	11 684	11 630	11 055	10 571	10 767	11 776
调整后的刘-叶	22 194	21 692	19 782	19 105	19 730	20 090
其他服务业						
国家统计局	10 023	10 365	10 580	10 754	11 688	13 194
调整后的刘-叶	10 349	10 930	11 211	11 290	11 502	11 783

资料来源：国家统计局数据来自表 D.3，刘-叶数据来自表 D.5。刘-叶假定的初始就业年龄过低，因此我使用 0.86 系数对他们的就业人数进行了调整。

附录 E

对外贸易

表 E.1 中国大陆、台湾地区商品贸易额,1850—1938 年 173

(百万美元,当年市场汇率)

	中国大陆出口额	其中:东北三省	中国大陆进口额	其中:东北三省	台湾地区出口额	台湾地区进口额
1850	50		n. a.			
1860	76		n. a.			
1870	102		89			
1880	125		96			
1890	126		139			
1900	132		139		8	11
1913	299		416		26	30
1929	660	210	810	147	129	94
1933	259	98	466	113	64	48
1934	302	121	518	169	91	64
1935	314	107	510	172	101	76
1936	348	137	467	187	113	85
1937	399	153	524	244	127	93
1938	324	170	607	346	125	102

资料来源:1850—1860 年中国大陆和东北三省数据来自 Lewis (W. A. Lewis in Grassman and Lundberg,1981),1870—1913 年数据来自 Hsiao (1974),1929—1938 年数据来自 League of Nations,*Reviews of World Trade*(有关各卷)。台湾地区 1913—1938 年数据来自 League of Nations,*Reviews of World Trade*,1900 年数据来自 Ho (1978, 391)。

174 **表 E.2 中国大陆、台湾地区、香港地区的商品进出口贸易额，1950—2006 年**

（百万美元，以当年汇率折算）

	中国大陆出口额	台湾地区出口额	香港地区出口额	中国大陆进口额	台湾地区进口额	香港地区进口额
1950	550		657	580		665
1952	820		510	1 120		663
1957	1 600	148	529	1 500	212	901
1958	1 980	157	524	1 890	826	804
1959	2 260	231	574	2 120	340	866
1960	1 860	164	689	1 950	264	1 026
1961	1 490	199	688	1 450	317	1 045
1962	1 490	228	768	1 170	341	1 165
1963	1 650	332	873	1 270	363	1 297
1964	1 920	434	1 012	1 550	430	1 496
1965	2 230	450	1 143	2 020	557	1 569
1966	2 370	537	1 324	2 250	622	1 767
1967	2 140	641	1 527	2 020	808	1 818
1968	2 100	802	1 744	1 950	906	2 058
1969	2 200	1 049	2 177	1 830	1 216	2 458
1970	2 260	1 428	2 515	2 330	1 528	2 905
1971	2 640	1 998	2 875	2 200	1 849	3 391
1972	3 440	2 914	3 436	2 860	2 518	3 856
1973	5 820	4 383	5 071	5 160	3 801	5 655
1974	6 950	5 518	5 968	7 620	6 983	6 778
1975	7 260	5 302	6 026	7 490	5 959	6 766
1976	6 850	8 155	8 484	6 580	7 609	8 838
1977	7 590	9 349	9 616	7 210	8 522	10 446
1978	9 750	12 682	11 453	10 890	11 051	13 394
1979	13 660	16 081	15 140	15 670	14 793	17 127
1980	18 120	19 786	19 752	20 020	19 764	22 447
1981	22 010	22 502	21 827	22 020	21 153	24 797
1982	22 320	22 075	21 006	19 290	18 827	23 475
1983	22 230	25 086	21 959	21 390	20 308	24 017
1984	26 140	30 439	23 323	27 410	22 002	28 568
1985	27 350	30 696	30 187	42 250	20 124	29 703
1986	30 940	39 644	35 439	42 900	24 230	35 367
1987	39 440	53 483	48 476	43 220	34 802	48 465
1988	47 520	60 493	63 163	55 280	49 763	63 896
1989	52 540	66 085	73 140	59 140	52 507	72 155
1990	62 090	67 142	82 160	53 350	54 830	82 474
1991	71 840	76 115	98 577	63 790	63 078	100 240
1992	84 940	81 395	119 512	80 590	72 181	123 407
1993	91 740	84 678	135 244	103 960	77 099	138 650
1994	121 010	92 847	151 399	115 610	85 507	161 841
1995	148 780	122 000	173 750	132 080	103 560	192 751
1996	151 050	116 000	180 750	138 830	102 528	198 550
1997	182 790	122 000	188 059	142 370	114 000	208 614
1998	183 710	111 000	174 002	140 240	105 000	184 518
1999	194 930	122 000	173 885	165 700	111 000	179 520
2000	249 200	148 000	201 860	225 090	140 000	212 805
2001	266 100	123 000	189 894	243 550	107 000	201 076
2002	325 600	130 600	200 092	295 170	112 500	207 644
2003	438 230	144 200	223 762	412 760	127 200	231 896
2004	593 320	174 000	259 000	561 230	167 900	271 000
2005	761 950	198 400	289 000	659 950	182 600	300 000
2006	969 000	224 000	317 000	672 000	203 000	335 000

资料来源：Maddison，1998，p. 176；updated *China Statistical Yearbook* and *IMF*，*International Financial Statistics*.

表 E. 3　中国货币汇率，1870—2005 年 175

（每单位中国货币折合美分）

1870	159	1978	59. 4
1880	138	1979	64. 3
1890	127	1980	66. 7
1895	80	1981	58. 7
1900	75	1982	52. 8
1905	73	1983	50. 6
1913	73	1984	43. 0
1929	64	1985	34. 1
1932	34	1986	29. 0
1933	26	1987	26. 9
1934	34	1988	26. 9
1935	36	1989	26. 6
1936	30	1990	20. 9
1937	29	1991	18. 8
1938	21	1992	18. 1
1939	11	1993	17. 4
1940	6	1994	11. 6
1941	5	1995	12. 0
1942	n. a.	1996	12. 0
1943	1. 7	1997	12. 0
1944	0. 5	1998	12. 0
1945	0. 06	1999	12. 0
1946	0. 05	2000	12. 0
1947	0. 008	2001	12. 0
1948（8 月）	0. 00001	2002	12. 0
1952	44. 2	2003	12. 0
1957	40. 6	2004	12. 0
1970	40. 6	2005	12. 21

资料来源：1870—1941 年数据来自 Hsiao（1974，190—192），1943—1948 年数据来自 Chang（1958）。1870—1932 年中国货币为银元，1933—1941 年货币为法偿币（法币）元。1952—1957 年数据来自 Lardy（1992，148），1970—1985 年数据来自 IMF，*International Financial Statistics*，1996—2005 年数据来自 *China Statistical Yearbook*（2006，734）。

176

表 E.4 中国出口指数，1867—2003 年

(1913＝100)

	出口指数
1867	31.9
1870	33.3
1880	47.2
1890	42.0
1900	54.9
1913	100.0
1929	149.2
1932	100.8
1933	124.7
1934	118.6
1935	126.7
1936	125.6
1950	151.0
1952	192.1
1973	278.3
1978	372.6
1990	1 479.6
2003	10 812.1

资料来源：1867—1936 年数据来自《南开指数》(Hsiao，1974：274—275)，1870—2003 年数据来自 Maddison (2001，361)以及更新后的 Maddison (2007)第三章；后者根据 IMF，*International Financial Statistics* 数据更新。

附录 F

中国拼音和威妥玛—贾尔斯拼音法中的人物与地方名称

这本书使用了威妥玛—贾尔斯拼法(Wade-Giles system)拼写汉字。这个方法是威妥玛爵士(Sir Thomas Wade)在1859年发明的,并由贾尔斯(H. A. Giles)在1912年进行了略微改进。它被使用在《剑桥中国史》(*Cambridge History of China*)和李约瑟(Needham)的百科全书式的巨著《中国科学技术史》(*Science and Civilisation in China*),以及我所引用其他很多历史著作之中。1958年中国政府批准了一个新的拼音字母体系,1975年国务院决定将这个拼音体系作为标准的汉语罗马化拼音体系。因为要对过去沿用的名称找到其按照现代拼音标准拼写的方式并不那么容易,表F.1和表F.2对照使用了按照拼音和威妥玛-贾尔斯拼法拼写的一些重要的中文人物和地方名称。

178

表 F.1　中国的帝国统治者和近代领导人，1368—1949 年 *

	标准拼音 帝王年号[a]	帝国时代	威妥玛-贾尔斯拼法
		明朝(Ming)	
1368—1399	洪武(Hongwu)		Hung-wu
1399—1402	建文(Jianwen)		Chien-wen
1403—1425	永乐(Yongle)		Yung-lo
1425—1426	洪熙(Hongxi)		Hung-hsi
1426—1436	宣德(Xuande)		Hsüan-te
1436—1449	正统(Zhentong)		Cheng-t'ung
1450—1457	景泰(Jingtai)		Ching-t'ai
1457—1465	天顺(Tianshun)		T'ien-shun
1465—1488	成化(Chenghua)		Ch'eng-hua
1488—1506	弘治(Hongzhi)		Hung-chih
1506—1522	正德(Zhengde)		Cheng-te
1522—1567	嘉靖(Jiajing)		Chia-ching
1567—1573	隆庆(Longqing)		Lung-ch'ing
1573—1620	万历(Wanli)		Wan-li
1620—1621	泰昌(Taichang)		T'ai-ch'ang
1621—1627	天启(Tianqi)		T'ien-ch'i
1628—1644	崇祯(Chongzhen)		Ch'ung-chen
		清朝(Qing/Ch'ing)	
1644—1661	顺治(Shunzhi)		Shun-chih
1662—1722	康熙(Kangxi)		K'ang-hsi
1723—1735	雍正(Yongzhen)		Yung-cheng
1736—1796	乾隆(Qianlong)		Ch'ien-lung
1796—1820	嘉庆(Jiaqing)		Chia-ch'ing
1821—1850	道光(Daoguang)		Tao-kuang
1851—1861	咸丰(Xianfeng)		Hsien-feng
1862—1874	同治(Tongzhi)		T'ung-chih
1875—1908	光绪(Guangxu)		Kuang-hsü
1909—1911	宣统(Xuantong[b])		Hsüan-t'-ung
1861—1908	慈禧[c](Cixi)/Dowager Empress		Tz'u-hsi
		近代中国 中华民国	
1911—1912	孙中山(Sun Zhongshan) **		Sun Yat-sen(孙逸仙)
1912—1916	袁世凯(Yuan Shikai)		Yüan shih-kai
1916—1928	军阀割据		
1928—1949	蒋介石(Jiang Jieshi)		Chiang kai-shek

* 英文版的资料是 1368—2007 年。作者对 1949—2007 年的领导人及任职时间编排与事实有出入，故删去 1949 年以后的内容。——校者

** 英文版中没有孙中山。——校者

a. 中国皇帝除本人姓名外一般还有年号和谥号。年号会使用到皇帝逝世那一日历年年末。清朝皇帝还有满语姓名，譬如康熙皇帝的满语姓名为爱新觉罗 · 玄烨(Elhe taifin)。

b. 他本人的姓名是溥仪(P'u-i)(又称亨利，或爱新觉罗)。他的帝位在 1912 年被废弃，1967 年逝世。1934 年被日本立为伪满洲国傀儡皇帝，"年号"为"康德"。

c. 慈禧是咸丰皇帝妃子，同治皇帝的母亲，光绪皇帝的姨妈，宣统皇帝的外祖姨母。

表 F.2　中国行政区的威妥玛—贾尔斯拼法
以及 2005 年分省(自治区、直辖市)GDP 与人口情况 *

行政区名称	人口（千人）	地区 GDP（百万元人民币）	人均 GDP（元人民币）	威妥玛-贾尔斯拼法
北　京	15 360	688 631	44 843	Peking
天　津	10 430	379 762	35 452	Tientsin
上　海	17 780	915 418	51 486	Shanghai
河　北	68 440	1 009 611	14 752	Hopei
山　西	33 520	417 952	12 469	Shansi
内蒙古	23 860	389 555	16 327	Inner Mongolia
辽　宁	42 200	800 901	18 979	Liaoning
吉　林	27 150	362 027	13 334	Kirin
黑龙江	38 180	551 150	14 436	Heilungkiang
江　苏	74 680	1 830 566	24 512	Kiangsu
浙　江	48 940	1 343 785	27 458	Chekiang
安　徽	61 140	537 512	8 791	Anhwei
福　建	35 320	656 895	18 598	Fien
江　西	43 070	405 676	9 419	Kiangsi
山　东	92 390	1 851 687	20 042	Shantung
河　南	93 710	1 058 742	11 298	Honan
湖　北	57 070	652 014	11 425	Hupei
湖　南	63 200	651 134	10 303	Hunan
广　东	91 850	2 236 654	24 351	Kwangtung
广　西	46 550	407 575	8 756	Kwangsi
海　南	8 260	89 457	10 830	Hainan
重　庆	27 970	307 049	10 978	Chungking
四　川	82 080	738 511	8 997	Szechwan
贵　州	37 250	197 906	5 313	Kweichow
云　南	44 420	347 289	7 818	Yunnan
西　藏	2 760	25 121	9 102	Tibet
陕　西	37 180	367 566	9 886	Shensi
甘　肃	25 920	193 398	7 461	Kansu
青　海	5 430	54 332	10 006	Tsinghai
宁　夏	5 950	60 610	10 187	Ninghsia
新　疆	20 080	260 419	12 969	Sinkiang
全　国	**1 306 280**	**18 308 480**	**14 016**	

* 中国行政区包括 22 个省、5 个自治区和 4 个直辖市。未包括台湾省。香港和澳门是中国的特别行政区。

资料来源：*China Statistical Yearbook* 2006，pp. 63 and 101. GDP 以现价计算。人口为 2005 年 11 月 1 日的数字。

183 # 参考文献

ABEL, W. (1978), *Agrarkrisen und Agrarkonjunktur*, Parey, Hamburg.

ALLEN, G. C. AND A. G. DONNITHORNE (1954), *Western Enterprise and Far Eastern Economic Development*, Allen and Unwin, London.

ARK, VAN, B. (1993), "International Comparisons of Output and Productivity", Ph. D. Dissertation, University of Groningen.

ARK, VAN, B. (1996), "Sectoral Growth Accounting and Structural Change in Postwar Europe" pp. 84-164 *in* van Ark & Crafts.

ARK, VAN, B. AND M. P. TIMMER (2002), "Realising Growth Potential, South Korea and Taiwan, 1960 to 1998", *in* MADDISON *et al*. ASIAN DEVELOPMENT BANK (1997), *Key Indicators of Developing Asian and Pacific Countries*, Manila.

ARK, VAN, B. AND N. CRAFTS (eds.) (1996), *Quantitative Aspects of post-war European Economic Growth*, Cambridge University Press.

BAILEY, A. AND J. LLOBERA (eds.) (1981), *The Asiatic Mode of Production*, Routledge, London.

BALAZS, S., "Beiträge zur Wirtschaftsgeschichte der T'ang-Zeit (618-906)", in *Mitteilungen des Seminars fur Orientalische Sprachen*, 34 (1931), 35 (1932), 36 (1933).

BALAZS, E. (formerly Stefan) (1952), "Les Aspects significatifs de la sociétéchinoise", *Études Asiatiques* (VI).

BALAZS, E. (1964), *Chinese Civilization and Bureaucracy*, Yale University Press, New Haven.

BALAZS, E. (1968), *La Bureaucratieácé leste; recherches sur l'économie et la sociétéde la*

Chine traditionnelle, Gallimard, Paris.

Banister, J. (1987), *Chinás Changing Population*, Stanford University Press, Stanford.

Barker, R., R. Sinha and B. Rose (1982), *The Chinese Agricultural Economy*, Croom Helm, London.

Beloch, J. (1886), *Die Bevölkerung der Griechisch-Römischen Welt*, Duncker and Humblot, Leipzig.

Bennett, M. K. (1954), *The World's Food*, Harper, New York.

Bergson, A. (1961), *The Real National Income of Soviet Russia Since 1928*, Harvard University Press, Cambridge, MA.

Bielenstein, H. (1987), "Chinese Historical Demography AD 2-1982", *Bulletin of the Museum of Far Eastern Antiquities, Stockholm*, No. 59.

Blunden, C. and M. Elvin (1983), *Cultural Atlas of China*, Phaidon, Oxford.

Boserup, E. (1965), *The Conditions of Agricultural Growth*, Aldine, Chicago.

Boserup, E. (1981), *Population and Technology*, Blackwell, Oxford.

Bowles, P. and G. White (1993), *The Political Economy of China's Financial Reforms*, Westview Press, Oxford.

Bray, F. (1984), *Agriculture*, J. Needham (1954-1997), *Science and Civilisation in* 184
China series, Vol. VI:2.

Brown, L. R. (1995), *Who Will Feed China?*, Norton, New York.

Buck, J. L. (1930), *China's Farm Economy*, University of Chicago Press, Chicago.

Buck, J. L. (1937), *Land Utilization in China*, 3 Vols., Council on Economic and Cultural Affairs, New York.

Carter, T. F. (1925), *The Invention of Printing in China and Its Spread Westward*, Columbia University Press, New York.

Census and Statistics Department (1997), *Estimates of GDP 1961 to 1996*, Hong Kong, March.

Chang, C. L. (1955), *The Chinese Gentry*, University of Washington, Seattle.

Chang, C. L. (1962), *The Income of the Chinese Gentry*, University of Washington, Seattle.

Chang, H. P. (1964), *Commissioner Lin and the Opium War*, Harvard University

Press, Cambridge, MA.

CHANG, K. N. (1958), *The Inflationary Spiral: The Experience in China, 1939-1950*, MIT Press, Cambridge, MA.

CHANG, J. K. (1969), *Industrial Development in Pre-Communist China*, Edinburgh University Press, Edinburgh.

CHAO, K. (1965), *The Rate and Pattern of Industrial Growth in Communist China*, University of Michigan Press, Ann Arbor.

CHAO, K. (1968), *The Construction Industry in China*, Aldine, Chicago.

CHAO, K. (1970), *Agricultural Production in Communist China*, 1949-1965, University of Wisconsin Press, Madison.

CHAO, K. (1974), *Capital Formation in Mainland China*, 1952-1965, University of California Press, Berkeley.

CHAO, K. (1977), *The Development of Cotton Textile Production in China*, Harvard University Press, Cambridge, MA.

CHAO, K. (1982), *The Economic Development of Manchuria: The Rise of a Frontier Economy*, Michigan Papers in Chinese Studies, 43, Ann Arbor.

CHAO, K. (1986), *Man and Land in Chinese History: An Economic Analysis*, Stanford University Press, Stanford.

CHEN, K., G. H. JEFFERSON, T. G. RAWSKI, H. WANG AND Y. ZHENG (1988), "New Estimates of Fixed Investment and Capital Stock for Chinese State Industry", *China Quarterly*, June.

CHEN, N. R. (1966), *Chinese Economic Statistics*, Edinburgh University Press, Edinburgh.

CHEN, N. R. AND C. M. HOU (1986), "China's Inflation, 1979-1983: Measurement and Analysis", *Economic Development and Cultural Change*, No. 2.

CHI, C.-T. (1936), *Key Economic Areas in Chinese History*, Allen and Unwin, London.

China Statistical Yearbook (2006), China Statistics Press, Beijing.

CHINESE MINISTRY OF INFORMATION (1943), *China Handbook 1937-1943*, Macmillan, New York.

CHOW, G. C. (1993), "Capital Formation and Economic Growth in China", *Quarterly*

Journal of Economics, Vol. 108, August.

CH'U, T. T. (1962), *Local Government in China Under the Ch'ing*, Harvard University Press, Cambridge, MA.

CHOU, K. R. (1966), *The Hong Kong Economy*, Academic Publishers, Hong Kong.

CIPOLLA, C. M. (1976), *Before the Industrial Revolution: European Society and Economy, 1000-1700*, Norton, New York.

CLARK, C. (1967), *Population Growth and Land Use*, Macmillan, London.

COLBY, W. H., F. W. CROOK AND S. E. H. WEBB (1992), *Agricultural Statistics of the People's Republic of China 1949-1990*, Economic Research Service, US Dept. of Agriculture, Statistical Bulletin 844, Washington, D. C., December.

COLLINS, S. M. AND B. P. BOSWORTH (1996), "Economic Growth in East Asia: Accumu- 185
lation versus Assimilation", *Brookings Papers on Economic Activity*, 2.

COOKE JOHNSON, L. (ed.) (1993), *Cities of Jiangnan in Late Imperial China*, State University of New York Press, Albany.

COOKE JOHNSON, L. (1995), *Shanghai: From Market Town to Treaty Port*, 1074-1858, Stanford University Press, Stanford.

CRANMER-BYNG, J. L. (1962), *An Embassy to China* (Journal kept by Lord Macartney 1793-1794), Longmans, London. DALLIN, D. J. (1950), *The Rise of Russia in Asia*, World Affairs, London.

DENG, G. (1993), *Development versus Stagnation: Technological Continuity and Agricultural Progress in Pre-Modern China*, Greenwood, Westport.

DERNBERGER, R. F. (ed.) (1980), *China's Development Experience in Comparative Perspective*, Harvard University Press, Cambridge, MA.

DNEA (Department of National Economic Accounts) (1996), *Input-Output Table of China 1992*, China Statistical Publishing House, Beijing.

DNEB (Department of National Economic Balance, State Statistical Bureau of China) and ONIOS (Office of the National Input-Output Survey) (1991), *Input-Output Table of China 1987*, China Statistical Publishing House, Beijing.

DOMAR, E. D. (1989), *Capitalism, Socialism and Serfdom*, Cambridge University Press, Cambridge.

DONNITHORNE, A. (1967), *China's Economic System*, Praeger, New York.

DUBY, G. (1998), *France in the Middle Ages, 987-1460*, Blackwell, London.

DURAND, J. D. (1960), "The Population Statistics of China A. D. 2-1953", *Population Studies*, March.

DURAND, J. D. (1974), *Historical Estimates of World Population; An Evaluation*, University of Pennsylvania Press, Philadelphia.

EAST ASIA ANALYTICAL UNIT (1997), *China Embraces the Market*, Dept. of Foreign Affairs and Trade, Canberra.

EBERHARD, W. (1956), "Data on the Structure of the Chinese City in the Pre-Industrial Period", *EconomicDevelopment and Cultural Change*, October.

EBREY, P. C. (1996), *The Cambridge Illustrated History of China*, Cambridge University Press, Cambridge.

ECKSTEIN, A. (1961), *The National Economy of Communist China*, Free Press, Glencoe.

ECKSTEIN, A. (1980) (ed.), *Quantitative Measures of China's Economic Output*, University of Michigan Press, Ann Arbor.

ECKSTEIN, A., W. GALENSON AND T. C. LIU (1968) (eds.), *Economic Trends in Communist China*, Aldine, Chicago.

ECLAC(Economic Commission for Latin America and the Caribbean) (1997), *Preliminary Overview of the Economy of Latin America and the Caribbean* 1997, Santiago.

EHRLICH, E. (1985), "The Size Structure of Manufacturing Establishments and Enterprises: An International Comparison", *Journal of Comparative Economics*, 9.

ELVIN, M. (1970), "The Last Thousand Years of Chinese History; Changing Patterns of Land Tenure", *Modern Asian Studies*, 4, 2.

ELVIN, M. (1972), "The High Level Equilibrium Trap: The Causes of the Decline of Invention in the Traditional Chinese Textile Industries", *in* WILLMOTT(1972).

ELVIN, M. (1973), *The Pattern of the Chinese Past*, Methuen, London.

ELVIN, M. (1982), "The Technology of Farming in Late-Traditional China", *in* BARKER, R., R. SINHA ANDB. ROSE(eds.).

186 ELVIN, M. ANDT. J. LIU(eds.) (1998), *Sediments of Time, Environment and Society in Chinese History*, Cambridge University Press.

ENDICOTT-WEST, E. (1989), *Mongolian Rule in China: Local Administration in the*

Yuan Dynasty, Harvard University Press, Cambridge, MA.

DAVIS, K. (1951), *The Population of India and Pakistan*, Princeton University Press, Princeton.

EU, IMF, OECD, UN and World Bank (1993), *System of National Accounts*, New York.

FAIRBANK, J. K., E. O. REISCHAUER AND A. M. CRAIG(1965), *East Asia: The Modern Transformation*, Houghton Mifflin, Boston.

FAO (1994), *Production Yearbook*, FAO, Rome.

FAURE, D. (1984), *The Rural Economy of Pre-Liberation China*, Oxford University Press, Hong Kong.

FELTENSTEIN, A. AND J. HA(1991), "Measurement of Repressed Inflation in China", *Journal of Development Economics*, Vol. 36, No. 2, October.

FEUERWERKER, A. (1958), *China's Early Industrialization*, Harvard University Press, Cambridge, MA.

FEUERWERKER, A. (eds.) (1968), *History in Communist China*, MIT Press, London.

FEUERWERKER, A. (1975), *Rebellion in Nineteenth Century China*, Michigan Papers in Chinese Studies, No. 21.

FEUERWERKER, A. (1976), *State and Society in Eighteenth-Century China: The Ching Empire in its Glory*, Michigan Papers in Chinese Studies, No. 27, Ann Arbor.

FEUERWERKER, A. (1977), *Economic Trends in the Republic of China*, 1912-1949, Michigan Papers in Chinese Studies, Ann Arbor.

FEUERWERKER, A. (1995), *Studies in the Economic History of Late Imperial China*, Center for Chinese Studies, University of Michigan Press, Ann Arbor.

FEUERWERKER, A., R. MURPHY AND M. C. WRIGHT (1967), *Approaches to Modern Chinese History*, University of California Press, Berkeley.

FIELD, R. M. (1992), "China's Industrial Performance Since 1978", *China Quarterly*, September.

FINDLAY, C., A. WATSON AND H. X. WU(1994), *Rural Enterprises in China*, Macmillan, London.

FOGEL, J. A. (1984), *Politics and Sinology: The Case of Naito Konan*, Harvard University Press, Cambridge, MA.

Fogel, R. W. (1964), *Railroads and American Economic Growth*, Johns Hopkins University Press, Baltimore.

Fong, H. D. (1975), *Reminiscences of a Chinese Economist at 70*, South Seas Society, Singapore.

Freedman, M. (1958), *Lineage Organisation in South Eastern China*, London School of Economics, Monograph 18, London.

Gernet, J. (1970), *Daily Life in China on the Eve of the Mongol Invasion 1250-1276*, Stanford University Press, Stanford.

Gernet, J. (1982), *A History of Chinese Civilization*, Cambridge University Press, Cambridge.

Goldsmith, R. W. (1984), "An Estimate of the Size and Structure of the National Product of the Roman Empire", *Review of Income and Wealth*, Vol. 30, No. 3, September.

Grassman, S. and E. Lundberg (eds.) (1981), *The World Economic Order: Past and Prospects*, Macmillan, London.

Greenberg, M. (1951), *British Trade and the Opening of China, 1800-1842*, Monthly Review Press, New York.

Griffin, K. and R. Zhao (1993), *The Distribution of Income in China*, Macmillan, London.

Haeger, J. W. (ed.) (1975), *Crisis and Prosperity in Sung China*, University of Arizona Press, Tucson.

Halde du, P. J. B. (1741), *The General History of China*, 3rd edition, translated by R. Brookes, Watts, London.

187 Hartwell, R. M. (1962), "A Revolution in the Chinese Iron and Coal Industries During the Northern Sung, 960-1126 AD", *Journal of Asian Studies*, February.

Hartwell, R. M. (1966), "Markets, Technology and the Structure of Enterprise in the Development of the Eleventh Century Chinese Iron and Steel Industry", *Journal of Economic History*, March.

Hartwell, R. M. (1967), "A Cycle of Economic Change in Imperial China: Coal and Iron in Northern China, 750-1350", *Journal of the Economic and Social History of the Orient*, Vol. X.

HARTWELL, R. M. (1982), "Demographic, Political and Social Transformations of China, 750-1550", *Harvard Journal of Asiatic Studies*.

HAYAMI, A. (1986), "Population Trends in Tokugawa, Japan: 1600-1868", International Statistical Institute Congress.

HERD, R. AND S. DOUGHERTY(2007), "Growth Prospects in China and India Compared", *European Journal of Comparative Economics*, vol. 4, n. 1, pp. 65-89.

HIBINO, T. (1939), "To Sojidai ni ikeru Fukken no Kaihatsu", *Toyoshikenkyu*, March.

HINTON, H. C. (1970), *The Grain Tribute System of China (1845-1911)*, Harvard University Press, Cambridge, MA.

HO, P. T. (1959), *Studies on the Population of China, 1368-1953*, Harvard University Press, Cambridge, MA.

HO, P. T. (1962), *The Ladder of Success in Imperial China*, Columbia University Press, New York.

HO, P. T. (1975), *The Cradle of the East: An Inquiry into the Indigenous Origins of Techniques and Ideas of Neolithic and Early Historic China, 5000-1000 BC*, Chinese University, Hong Kong.

HO, S. P. S. (1978), *Economic Development of Taiwan 1860-1970*, Yale University Press, New Haven.

HO, S. P. S. (1994), *Rural China in Transition*, Clarendon Press, Oxford.

HOLLINGSWORTH, T. H. (1969), *Historical Demography*, Cornell University Press, Ithaca, New York.

HOLLISTER, W. W. (1959), *China's Gross National Product and Social Accounts, 1950-1957*, Free Press, Glencoe.

HOU, C. M. (1965), *Foreign Investment and Economic Development in China 1840-1937*, Harvard University Press, Cambridge, MA.

HOU, C. M. AND T. S. YU(eds.) (1979), *Modern Chinese Economic History*, Academia Sinica, Taipei.

HOU, C. M. AND T. S. YU(1982), *Agricultural Development in China, Japan and Korea*, Academia Sinica, Taipei.

HSIAO, L. L. (1974), *China's Foreign Trade Statistics, 1864-1949*, Harvard University Press, Cambridge, MA.

Hsü, I. C. Y. (1975), *The Rise of Modern China*, Oxford University Press, Oxford.

Huang, P. C. C. (1985), *The Peasant Economy and Social Change in North China*, Stanford University Press, Stanford.

Huang, P. C. C. (1990), *The Peasant Family and Rural Development in the Yangzi Delta*, 1350 1988, Stanford University Press, Stanford.

Huang, R. (1974), *Taxation and Governmental Finance in Sixteenth Century Ming China*, Cambridge University Press, Cambridge.

Hucker, C. O. (1961), *The Traditional Chinese State in Ming Times*, University of Arizona, Tucson.

Hucker, C. O. (1978), *The Ming Dynasty: the Origins and Evolving Institutions*, University of Michigan Press, Ann Arbor.

Hucker, C. O. (1985), *A Dictionary of Official Titles in Imperial China*, Stanford University Press, Stanford.

Ibn Battùta(1929), *Travels in Asia and Africa 1325-1354 in* H. A. R. Gibb(ed.), Routledge, London.

IEA (2005*a*), *Energy Balances of OECD and Non-OECD Countries*, International Energy Agency, OECD, Paris.

188 IEA (2005*b*), *CO2 Emissions from Fuel Combustion? 1971-2003*, International Energy Agency, OECD, Paris. IEA (2006), *World Energy Outlook*, International Energy Agency, OECD, Paris.

IMF (various years) *International Financial Statistics*, *IMF*, Washington, D. C.

Jacobs, D. N. (1981), *Borodin: Stalin's Man in China*, Harvard University Press, Cambridge, MA.

Jamieson, G. (1897), *Report on the Revenue and Expenditures of the Chinese Empire*, Foreign Office Miscellaneous Series 1415, HMSO, London.

JEC (1967), *An Economic Profile of Mainland China*, 2 Vols., Joint Economic Committee, US Congress, Washington, D. C., February.

JEC (1972), *People's Republic of China: An Economic Assessment*, Joint Economic Committee, US Congress, Washington, D. C., May.

JEC (1975), *China: A Reassessment of the Economy*, Joint Economic Committee, US Congress, Washington, D. C., July.

JEC (1976), *China and the Chinese*, Joint Economic Committee, US Congress, Washington, D. C., November.

JEC (1978), *Chinese Economy Post Mao*, Vol. 1, Joint Economic Committee, US Congress, Washington, D. C., November.

JEC (1982), *China under the Four "Modernizations"*, 2 Vols., Joint Economic Committee, US Congress, Washington, D. C., August and December.

JEC (1986), *China's Economy Looks Towards the Year* 2000, 2 Vols., Joint Economic Committee, US Congress, Washington, D. C., May.

JEC (1991), *China's Economic Dilemmas in the 1990s*, 2 Vols., Joint Economic Committee, US Congress, Washington, D. C., April.

JEC (1996), *China's Economic Future: Challenges to US Policy*, Joint Economic Committee, US Congress, Washington, D. C., August.

JEFFERSON, G. H., T. G. RAWSKI AND Y. ZHENG (1992), "Growth, Efficiency and Convergence in China's State and Collective Industry", *Economic Development and Cultural Change*, Vol. 40, No. 2, January.

JEFFERSON, G. H. AND T. G. RAWSKI (1994), "Enterprise Reform in Chinese Industry", *Journal of Economic Perspectives*, Vol. 8, No. 2, Spring.

JEFFERSON, G. H., A. G. Z. HU AND J. SU (2006), "The Sources and Sustainability of China's Growth", *Brookings Papers in Economic Activity*, No. 2, pp. 1-47.

JONES, E. L. (1981), *The European Miracle*, Cambridge University Press, Cambridge.

JONES, E. L. (1988), *Growth Recurring*, Clarendon Press, Oxford.

KEIDEL, A. (1992), "How Badly do China's National Accounts Underestimate China's GDP?", Rock Creek Research, mimeo.

KEIDEL, A. (1994), *China: GNP Per Capita*, World Bank, Report No. 13580-CHA, December.

KING, F. H. (1926), *Farmers of Forty Centuries*, Cape, London.

KOUWENHOVEN, R. (1996), "Economic Performance of Soviet Farming: A Comparison in Space and Time 1913-1991", Groningen Growth and Development Centre, processed.

KOUWENHOVEN, R. (1997), "A Comparison of Soviet and US Industrial Performance, 1928-1990", *Jahrbuch für Wirtschaftgeschichte*, 2.

KRACKE, E. (1953), *Civil Service in Early Sung China*, Harvard University Press, Cambridge, MA.

KRAVIS, I. (1981), "An Approximation of the Relative Real Per Capita GDP of the People's Republic of China", *Journal of Comparative Economics*, 5.

189 KRUGMAN, P. (1994), "The Myth of Asia's Miracle", *Foreign Affairs*, Vol. 73, No. 6, November/December.

KUEH, Y. Y. AND R. F. ASH(eds.) (1993), *Economic Trends in Chinese Agriculture*, Oxford University Press, Oxford.

KUHN, D. (1988), *Textile Technology: Spinning and Reeling*, Vol. V: 9 *in* Needham, J. (ed.) (1954-1997).

KUHN, P. A. (1970), *Rebellion and Its Enemies in Late Imperial China: Militarisation and Social Structure 1796/1864*, Harvard University Press, Cambridge, MA.

LANDES, D. S. (1969), *The Unbound Prometheus*, Cambridge University Press, Cambridge.

LARDY, N. R. (1983), *Agriculture in China's Modern Economic Development*, Cambridge University Press, Cambridge.

LARDY, N. R. (1992), *Foreign Trade and Economic Reform in China*, 1978-1990, Cambridge University Press, Cambridge.

LARDY, N. R. (1994), *China in the World Economy*, Institute for International Economics, Washington, D. C.

LEE, B. AND A. MADDISON(1997), "A Comparison of Output, Purchasing Power and Productivity in Indian and Chinese Manufacturing in the mid 1980s", *COPPAA Paper*, No. 5, Griffith University, Brisbane.

LEGGE, J. (1960), *The Chinese Classics*, 5 Vols., Hong Kong University Press (reprint of 1893 OUP edition).

LEVATHES, L. (1994), *When China Ruled the Seas*, Simon and Schuster, New York.

LEWIN, G. (1973), *Die erste Fünfzig Jahre der Sung Dynastie in China*, Akademie Verlag, Berlin.

LI, B. (1998), *Agricultural Development in Jiangnan, 1620-1850*, MacMillan, London.

LI, C. M. (1959), *Economic Development of Communist China*, University of California

Press, Berkeley.

Li, C. M. (1962), *The Statistical System of Communist China*, University of California Press, Berkeley.

Li, J. *et al*. (1992), "Productivity and China's Economic Growth", *Economic Studies Quarterly*, December.

Lin, C. Z. (1988), "China's Economic Reforms II: Western Perspectives", *Asian-Pacific Economic Literature*, Vol. 2, No. 1, March.

Lin, J. Y. (1990), "Collectivisation and China's Agricultural Crisis in 1959-1961", *Journal of Political Economy*, Vol. 98, No. 6, December.

Lin, J. Y. (1992), "Rural Reforms and Agricultural Growth in China", *American Economic Review*, Vol. 82, No. 1, March.

Lin, J. Y. (1995), "The Needham Puzzle: Why the Industrial Revolution did not Originate in China", *Economic Development and Cultural Change*, January.

Lin, J. Y. , Fang Cai and Zhou Li (1996), *The China Miracle*, Chinese University Press, Hong Kong.

Lippit, V. D. (1974), *Land Reform and Economic Development in China*, International Arts and Sciences Press, New York.

Liu, G. W. (2005, *Wrestling for Power: the State and the economy in Later Imperial China, 1000-1770*, Harvard University Ph. D. thesis.

Liu, J. T. C. and P. J. Golas (eds.) (1969), *Change in Sung China: Innovation or Renovation?*, Heath, Lexington.

Liu, P. K. C. and K. S. Hwang (1979), "Population Change and Economic Development in Mainland China since 1400", *in* Hou and Yu (1979).

Liu, T. -C. (1946), *China's National Income 1931-1936: An Exploratory Study*, Brookings, Washington, D. C.

Liu, T. -C. and K. C. Yeh (1965), *The Economy of the Chinese Mainland: National Income and Economic Development, 1933-1959*, Princeton University Press, Princeton.

Liu, T. C. and K. C. Yeh (1973), "Chinese and Other Asian Economies: A Quantitative Evaluation", *American Economic Review*, May.

Liu, T. J. and J. C. H. Fei (1977), "An Analysis of the Land Tax Burden in China, 190

1650-1865", *Journal of Economic History*, June.

LIU, P. K. C. AND K. S. HWANG (1979), "Population Change and Economic Development in Mainland China Since 1400", *in* HOU, C. -M. AND T. -S. YU (eds.)

MA, L. J. C. (1971), *Commercial Development and Urban Change in Sung China*, University of Michigan Press, Ann Arbor.

MACARTNEY, G. (1962), *An Embassy to China, being the Journal kept by Lord Macartney, 1793-1794*, edited by J. L. Cranmer-Byng, Longmans, London.

MADDISON, A. (1970), *Economic Progress and Policy in Developing Countries*, Norton, New York.

MADDISON, A. (1971), *Class Structure and Economic Growth: India and Pakistan Since the Moghuls*, Allen and Unwin, London.

MADDISON, A. (1985), *Two Crises: Latin America and Asia 1929-1938 and 1973-1983*, OECD Development Centre, Paris.

MADDISON, A. (1987), "Growth and Slowdown in Advanced Capitalist Countries: Techniques of Quantitative Assessment", *Journal of Economic Literature*, June.

MADDISON, A. (1998*a*), *Chinese Economic Performance'in the Long Run*, first edition, OECD Development Centre, Paris.

MADDISON, A. (1998*b*), "Measuring the Performance of a Communist Command Economy: An Assessment of the CIA Estimates for the USSR", *Review of Income and Wealth*, Vol. 44, No. 3, September.

MADDISON, A. (1989), *The World Economy in the Twentieth Century*, OECD Development Centre, Paris.

MADDISON, A. (1991*a*), *Dynamic Forces in Capitalist Development*, Oxford University Press, Oxford.

MADDISON, A. (1991*b*), *A Long Run Perspective on Saving*, Research Memorandum 443, Institute of Economic Research, University of Groningen.

MADDISON, A. AND ASSOCIATES (1992), *The Political Economy of Poverty, Equity and Growth: Brazil and Mexico*, Oxford University Press, Oxford.

MADDISON, A. (1995*a*), *Monitoring the World Economy, 1820-1992*, OECD Development Centre, Paris.

MADDISON, A. (1995*b*), *Explaining the Economic Performance of Nations: Essays in*

Time and Space, Elgar, Aldershot.

Maddison, A. (1997), "The Nature and Functioning of European Capitalism: A Historical and Comparative Perspective", *Banca Nazionale del Lavoro Quarterly Review*, December.

MaddisonA. (2001), *The World Economy: A Millennial Perspective*, OECD, Paris.

MaddisonA. (2003), *The World Economy: Historical Statistics*, OECD, Paris.

Maddison A. (2006), "Do Official Statistics Exaggerate China's GDP Growth? A Reply to Carsten Holz", *Review of Income and Wealth*, March, pp. 121-126.

Maddison A. (2007), *Contours of The World Economy, 1-2030 AD; Essays in Macroeconomic History*, Oxford University Press.

Maddison, A. and Associates(1992), *The Political Economy of Poverty, Equity, and Growth: Brazil and Mexico*, Oxford University Press.

Maddison, A., D. S. Prasada Rao, and W. F. Shepherd (eds.) (2002), *The Asian Economies in the Twentieth Century*, Elgar, Cheltenham.

Maddison, A. and H. van der Wee(1994), *Economic Growth and Structural Change: Comparative Approaches over the Long Run*, Proceedings, Eleventh International Economic History Congress, Milan, September.

Maddison, A. and H. X. Wu(2007), "*China's Economic Performance: How Fast has GDP Grown*", forthcoming.

Malenbaum, W. (1982), "Modern Economic Growth in India and China: the Compari- 191
son Revisited", *Economic Development and Cultural Change*, No. 1, October.

Mayerson, P. (1981), "Wheat Production and its Social Consequences in the Roman World", *Classical Quarterly*, 31(ii).

McNeill, W. H. (1977), *Plagues and People*, Anchor Books, New York.

McNeill, W. H. (1982), *The Pursuit of Power*, Blackwell, Oxford.

Metzger, T. (1973), *The Internal Organisation of the Ching Bureacracy*, Harvard University Press, Cambridge, MA.

Ministry of Agriculture(1988), *China Agriculture Yearbook*, SSB, Beijing.

Ministry of Agriculture Planning Bureau(1989), *Zhongguo Nongcun Jingji Tongji Ziliao Daquan, 1949-1986*, (Comprehensive Book of China Rural Economic Statistics, 1948-86), Agriculture Press, Beijing.

MITCHELL, B. R. (1982), *International Historical Statistics: Africa and Asia*, Macmillan, London.

MIYAZAKI, I. (1976), *China's Examination Hell: The Civil Service Examinations of Imperial China*, Weatherhill, New York and Tokyo.

MIZOGUCHI, T. AND M. UMEMURA (1988), *Basic Economic Statistics of Former Japanese Colonies, 1895-1938*, Toyo Keizai Shinposha, Tokyo.

MOKYR, J. (1990), *The Lever of Riches*, Oxford University Press, Oxford.

MOTE, F. W. (1999), *Imperial China, 900—1800*, Harvard University Press.

MYERS, R. (1970), *The Chinese Peasant Economy: Agricultural Development in Hopei and Shantung 1890-1949*, Harvard University Press, Cambridge, MA.

MYERS, R. (1977), "The Chinese Economy during the Ch'ing Period", manuscript.

NAKAYAMA, S. AND N. SIVIN (eds.) (1973), *Chinese Science: Exploration of An Ancient Tradition*, MIT Press, Cambridge.

NAQUIN, S. AND E. S. RAWSKI (1987), *Chinese Society in the Eighteenth Century*, University of Yale, New Haven.

NATH, P. (1929), *A Study in the Economic Condition of Ancient India*, Royal Asiatic Society, London.

NAUGHTON, B. (1988), "The Third Front: Defence Industrialisation in the Chinese Interior", *China Quarterly*, September.

NAUGHTON, B. (1995), *Growing Out of the Plan: Chinese Economic Reform 1978-1993*, Cambridge University Press, Cambridge.

NBS, *Statistical Yearbook of China*, Beijing, various annual issues.

NEEDHAM, J. (1954-1997), *Science and Civilisation in China*, 50 major sections, many co-authors, many volumes, Cambridge University Press, Cambridge.

NEEDHAM, J. (1958), *The Development of Iron and Steel Technology in China*, Science Museum, London.

NEEDHAM, J. (1969), *The Great Titration: Science and Society in East and West*, Allen and Unwin, London.

NEEDHAM, J. (1971), *Science and Civilisation in China*, vol. IV:3, *Civil Engineering and Nautical Technology*, Cambridge University Press.

NEEDHAM, J. (1981), *Science in Traditional China: A Comparative Perspective*, Harvard University Press, Cambridge, MA.

NGUYEN, D. T. AND H. X. WU(1993), "The Impact of Economic Reforms in Chinese Agricultural Performance", Chinese Economy Research Unit, Adelaide, December.

NOLAN, P. (1995), *China's Rise, Russia's Fall*, Macmillan, London.

NORTH, D. C. (1981), *Structure and Change in Economic History*, Norton, New 192
York.

ODAKA, K., Y. KIYOKAWA AND M. KUBONIWA(eds.) (2000), *Constructing A Historical Macroeconomic Database for Trans-Asian Regions*, Institute of Economic Research, Hitotsubashi University.

OU, P.-S. *et al*. (1946), "Industrial Production and Employment in Prewar China", *Economic Journal*, September.

OU, P.-S. (1947), 1933 *Chung-KuoKuo-min-So te*(China's National Income 1933), 2 Vols., Shanghai.

PERDUE, P. C. (1987), *Exhausting the Earth: State and Peasant in Hunan, 1500-1850*, Harvard University Press, Cambridge, MA.

PERKINS, D. H. (1966), *Market Control and Planning in Communist China*, Harvard University Press, Cambridge, MA.

PERKINS, D. H. (1969), *Agricultural Development in China, 1368-1968*, Aldine, Chicago.

PERKINS, D. H. (ed.) (1975), *China's Modern Economy in Historical Perspective*, Stanford University Press, Stanford. PERKINS, D. H. (1988), "Reforming China's Economic System", *Journal of Economic Literature*, Vol. 26, No. 2, June.

PERKINS, D. H. AND S. YUSUF(1984), *Rural Development in China*, Johns Hopkins University Press, Baltimore.

PILAT, D. (1994), *The Economics of Rapid Growth: The Experience of Japan and Korea*, Elgar, Aldershot.

POMERANZ, K. (2000), *The Great Divergence*, Princeton University Press.

POWELL, R. L. (1955), *The Rise of Chinese Military Power* 1895-1912, Princeton University Press, Princeton.

PURCELL, V. (1965), *The Chinese in Southeast Asia*, Royal Institute of International Affairs, London.

PYO, H. K., K. H. RHEE AND B. HA(2006). "*Estimates of Labor and Total factor Productivity by 72 industries in Korea (1870-2003)*", paper presented to OECD Workshop, Paris, October 16th

QIAN, W. Y. (1985), *The Great Inertia: Scientific Stagnation in Traditional China*, Croom Helm, London.

RAWSKI, E. S. (1972), *Agricultural Change and the Peasant Economy of South China*, Harvard University Press, Cambridge, MA.

RAWSKI, E. S. (1979), *Education and Popular Literacy in Ch'ing China*, University of Michigan Press, Ann Arbor.

RAWSKI, T. G. (1979), *Economic Growth and Employment in China*, Oxford University Press, New York.

RAWSKI, T. G. (1989), *Economic Growth in Prewar China*, University of California Press, Berkeley.

RAWSKI, T. G. AND L. M. LI (eds.) (1992), *Chinese History in Historical Perspective*, Berkeley.

RAYCHAUDHURI, T. AND I. HABIB(1982), *The Cambridge Economic History of India*, Vol. 1, Cambridge University Press, Cambridge.

REISCHAUER, E. O. AND J. K. FAIRBANK (1958), *East Asia: The Great Tradition*, Houghton Mifflin, Boston.

REMER, C. F. (1933), *Foreign Investments in China*, Macmillan, New York.

REN, R. (1997), *China's Economic Performance in International Perspective*, OECD Development Centre, Paris.

RISKIN, C. (1975), "Surplus and Stagnation in Modern China", *in* PERKINS (ed.) (1975).

RISKIN, C. (1987), *China's Political Economy*, Oxford University Press, Oxford.

ROPP, P. S. (ed.) (1990), *Heritage of China*, University of California Press, Berkeley.

ROWE, W. T. (1986), "Approaches to Modern Chinese Social History" *in* ZUNZ, O. (ed.) (1986).

ROZMAN, G. (1973), *Urban Networks in Ch'ing China and Tokugawa Japan*, Princeton University Press, Princeton.

SALTER, W. E. G. (1960), *Productivity and Technical Change*, Cambridge University

Press, Cambridge.

Schirokauer, C. (1989), *A Brief History of Chinese and Japanese Civilisations*, Harcourt, Brace, Jovanovich, New York. 193

Schmookler, J. (1966), *Invention and Economic Growth*, Harvard University Press, Cambridge, MA.

Schurmann, H. F. (1967), *Economic Structure of Yuan Dynasty*, Harvard University Press, Cambridge, MA.

Shiba, Y. (1970), *Commerce and Society in Sung China*, Center for Chinese Studies, University of Michigan, Ann Arbor.

Shiba, Y. (1977), "Ningpo and Its Hinterland", *in* Skinner (ed.) (1985).

Sicular, T. X. Yue, B. Gustavsson and S. Li (2007), "The Urban-Rural Income Gap and Inequality in China" *Review of Income and Wealth*, March, pp. 93-126.

Skinner, G. W. (1964-1965), "Marketing and Social Structure in Rural China", *Journal of Asian Studies*, November, February and May.

Skinner, G. W. (ed.) (1977), *The City in Late Imperial China*, Stanford University Press, Stanford.

Skinner, G. W. (1985), "The Structure of Chinese History", *Journal of Asian Studies*, February.

Slicher van Bath, B. H. (1963), *The Agrarian History of Western Europe AD 500-1850*, Arnold, London.

Smith, A. (1976), *An Inquiry into the Nature and Causes of the Wealth of Nations* (1776), University of Chicago, reprint.

Snooks, G. D. (1993), *Economics Without Time*, Macmillan, London.

Sprenkel, van der, O. B. (1963), "Max Weber on China", *History and Theory*, Vol. II.

SSB (State Statistical Bureau) (1960), *Ten Great Years*, Foreign Languages Press, Peking.

SSB (annually, from 1981 onwards), *Zhongguo Tongji Nianjian* (China Statistical Yearbook).

SSB (1985), *Zhongguo Gongye Jingji Tongji Ziliao 1949-1984* (China Industrial Economic Statistics Data 1949-1984), Industry, Transport and Materials Statistics Dept., Beijing.

SSB (1988), *Zhongguo Wujia Tongji Nianjian* (Price Statistical Yearbook of China), Beijing.

SSB (1990), *Lishi Tongji Ziliao Huibian* (Historical Statistical Data Compilation 1949-1989), Beijing.

SSB (1991), *Zhongguo Touru Chanchu Biao* (Input-Output Table of China 1987), China Statistical Publishing House, Beijing.

SSB (1995 and 1996), *Zhongguo Gongye Jingji Tongji Nianjian* (China Industrial Economic Statistics Yearbook), Beijing.

SSB (1997), *The Gross Domestic Product of China 1952-1995*, Dongbei University of Finance and Economics Press, Beijing.

SSB and Hitotsubash University Institute of Economic Research (1997) *The Historical National Accounts of the People's Republic of China*, 1952-1995, *Tokyo.*

Stavis, B. (1982), "Rural Institutions in China" *in* Barker, Sinha and Rose (1982).

Stern Review (2006), *The Economics of Climate Change*, UK Treasury, London.

Suto, Y. (1969), *Sodai keizai shi kenkyu* (Studies on the Economic History of the Sung Dynasty), Toyo Bunko, Tokyo.

Swamy, S. (1973), "Economic Growth in China and India, 1952-1970: A Comparative Appraisal", *Economic Development and Cultural Change*, Vol. 21, No. 4, July.

Swamy, S. (1989), *Economic Growth in China and India*, Vikas, New Delhi.

194 Summers, R. and A. Heston (1995), "Penn World Tables (Mark 5): An Expanded Set of International Comparisons 1950-1988", *Quarterly Journal of Economics*, May, supplemented by PWT 5. 5 diskette of June 1993 and PWT 5. 6 diskette of January.

Szirmai, A. and R. Ren (1995), "China's Manufacturing Performance in Comparative Perspective, 1980-1992", Research Memorandum 581, Groningen Growth and Development Centre, June.

Taeuber, I. B. and N. C. Wang (1960), "Population Reports in the Ch'ing Dynasty", *Journal of Asian Studies*, August.

Taeuber, I. B. (1958), *The Population of Japan*, Princeton University Press, Princeton.

Tang, A. M. (1979), "China's Agricultural Legacy", Economic Development and Cultural Change, October.

TAWNEY, R. H. (1932), *Land and Labour in China*, Allen and Unwin, London.

TENG, S. Y., J. K. FAIRBANK *et al.* (eds.) (1954), *China's Response to the West: A Documentary Survey 1839-1923*, Harvard University Press, Cambridge, MA.

TORBERT, P. M. (1977), *The Ch'ing Imperial Household Department*, Harvard University Press, Cambridge, MA.

TSIEN, T. H. (1985), *Paper and Printing*, Vol. V:1, *in* NEEDHAM, J. (ed.).

TWITCHETT, D. C. (1963), *Financial Administration Under the Tang Dynasty*, Cambridge University Press, Cambridge.

TWITCHETT, D. C. (1968), "Merchant, Trade and Government in the Late T'ang", *Asia Major*.

TWITCHETT, D. ANDJ. K. FAIRBANK(1978 onwards), *The Cambridge History of China*, Vols. 10, 11, 12, Cambridge University Press, Cambridge.

URLANIS, B. T. (1941), *Rost Naselenie v Evrope*, Ogiz, Moscow.

VRIES DE, J. (1984), *European Urbanization 1500-1800*, Methuen, London.

WADE, T. F. (1851), "The Army of the Chinese Empire: Its Two Divisions, the Bannermen or National Guard, the Green Standard, or Provincial Troops", *The Chinese Repository*, Canton.

WAKEMAN, F. JNR. (1975), *The Fall of Imperial China*, Collier-Macmillan, London.

WANG, Y. C. (1973), *Land Taxation in Imperial China 1750-1911*, Harvard University Press, Cambridge, MA.

WARD, B. JNR. (1966), *Social Origins of Dictatorship and Democracy*, Beacon, Boston.

WEN, G. J. (1993), "Total Factor Productivity Change in China's Farming Sector: 1952-1989", *Economic Development and Cultural Change*, Vol. 42, No. 1, October.

WEBER, M. (1964), *The Religion of China*, Collier-Macmillan, London.

WHITE, L. (1962), *Medieval Technology and Social Change*, Oxford University Press, Oxford.

WILES, P. (1962), *The Political Economy of Communism*, Harvard University Press, Cambridge, MA.

WIENS, T. B. (1982), Micro-economics of Peasant Economy: China 1920-1940, Garland, New York.

WILLMOTT, W. (ed.) (1972), *Economic Organisation in Chinese Society*, Stanford University Press, Stanford.

WITTFOGEL, K. A. (1931), *Wirtschaft und Gesellschaft Chinas*, Hirschfeld, Leipzig.

WITTFOGEL, K. (1957), *Oriental Despotism*, Yale University Press, New Haven.

WONG, R. B. (1997), *China Transformed*, Cornell University Press, Ithaca and London.

WOOD, F. (1995), *Did Marco Polo Go to China?*, Secker and Warburg, London.

WORLDBANK(1981), *Statistical System and Basic Data*, Annex A to China: *Socialist Economic Development*, Washington, D. C.

WORLDBANK(1983), *China*, *Socialist Economic Development*, 3 Vols., Washington, D. C.

WORLDBANK(1985), *China: Long Term Development Issues and Options*, Washington, D. C.

195 WORLDBANK(1992), *China: Statistical System in Transition*, Report 9557-CHA, Washington, D. C., September.

WORLDBANK(1993), *The East Asian Miracle: Economic Growth and Public Policy*, Washington, D. C.

WORLDBANK(1995), *Statistical Handbook* 1995: *States of the Former USSR*, Washington, D. C.

WORLDBANK(1996), *The Chinese Economy*, *Fighting Inflation*, *Deepening Reforms*, Washington, D. C.

WORLDBANK(1997*a*), *China 2020*, Washington, D. C.

WORLD BANK(1997*b*), *At China's Table*, Washington, D. C.

WORLDBANK(2007), *Dancing with Giants: China*, *India and the Global Economy*, Washington, D. C.

WRIGHT, A. F. (1977), "The Cosmology of the Chinese City", *in* SKINNER(1977).

WRIGHT, M. C. (ed.) (1971), *China in Revolution: The First Phase 1900-1913*, Yale University Press, New Haven.

WU, H. X. (1992), "The Industrialisation of China's Rural Labour Force Since the Economic Reform", *WorkingPaper 92/6*, Chinese Economy Research Unit, University of Adelaide, September.

WU, H. X. (1993), "The 'Real' Chinese Gross Domestic Product (GDP) for the Pre-

Reform Period 1952-1977", *Review of Income and Wealth*, Vol. 39, No. 1, March.

WU, H. X. (1997), *Reconstructing Chinese GDP according to the National Accounts Concepts of Value Added: the Industrial Sector*, COPPAA Paper No. 4, Griffith University, Brisbane.

WU, H. X. (2000), "Measuring China's GDP level and growth performance: Alternative estimates and the implications", *Review of Income and Wealth*, Series 46 (4): 475-499.

WU, H. X. (2002), "How Fast has Chinese Industry Grown? Measuring the Real Output of Chinese Industry, 1949-1997", *Review of Income and Wealth*, June, pp. 179-204.

WU, H. X. AND X. MENG(1995) "Relocation of Farm Labour and Its Direct Impact on Chinese Grain Production", Armidale (processed).

WU, H. X. AND X. YUE(2000), "Reconstructing the Post-War Chinese Industrial GDP with a Laspeyres' Quantity Index Approach: A Further Inquiry," *in* Odaka, Kiyokawa and Kuboniwa .

XI, L. AND D. W. CHALMERS (2004), "The Rise and Decline of Chinese Shipbuilding in the Middle Ages", *International Journal of Maritime Engineering*, Royal Institute of Naval Architects.

XU, D. AND C. M. WU(eds.), *Chinese Capitalism 1552-1840*, Beijing, forthcoming.

XU, X AND Y. YE(2000), *National Accounts for China: Sources and Methods*, OECD, Paris.

YEH, K. C. (1968), "Capital Formation", *in* ECKSTEIN, GALENSON AND LIU.

YEH, K. C. (1979), "China's National Income, 1931-1936", *in* HOU AND YU.

YOUNG, A. (1995), "The Tyranny of Numbers. Confronting the Statistical Realities of the East Asian Growth Experience", *Quarterly Journal of Economics*, August.

YOUNG, A. N. (1965), *China's Wartime Finance and Inflation*, Harvard University Press, Cambridge, MA.

YOUNG, A. N. (1971), *China's Nation Building Effort*, 1927-1937, Stanford University Press, Stanford.

YUE, X. (2005), "Problems of Current Employment Statistics in China", *Economic Research Journal* (Jingji Yanjiu), March.

YUE, X., ZHANG, S. AND X XU(eds.) (2004), *Zhongguo Jingji Zengzhang Sudu: Yangjiu Yu Zhenglun*, Citicpub, Beijing.

YUSUF, S. AND L. A. WINTERS(eds.) (2007), *Dancing with the Giants: China, India and the Global Economy*, World Bank, Washington, D. C.

ZHAO, W. AND S. XIE(1988), *Zhongguo Renkou Shi* (Population History of China), People's Press, Beijing.

ZUNZ, O. (1986), *Reliving the Past: The Worlds of Social History*, University of North Carolina Press, Chapel Hill.

图书在版编目（CIP）数据

中国经济的长期表现:公元960~2030年/(英)安格斯·麦迪森(Angus Maddison)著;伍晓鹰,马德斌译;王小鲁校.—修订本—上海：上海人民出版社，2016

(世纪中国论坛典藏文库)

书名原文:Chinese Economic Performance in the Long Run, 960—2030AD(second edition)

ISBN 978-7-208-13992-3

Ⅰ. ①中… Ⅱ. ①安… ②伍… ③马… ④王… Ⅲ. ①中国经济-经济增长-研究-960—2030年 Ⅳ. ①F124

中国版本图书馆CIP数据核字(2016)第174076号

责任编辑　任俊萍

封面装帧　陈　楠

·世纪中国论坛典藏文库·

中国经济的长期表现

——公元960—2030年

(修订版)

[英]安格斯·麦迪森 著

伍晓鹰　马德斌 译

世纪出版集团

上海人民出版社出版

(200001　上海福建中路193号　www.ewen.co)

世纪出版集团发行中心发行

上海中华印刷有限公司印刷

开本720×1000　1/16　印张15.25　插页4　字数245,000

2016年8月第1版　2016年8月第1次印刷

ISBN 978-7-208-13992-3/F·2396

定价 52.00元

英文原版书名:*Development Centre Studies*. Chinese Economic Performance in the Long Run，960—2030 AD，Second Edition，Revised and Updated
法文原版书名:*Études du Centre de Développement*. L'économie chinoise：Une perspective historique，960—2030 AD，Deuxième édition，révisée et mise à jour
作者:安格斯·麦迪森
原出版社:巴黎经济合作与发展组织(OECD)